sociología
y
política

Traducción de:
Elpidio Pacios, con revisión de Inés Izaguirre y el autor

Capitalismo y subdesarrollo en América Latina

por

Andre Gunder Frank

siglo
veintiuno
editores

MÉXICO
ESPAÑA
ARGENTINA
COLOMBIA

siglo veintiuno editores, sa de cv
CERRO DEL AGUA 248, DELEGACIÓN COYOACÁN, 04310 MÉXICO, D.F.

siglo veintiuno de españa editores, sa
C/PLAZA 5, MADRID 33, ESPAÑA

siglo veintiuno argentina editores, sa

siglo veintiuno de colombia, ltda
AV. 3a. 17-73 PRIMER PISO, BOGOTÁ, D.E. COLOMBIA

primera edición, 1970
novena edición, 1987
© siglo xxi editores, s.a. de c.v.
ISBN 968-23-0022-3

INDICE

Para
Paula y Thacher
amigos fieles que tuvieron fe
A
Paul Baran
pionero que inspiró
Paul Sweezy
amigo que estimuló
Paulo Frank
latinoamericano que debe continuar

PREFACIO

Creo, como Paul Baran, que fue el capitalismo mundial y nacional el que generó el subdesarrollo en el pasado y que sigue generándolo en el presente.

Los ensayos que siguen se escribieron en épocas diferentes, en varios países y con diversos propósitos y medios [1]. Cada uno de ellos se propone, a su modo, esclarecer cómo la estructura y el desarrollo del capitalismo, después de haber permeado y caracterizado, desde hace mucho, a la América Latina y a otros continentes, continúan generando, manteniendo y haciendo más profundo el subdesarrollo.

En estos estudios, el análisis se centra en —y emerge de— la estructura metrópoli-satélite del sistema capitalista. Aunque las características, contradicciones y consecuencias del capitalismo aparecen en todos ellos, en cada uno se pone énfasis especial en un rasgo particular del subdesarrollo capitalista. El estudio histórico sobre el subdesarrollo en Chile hace particular hincapié en la pérdida y enajenación del excedente económico durante el proceso del subdesarrollo capitalista, proceso hacia el cual llamó la atención Paul Baran. El breve ensayo en torno al "problema indígena" en América Latina sostiene que su base es la extensión del pillaje capitalista del excedente a las más apartadas capas de la sociedad. Las contradicciones del desarrollo desigual y de la polarización internacional, nacional y regional reciben, a su vez, un análisis más detallado en el estudio del subdesarrollo histórico del Brasil. Finalmente, la naturaleza monopolista de la estructura del capitalismo es el núcleo del análisis del último estudio, acerca del subdesarrollo de la agricultura brasileña contemporánea.

[1] Por esta razón no ha sido posible reexaminar ciertas fuentes locales.

1

La persistencia de estas contradicciones del capitalismo, que a lo largo de la historia del desarrollo capitalista engendran subdesarrollo, brota de todos los ensayos.

El estudio acerca de Chile incluye el contexto histórico del desarrollo y el subdesarrollo capitalistas y expone detalladamente los rasgos esenciales de la estructura del sistema capitalista en los niveles mundial, nacional y local, rasgos que forman la base teórica de mi tesis general. El acento en la historia se propone demostrar cómo el desarrollo histórico del capitalismo empezó a introducirse, a formar y, en verdad, a caracterizar las sociedades latinoamericana y chilena ya desde la conquista, en el siglo XVI. El ensayo analiza cómo, a lo largo de las centurias siguientes, el capitalismo mundial impuso su estructura y desarrollo expoliadores a la economía interna de Chile y la integró totalmente con el sistema capitalista mundial, convirtiéndola en un satélite colonial de la metrópoli capitalista extranjera. El estudio sugiere también cómo es que la consecuencia inevitable de esa estructura y evolución capitalista mundial, chilena y local ha sido el desarrollo del subdesarrollo en Chile.

El segundo bosquejo, acerca del llamado "problema indígena" latinoamericano, es parte de un estudio mayor, redactado como informe para la Comisión Económica para América Latina de las Naciones Unidas. Como tal, su preparación estuvo sujeta a ciertas limitaciones. El ensayo sostiene que esta estructura capitalista es ubicua. Hasta los pueblos indígenas de la América Latina, de cuya supuesta economía de subsistencia se dice a menudo que los margina de la vida nacional, se encuentran totalmente integrados en esa estructura, si bien como víctimas superexplotadas del imperialismo capitalista interno. Siendo ya partes integrantes del sistema capitalista, la tan frecuente política de tratar de "integrar" a los indígenas latinoamericanos en la vida nacional mediante uno u otro esquema de desarrollo comunal, carece, por ende, de sentido y está destinada a fracasar. El carácter particular del supuesto atraso de los indígenas, lejos de provenir del aislamiento, debe atribuirse a —y comprenderse en función de— ese mismo sistema estructural capitalista, y de las particulares manifestaciones de subdesarrollo a que da origen en diferentes circunstancias.

El tercer estudio, "El desarrollo del subdesarrollo capitalista en el Brasil", se preparó en forma de disertaciones para la conferencia sobre el "tercer mundo" celebrada en la Escuela Nacional de Ciencias Políticas y Sociales de la Universidad Nacional de México, en enero de 1965. Similar en intención al ensayo sobre Chile, este estudio subraya particularmente las inherentes limitaciones que la estructura y el desarrollo del sistema capitalista imponen necesariamente al desarrollo industrial y económico de sus miembros satélites. Pone de relieve también cómo estos países, y en particular sus antiguas regiones exportadoras principales, como el hoy extremadamente pobre nordeste brasileño, caen por fuerza en el subdesarrollo capitalista, como consecuencia natural del desarrollo del sistema capitalista en general.

El ensayo sobre "El capitalismo y el mito del feudalismo en la agricultura brasileña" fue escrito en Brasilia, en íntimo contacto con las figuras y las corrientes políticas de esa capital, antes del golpe militar de abril de 1964. Como este ensayo es el primero que escribí, refleja el más bajo nivel de madurez de mi análisis y mis conclusiones. Empero, este ensayo completa a los otros en dos importantes sentidos. Por ser de alcance más limitado y carecer de profundidad histórica puede examinar con más detalle un aspecto particular del subdesarrollo contemporáneo: la estructura comercial monopolista de la agricultura. El ensayo sostiene que, contra la opinión de la mayoría de los investigadores, burgueses y marxistas por igual, el Brasil —y otras partes de América Latina, pudiera añadirse— no posee una "economía dual", ni su sector agrícola es feudal o precapitalista. El análisis procede a demostrar a continuación cómo la ineficiencia y la pobreza, universalmente reconocidas, de la agricultura brasileña provienen del capitalismo, de la misma estructura monopolista y por ende explotadora que se analiza en otra parte de este libro.

El análisis económico de este ensayo se dirige clara y específicamente a importantes problemas de carácter político. Si, como en él se sugiere, ninguna parte de la economía es feudal y toda ella se integra en un solo sistema capitalista, la opinión de que el capitalismo debe penetrar aún en el resto del país es científicamente inaceptable, y la estrategia política que la acompaña —apoyar a la burguesía en su esfuerzo por extender el capitalismo y completar la revolución democrática burguesa— es políticamente desastrosa. Desde que este ensayo se escribió, su tesis ha sido confirmada por la historia. La burguesía "nacional" brasileña, no menos que la "compradora", ha participado plenamente en la dictadura militar neofascista y en los acontecimientos subsiguientes. Es de esperar, no obstante, que dicho análisis pueda servir todavía para robustecer la base empírica y teórica de la acción política futura necesaria para superar el subdesarrollo del Brasil, del resto de América Latina y de otras regiones.

Estos ensayos no pretenden abarcar todos los problemas económicos y políticos del desarrollo y el subdesarrollo capitalistas en Chile, el Brasil o América Latina, y quizás sea oportuno tomar nota de las importantes cuestiones a las que prestan poca o ninguna atención. Mi esfuerzo por ver a distancia y subrayar la continuidad fundamental del proceso del desarrollo y el subdesarrollo capitalistas me ha llevado a subrayar menos algunas transformaciones de lo que probablemente merecen *per se*. La más importante, indudablemente, es el ascenso y la consolidación del imperialismo. Un análisis más detallado del proceso histórico del desarrollo capitalista y de los problemas contemporáneos del subdesarrollo tendría que dedicar más atención a las transformaciones específicas de la estructura económica y las clases de estos países subdesarrollados, como resultado del ascenso del imperialismo en el siglo XIX y su consolidación en el XX. Paul Baran sugirió que el imperialismo, lejos de fomentar el capitalismo industrial, fortaleció el capitalismo mercantil en los países subdesarrollados. El estudio de Chile y el Brasil confirma esta concepción, pero no llega a examinar muchos de los cambios ocurridos al mismo tiempo en las relaciones entre los sectores comercial e industrial de estas economías. Una transformación más reciente, el ascenso de los países socialistas, recibe menos atención todavía, aunque ya influye directamente sobre estos países latinoamericanos al aumentar de modo decisivo el ámbito de sus opciones políticas, e indirectamente, al reducir la esfera del mercado mundial capitalista de metrópolis y satélites.

El esfuerzo por estudiar la estructura colonial metrópoli-satélite y el desarrollo del capitalismo me ha llevado a dedicar poca atención específica a la estructura y desarrollo de las clases. Esto no quiere decir que me proponga reemplazar el análisis de las clases con este análisis colonial. Antes bien, con el análisis colonial intento completar el análisis de las clases y descubrir y hacer resaltar aspectos de la estructura clasista de estos países subdesarrollados que con frecuencia han quedado oscuros. Este es el caso, particularmente, del lugar de la burguesía y la función que puede o no puede desempeñar en el desarrollo económico y el proceso político. No obstante, como en estos ensayos se da preferencia a la estructura colonial, no pueden ser, ni pretenden ser, un instrumento adecuado para examinar la lucha de clases en general e idear la estrategia y tácticas populares para que aquélla se desarrolle, para destruir el sistema capitalista y, por ende, desarrollar a los países subdesarrollados.

Todos los estudios llegan a una conclusión de primera importancia: el capitalismo nacional y la burguesía nacional no ofrecen ni pueden ofrecer modo alguno de salir del subdesarrollo en América Latina.

Esta conclusión y el análisis en que se basa tienen importantes implicaciones. Señalan la necesidad de que en los países subdesarrollados y socialistas se elaboren la teoría y el análisis capaces de abarcar la estructura y el desarrollo del sistema capitalista en escala mundial integrada, y de explicar su contradictoria evolución, la cual genera a la vez desarrollo y subdesarrollo económico en los niveles internacional, nacional, local y sectorial. Las categorías teóricas específicas basadas en la experiencia del desarrollo clásico del capitalismo en los países metropolitanos no son adecuadas por sí solas, para esta tarea. Es estéril hablar en términos de una burguesía o clase industrial nacional que fomenta la economía de un supuesto "tercer mundo", liberando a su sector capitalista nacional del colonialismo y el imperialismo metropolitano en lo exterior y expandiéndolo en lo interior hasta que finalmente penetra y elimina al sector tradicional o feudal de la sociedad y economía dual. Es vano esperar que los países subdesarrollados de hoy reproduzcan las etapas de crecimiento económico por las que pasaron las sociedades evolucionadas modernas, cuyo desarrollo capitalista clásico surgió de la sociedad precapitalista y feudal. Esta expectación es totalmente contraria a la realidad y está más allá de toda posibilidad práctica y teórica. En su lugar será necesario estudiar científicamente el verdadero proceso del desarrollo y el subdesarrollo capitalista mundial y crear en la porción subdesarrollada del mundo una economía política de crecimiento basada en la realidad.

El análisis y la conclusión tienen, por ende, implicaciones políticas de largo alcance. Si la estructura y el desarrollo del sistema capitalista mundial han incorporado y subdesarrollado desde hace tiempo hasta el más remoto rincón de la sociedad "tradicional" y no dejan ya espacio alguno para el desarrollo nacional clásico o para el desarrollo del capitalismo estatal moderno, independiente del imperialismo, la estructura contemporánea del capitalismo no consiente el desarrollo autónomo de una burguesía nacional lo bastante independiente para dirigir un verdadero movimiento de liberación nacional (y, a menudo, hasta para tomar parte activa en él), o lo bastante progresista para destruir la estructura capitalista del subdesarrollo de su país. Si ha de haber una revolución democrática "burguesa" y si ésta ha de conducir a la revolución socialista y a la eliminación del subdesarrollo capitalista, no puede ser ya la burguesía, bajo ninguno de sus disfraces, la que haga esa revolución. La misión y el papel históricos de la

5

burguesía en la América Latina —que era acompañar y promover el subdesarrollo de su sociedad y de sí misma— han concluido.

En América Latina como en otras partes, la misión de promover el progreso histórico corresponde ahora a las masas populares solamente, y quienes honesta y realísticamente quieran contribuir al progreso del pueblo deben apoyar a aquéllas en su búsqueda del progreso por y para sí mismas. Aplaudir y, en nombre del pueblo, respaldar incluso a la burguesía en su ya desempeñado papel en el escenario de la historia es una perfidia o una traición.

El análisis y las conclusiones de estos estudios envuelven también implicaciones —digámoslo de nuevo con palabras de Paul Baran— en cuanto a la responsabilidad del intelectual. Mis propias circunstancias sociales e intelectuales son las de la clase media norteamericana, y mi formación profesional la del ala más reaccionaria de la burguesía de los Estados Unidos. (Mi principal profesor de teoría económica se convirtió en el principal asesor de Barry Goldwater en su campaña presidencial de 1964.) Cuando hace unos tres años vine a América Latina, consideraba su subdesarrollo principalmente en términos de problemas de falta de capital, de instituciones feudales y tradicionales que impedían ahorrar e invertir, de concentración del poder político en manos de oligarquías rurales, y de muchos otros de los supuestos obstáculos, universalmente conocidos, a los que se atribuyen el estancamiento de las sociedades subdesarrolladas supuestamente tradicionales. Yo había leído a Paul Baran, pero no lo comprendía en realidad, como tampoco al resto del mundo. Los programas de desarrollo, como inversiones en capital humano y estrategias discontinuas de fomento económico, que mis investigaciones académicas me habían llevado a publicar en revistas profesionales, eran más o menos similares a los de mis colegas, aunque yo no llegaba a los extremos de la política monetaria clásica, ni al análisis social en términos de actitudes y motivaciones seudoweberianas y neofreudianas.

Al mismo tiempo, incluso antes de venir a los países subdesarrollados, yo había mantenido siempre en mi vida personal, fuera de mi carrera de académico profesional, algunas perspectivas y posiciones políticas progresistas. Yo estaba, para decirlo con el título de la autobiografía de mi padre, "a la izquierda, donde está el corazón". Mis opiniones me situaban siempre a la izquierda de casi todos los liberales norteamericanos; por ejemplo, yo no dudaba que la Revolución Cubana era digna de apoyo, pero no comprendía su significado. Yo era, fundamentalmente, un irresponsable, un intelectual esquizofrénico: mantenía separadas mis opiniones políticas y mi labor intelectual o profesional, aceptando las teorías científicas más o menos como me eran entregadas y formando mis criterios políticos en respuesta al sentimiento que los hechos aislados me inspiraban. Como muchos de mis colegas, yo era un liberal.

Para aprender a realizar investigaciones sociales dignas de ese nombre, para hacerme más responsable, social y políticamente, y para atreverme a decir al pueblo de los países subdesarrollados cuál economía política de crecimiento podía serles útil, tenía que abandonar mis rumbos liberales y mi ambiente metropolitano e ir a esos países, a aprender allí la verdadera ciencia *política* y la economía política, tanto en el clásico sentido preliberal como en el sentido marxista posliberal. Tenía que librarme de la máxima liberal de que sólo la neutralidad política permite ser objetivamente científico, máxima generalmente usada para defender la irresponsabilidad social, la ciencia seudocientífica y la reacción política. Tenía que aprender de los que habían sido perseguidos en nombre de la libertad y del liberalismo, como Simón Bolívar predijo en 1826 que lo serían. Tenía que aprender que la ciencia *social* debe ser *política*.

Por ende, otra implicación de estos estudios es que, para ser responsable tanto intelectual como socialmente y, añadiría yo, para ser científicamente adecuado y políticamente efectivo es necesario, en esta rama de la ciencia y la política, despojarse de los estereotipos científicos y políticos que la mayoría de nosotros, no marxistas y marxistas por igual, en las metrópolis como en las colonias, hemos heredado en gran parte del desarrollo capitalista metropolitano de la era del liberalismo. Del mismo modo que la misión de la burguesía en los satélites del sistema capitalista, el lugar del liberalismo metropolitano, económico, político, social —sí, y cultural— ha pasado a la historia. Para emancipar a quienes este liberalismo y esta burguesía, han esclavizado y subdesarrollado necesitaremos una nueva economía política del crecimiento, formulada conforme a las líneas que Paul Baran nos señaló. Un esfuerzo conciente por desarrollarla, incluso al precio de arriesgar alguna seguridad intelectual y bienestar personal, es el menor de los sacrificios que la historia puede pedirnos.

Parte de este libro se escribió y preparó para la imprenta con la ayuda financiera de la Fundación Louis M. Rabinowitz, a la que quiero expresar mi gratitud por la confianza y la ayuda que me brindó. Quiero también dar gracias a los amigos y colegas que leyeron el manuscrito, en todo o en parte, y me hicieron sugerencias útiles:

7

Deodato Riveira, Wanderley Guilherme y Ruy Mauro Marini, en el Brasil; Enzo Faletto, Clodomiro Almeyda y Dale Johnson, en Chile; y Alonso Aguilar y Fernando Carmona, en México. El lector y yo debemos estar agradecidos al extinto John Rackliffe, quien corrigió el manuscrito de modo excelente y facilitó la comunicación. Mi esposa, Martha, ha tenido que soportar los viajes de un país a otro y ha sido paciente conmigo a lo largo de mi trabajo.

ANDRÉ GUNDER FRANK

México, 26 de julio, 1965

PREFACIO A LA SEGUNDA EDICION

A la edición revisada en inglés (en rústica) y a las ediciones en español, portugués, francés e taliano, se le ha añadido el ensayo "La inversión extranjera en el subdesarrollo latinoamericano". Este ensayo, escrito a petición de la Bertrand Russell Peace Foundation en mayo de 1966, en México, no se incluyó en la edición original en inglés por razones técnicas. Sólo se le han hecho ligeras revisiones, para incorporarle algunos datos nuevos que hemos recopilado en los dos años posteriores a su publicación.

Su inclusión contribuye a remediar algunas de las omisiones mencionadas en el prefacio de la primera edición. Este ensayo intenta abordar, aunque a través de la perspectiva de las inversiones extranjeras, el desarrollo del subdesarrollo capitalista de América Latina en su conjunto. Es también más histórico puesto que trata de rastrear la transformación de la economía latinoamericana a través de las diversas etapas del desarrollo de su subdesarrollo. Es un esfuerzo por escribir una breve historia económica del continente, en la que se muestra cómo cada etapa lleva a la que le sigue y surge de la que le precede. A través del papel instrumental de las inversiones extranjeras, se observa cómo cada etapa resulta posible y la siguiente, necesaria.

Más que los otros ensayos, éste pone de relieve la decisiva importancia del medio siglo inmediatamente posterior a la independencia, en la determinación del destino ulterior de América Latina. Porque durante estos primeros decenios del siglo pasado se libró —y se perdió— la batalla por la independencia económica latinoamericana. Al igual que América del Norte, América Latina pasó por la experiencia de una guerra civil entre los intereses industriales nacionales y los exportadores agrícolas antinacionales. Pero mientras que en el norte

9

las circunstancias coloniales facilitaban el fortalecimiento de los nacientes intereses industriales lo bastante para ganar esta guerra civil, tanto económica como políticamente, en el sur la inversión extranjera en el subdesarrollo era mucho mayor y llevaba a los intereses nacionalistas a perder esta lucha por la supervivencia... y, al mismo tiempo, su última oportunidad de llegar al desarrollo económico por la vía del capitalismo.

La derrota de los intereses de la industria nacional y la victoria de los intereses antinacionales exportadores de materias primas, franquearon en América Latina la entrada al imperialismo clásico, cuando el desarrollo capitalista mundial propició la oportunidad tanto en la metrópoli como en América Latina. Más que los otros, este ensayo pone asimismo mayor énfasis en la trasformación estructural de la economía y la sociedad latinoamericanas provocada por el crecimiento imperialista. Y al igual que los otros ensayos, éste señala cómo el subdesarrollo causado por el imperialismo en América Latina allanó el camino al neoimperialismo contemporáneo y a un subdesarrollo estructural aún más profundo, que hoy sólo pueden ser eliminados por medio del socialismo.

Es importante subrayar que se trata de un problema de subdesarrollo estructural a nivel nacional y local, a pesar de haber sido creado y de verse todavía agravado por la estructura y el desarrollo de la economía capitalista mundial. La atención consagrada a la contradicción expropiación-apropiación del excedente económico de los satélites por la metrópoli, y en particular por la metrópoli capitalista mundial, ha llevado a algunos lectores a suponer que el peso de la argumentación en este libro descansa sobre el subdesarrollo "externo". Sería conveniente, pues, aprovechar la oportunidad para llamar la atención del lector acerca de que la tesis del libro (Capítulo I, A) es justamente que, de manera encadenada, las contradicciones de la polarización expropiación-apropiación y metrópoli-satélite penetran totalmente el mundo subdesarrollado, creando una estructura "interna" de subdesarrollo. Fidel Castro dijo en una ocasión que no importarían los dólares que los imperialistas extraen de América Latina si al menos dejaran que los pueblos latinoamericanos usaran los recursos restantes para su propio desarrollo. Así es. Como se subraya en la página 22, "para la generación de subdesarrollo estructural, aún más importante que el drenaje del excedente económico... es el infundir a la economía nacional del satélite la misma estructura capitalista y sus contradicciones fundamentales". Esta tesis la confirma incontables veces la experiencia revisada en el presente libro: la polarización interna y la generación de la estructura latifundista del Chile del siglo XVIII (I, G. 4); el sector interno del Chile del siglo XIX (I, H, 2); la estructura económica del "problema indio" (II); la generación de la estructura doméstica del subdesarrollo en el Brasil colonial, que impidió el desarrollo aún después de aflojadas las restricciones coloniales (III, B); la involución activa de las décadas de 1930 y 1940 en Brasil (III, C, 4); el colonialismo interno en Brasil (III, C, 6); la estructura monopolista de la agricultura brasileña (IV); la trasformación de la estructura económica, social, política y cultural "interna" de América Latina por un siglo de imperialismo y neoimperialismo (V). Además, si el subdesarrollo no fuera en realidad más que una condición "externa" impuesta desde afuera y manifiesta primordialmente en la extracción del capital mediante el comercio y la ayuda, como alegan algunos, entonces, por cierto, podrían considerarse adecuadas las simples soluciones "nacionalistas" criticadas en este libro. Pero, precisamente porque el subdesarrollo es integralmente "interno" - "externo", sólo la destrucción de esta estructura del subdesarrollo capitalista y su sustitución por el desarrollo socialista, puede ser capaz de constituir una línea política idónea para combatir el subdesarrollo.

Quedan las otras omisiones del libro. Salvo la adición del mencionado ensayo, sólo se han corregido erratas de imprenta y errores del autor. El libro, pues, adolece aún de la falta —que se hizo notar en el prólogo de la primera edición— de un análisis adecuado de la estructura de las clases en América Latina. Un crítico ha observado un defecto que guarda relación con el anterior: el empleo del enfoque estructural, colonial o neocolonial, que no revela automáticamente cuáles sectores de la población, que son a la vez satélites y metrópoli, son amigos potenciales de la revolución, y cuáles son enemigos ciertos o probables. En efecto, necesitamos saberlo. Pero el enfoque de la estructura de clases no revela inmediata e inequívocamente tampoco este aspecto de la anatomía y la fisiología sociopolíticas. O no habría tanto desacuerdo sobre quiénes son amigos y quiénes son enemigos dentro de la izquierda. Eso requiere un análisis y no un esquema general de las colonias o las clases. Otro de los recientes ensayos del autor, "¿Quién es el enemigo inmediato? América Latina: subdesarrollo capitalista o revolución socialista", intenta dar otro paso hacia el análisis necesario y demuestra cómo la estructura colonial, esencia del presente libro, de hecho ha formado y transformado la estructura de las clases en América Latina y por qué, precisamente, aunque el ene-

11

migo principal es el imperialismo, el enemigo inmediato es la burguesía en América Latina (Este ensayo será incluido en un segundo volumen acerca del desarrollo del subdesarrollo en América Latina, de próxima publicación, en el que la estructura de las clases y la política de partidos reciben mayor énfasis.) *

Otro crítico ha observado que el presente libro proporciona la base analítica socioeconómica para fundar las conclusiones políticas de Régis Debray. Ojalá fuera así. Pero el planteamiento general aquí sugerido no sustituye el análisis. Para distinguir entre amigos y enemigos y encontrar los medios político-militares con que combatir a los últimos, debemos analizar la estructura clasista y colonial en momentos y lugares particulares. Y, por supuesto, debemos luchar, porque la teoría revolucionaria, como la misma revolución, no avanza sino a través de la práctica revolucionaria entre el pueblo.

ANDRÉ GUNDER FRANK

Montreal, 17 de abril de 1968

---

* Cf. A. Gunder Frank, James O. Cockcroft, Dale L. Johnson, *Economía política del subdesarrollo en América Latina*, Bs. As. 1970, pp. 447-456. [N. del E.]

CAPITULO I

EL DESARROLLO DEL SUBDESARROLLO
CAPITALISTA EN CHILE

> "El comercio de este Reino es una paradoja de
> tráfico y una contradictoria de opulencia no expe-
> rimentada hasta su descubrimiento, *floreciendo con lo*
> *que otro se arruina, y arruinándose con lo que otros*
> *florecen, por consistir su abundancia en la negocia-*
> *ción de tratos extranjeros y sus decaimientos en la*
> *libertad de otros y es que se ha mirado no como*
> *comercio que es necesario mantener abierto, sino co-*
> *mo heredad que es necesario mantener cerrada..."*
>
> José Armendáriz
> Virrey del Perú, 1736

A. Tesis del subdesarrollo capitalista

Este ensayo sostiene que el subdesarrollo de Chile es el producto
necesario de cuatro siglos de desarrollo capitalista y de las contradicciones internas del propio capitalismo. Estas contradicciones son: la
expropiación del excedente económico a los más y su apropiación por
los menos; la polarización del sistema capitalista en un centro metropolitano y en satélites periféricos, y la continuidad de la estructura fundamental del sistema capitalista a lo largo de la historia de su expansión y transformación, a causa de la persistencia o reproducción de
estas contradicciones en todas partes y en todo tiempo. Es mi tesis
que estas contradicciones capitalistas y el desarrollo histórico del sistema capitalista han generado subdesarrollo en los satélites periféricos
expropiados, a la vez que engendraban desarrollo en los centros metropolitanos que se apropiaron el excedente económico de aquéllos; y
además, que este proceso continúa.

15

La conquista española incorporó e integró de lleno a Chile en el expansivo sistema capitalista mercantil del siglo XVI. Las contradicciones del capitalismo han engendrado un subdesarrollo estructural en Chile desde que éste comenzó a participar en el desarrollo de ese sistema universal. Contrariamente a la tan difundida opinión, el subdesarrollo de Chile y de otros países no es un estado de cosas original o tradicional, ni una etapa histórica del crecimiento económico por la cual han pasado los países capitalistas hoy desarrollados. Antes bien, el subdesarrollo de Chile y de otros países, no menos que el desarrollo económico mismo, vino a ser a lo largo de los siglos el producto necesario del proceso, plagado de contradicciones, del desarrollo capitalista. Este mismo proceso continúa engendrando subdesarrollo en Chile, y este subdesarrollo no puede ser ni será eliminado con más desarrollo capitalista. En consecuencia, el subdesarrollo estructural continuará siendo engendrado y profundizado en Chile hasta que los chilenos mismos se liberen del capitalismo.

La interpretación que aquí se ofrece difiere no sólo de las interpretaciones generalmente aceptadas de la naturaleza y las causas del subdesarrollo y el desarrollo en general, sino también de las opiniones de importantes comentaristas y analistas de la sociedad chilena de ayer y de hoy. Por ejemplo, durante la campaña electoral de 1964 tanto el candidato presidencial democristiano-liberal-conservador como el candidato socialista-comunista dijeron que la sociedad chilena contemporánea contenía elementos "feudales"; en su comentario posterior a esas elecciones, Fidel Castro se refirió también a los elementos "feudales" de Chile, y G. M. McBride, en su libro de bien merecida fama *Chile, Land and Society*, escrito en los años 30, sostuvo que todo Chile adolecía del "dominio de una pequeña clase de aristócratas terratenientes del viejo orden feudal".

El marxista Julio César Jobet, en su *Ensayo crítico del desarrollo económicosocial de Chile*, sugirió que el siglo XIX había presenciado la formación de una burguesía que se levantó "sobre las ruinas de la economía exclusivamente feudal de la primera parte del siglo XIX (citado por Pinto, 1962) [1]. Aníbal Pinto, en su fundamental *Chile: Un caso de desarrollo frustrado*, que desde su aparición en 1957 ha influido en todos los trabajos históricos y económicos acerca de Chile, retrocedió un poco más para sugerir que "la independencia abrió las puertas", no obstante lo cual sostiene que el "comercio exterior pasó a ser

[1] Todas las fuentes entre paréntesis se refieren a la bibliografía citada.

16

la fuerza motriz del sistema económico doméstico" sólo posteriormente, y que hacia finales del siglo XVIII Chile era y continuó siendo una "economía reclusa". Max Nolff, ampliando el análisis de Pinto, formula su teoría del desarrollo industrial chileno en el supuesto de que Chile tuvo durante todo el período colonial una "economía de subsistencia cerrada". Hasta el marxista Hernán Ramírez (1959), cuyos *Antecedentes económicos de la Independencia de Chile* proporcionan amplia prueba de que los anteriores juicios acerca de Chile en el siglo XVIII y siguientes no están bien fundados, se refiere a una supuesta "tendencia autárquica" en la economía chilena antes de ese tiempo.

De acuerdo con lo que he leído de la historia de Chile y de la de América Latina en general, tales referencias a una economía de subsistencia autárquica, cerrada, reclusa y feudal no representan cabalmente la realidad de Chile y de América Latina desde la conquista del siglo XVI. Además, el no reconocimiento y la incomprensión de la naturaleza y el significado de la economía exportadora capitalista, abierta y dependiente, que ha caracterizado y plagado a Chile y a sus hermanos a lo largo de la historia posterior a la conquista, conducen inevitablemente a una mala interpretación y comprensión de la verdadera naturaleza del capitalismo de hoy, de las verdaderas causas no sólo del subdesarrollo pasado sino del todavía más profundo del presente, y de los caminos de acción necesarios para eliminar ese subdesarrollo en lo futuro. El esclarecimiento de esas cuestiones es el objeto de este ensayo.

Específicamente, no puedo aceptar los supuestos fundamentos empíricos y, por ende, las formulaciones del problema y de la política para el desarrollo de Chile expuestas por Aníbal Pinto, Max Nolff (este último, principal asesor económico de Allende, candidato presidencial en 1964 de la coalición socialista-comunista), y otros autores vinculados a los principios del análisis de la Comisión Económica para la América Latina de las Naciones Unidas. Estos analistas, partiendo del criterio inexacto de que Chile tuvo en los siglos anteriores a la independencia política una economía de subsistencia cerrada y reclusa, atribuyen el posterior subdesarrollo de la economía chilena al supuesto error de desarrollarse "hacia afuera" en vez de "hacia adentro", una vez que la independencia, según ellos, abrió la puerta en el siglo XIX. De haber escogido entonces Chile el desarrollo capitalista hacia adentro, hoy estaría desarrollado, sugieren dichos autores, quienes asimismo arguyen que Chile podría desarrollarse todavía si se apresurara y por fin se dedicara al desarrollo (todavía capitalista) hacia adentro.

Mi interpretación de la historia chilena y mi análisis del capitalis-

17

mo me obligan a rechazar tanto la premisa como la conclusión. Por causa, precisamente, del capitalismo la economía de Chile estaba ya subdesarrollándose durante las tres centurias anteriores a la independencia. Y si las innatas contradicciones del capitalismo continúan operando hoy en Chile, como mi análisis sostiene y mi observación confirma, ninguna forma de desarrollo capitalista, hacia afuera o hacia adentro, podrá salvar a Chile del continuo subdesarrollo. En verdad, si el desarrollo hacia afuera dependiente e incompleto ha estado en la entraña de la economía chilena desde la conquista misma, la supuesta opción al desarrollo capitalista, independiente y nacional hacia adentro no existió siquiera en el siglo XIX. Mucho menos existe hoy.

1. La contradicción expropiación-apropiación del excedente económico

La primera de las tres contradicciones a las que atribuyo el desarrollo y el subdesarrollo económico es la expropiación-apropiación del excedente económico. Fue Marx, en su análisis del capitalismo, quien identificó y destacó la expropiación de la plusvalía creada por los productores y la apropiación de la misma por los capitalistas. Cien años después, Paul Baran subrayó el papel del excedente económico en la generación de desarrollo económico y también de subdesarrollo. Baran llamó excedente económico "real" a esa parte de la producción que se ahorra y se invierte en realidad (por lo que sólo es una parte de la plusvalía). Baran distinguió también y puso aún más en relieve el excedente económico "potencial" o potencialmente invertible, el cual no está a disposición de la sociedad, porque la estructura monopolista de ésta impide su producción o (de ser producido) es objeto de apropiación y derroche en usos suntuarios. La diferencia entre quienes perciben ingresos altos y bajos y gran parte de la incapacidad de los primeros para canalizar sus ganancias hacia inversiones productivas, puede atribuirse también al monopolio. Por tanto, la no realización y el desaprovechamiento del excedente económico "potencial" en inversiones se debe, esencialmente, a la estructura monopolista del capitalismo. Yo investigo en este trabajo cómo el subdesarrollo de Chile ha resultado de la estructura monopolista del capitalismo mundial.

La contradicción de la expropiación-apropiación monopolista del excedente económico en el sistema capitalista es ubicua, y sus consecuencias, en cuanto a desarrollo y subdesarrollo económico, múltiples y diversas. Para investigar el desarrollo o subdesarrollo de una parte

18

determinada del sistema capitalista mundial, como es Chile —o una parte de Chile— debemos situarla en la estructura económica de todo el sistema mundial e identificar su propia estructura económica. En este estudio veremos que Chile ha estado sometido siempre a un alto grado de monopolio exterior e interior. Por competitiva que pueda haber sido la estructura económica de la metrópoli en cualquier etapa dada de su desarrollo, la estructura del sistema capitalista mundial total, así como también la de sus satélites periféricos, ha sido sumamente monopolista en toda la historia del desarrollo capitalista. Por ende, el monopolio exterior ha llevado siempre a la expropiación (y, por consiguiente, al desaprovechamiento para Chile) de una parte importante del excedente económico producido en Chile y a la apropiación del mismo por otra parte del sistema capitalista mundial. Específicamente, yo reseño los hallazgos de dos estudiosos de la economía chilena que trataron de identificar el excedente económico potencial contemporáneo de que se apropian otros y que no está a disposición de Chile.

La estructura capitalista de monopolio y la contradicción entre la expropiación y la apropiación del excedente impregnan toda la economía chilena, tanto la anterior como la presente. En verdad, es esta relación explotadora la que, a modo de cadena, vincula las metrópolis capitalistas mundiales y nacionales a los centros regionales (parte de cuyo excedente se apropian), y éstos a los centros locales, y así a los grandes terratenientes o comerciantes que expropian el excedente de los pequeños campesinos o arrendatarios y, a veces, de éstos a los campesinos sin tierra a los cuales explotan a su vez. En cada eslabón de la larga cadena, los relativamente escasos capitalistas de arriba ejercen un poder monopolista sobre los muchos de abajo, expropiándoles su excedente económico en todo o en parte, cuando a su vez no son expropiados por los aún menos que están encima de ellos, para su propio uso. El sistema capitalista internacional, nacional y local genera así en cada punto desarrollo económico para los menos y subdesarrollo para los más.

2. *La contradicción de la polarización metrópoli-satélite*

La segunda y, para nuestro análisis, más importante contradicción capitalista fue introducida por Marx en su examen de la *centralización* inminente del sistema capitalista. Esta contradicción del ca-

pitalismo se manifiesta en la existencia de dos polos: un centro metropolitano y varios satélites periféricos, y fue eso lo que describió el
virrey Armendáriz del Perú cuando en 1736 observó que el comercio
del imperio capitalista mercantil de España, de su virreinato del Perú
dentro de él, y de la capitanía general de Chile dentro de éste, a su
vez, era "una paradoja de tráfico y una contradictoria de la opulencia [...] floreciendo con lo que otro se arruina, y arruinándose con lo
que otros florecen". Paul Baran observó esta misma contradicción
dos siglos después, cuando comentó que "el precepto de la íntima
relación entre el capitalismo e imperialismo monopolista de los países
adelantados y el atraso económico y social de los países subdesarrollados no constituye más que diferentes aspectos de lo que es, en realidad, un problema global" (Baran, 1957).

Las consecuencias de la contradicción capitalista metrópoli-satélite
en cuanto al desarrollo y al subdesarrollo económico están resumidas
en los *Fundamentos del marxismo-leninismo*:

> Caracteriza al capitalismo el hecho de que el desarrollo de
> ciertos países se realiza a costa del sufrimiento y la adversidad
> de los pueblos de otros países. Por el creciente desarrollo de la
> economía y la cultura del llamado "mundo civilizado", o sea
> de unas pocas potencias capitalistas de Europa y América del
> Norte, paga un precio terrible la mayoría de la población del
> mundo, esto es, los pueblos de Asia, África, América Latina y
> Australia. La colonización de estos continentes hizo posible el
> rápido desarrollo del capitalismo en Occidente, pero significó
> ruina, miseria y una opresión política monstruosa para los pue-
> blos esclavizados. El carácter en extremo contradictorio del pro-
> greso donde el capitalismo impera es aplicable incluso a diferen-
> tes regiones del mismo país. Al desarrollo comparativamente
> rápido de las ciudades y los centros industriales acompañan, por
> regla general, el atraso y la decadencia de los distritos agrícolas
> (*Kuusinen*, sin fecha: 247-248).

Así pues, la metrópoli expropia el excedente económico de sus
satélites y se lo apropia para su propio desarrollo económico. Los
satélites se mantienen como subdesarrollados por falta de acceso a su
propio excedente y como consecuencia de la polarización y de las contradicciones explotadoras que la metrópoli introduce y mantiene en la
estructura económica interior del satélite. La combinación de estas
contradicciones, una vez firmemente implantadas, refuerza los proce-

sos de desarrollo en la cada vez más dominante metrópoli, y los de subdesarrollo en los cada vez más dependientes satélites, hasta que se resuelven mediante el abandono del capitalismo por una o ambas partes interdependientes.

El desarrollo y el subdesarrollo económico son las caras opuestas de la misma moneda. Ambos son el resultado necesario y la manifestación contemporánea de las contradicciones internas del sistema capitalista mundial. El desarrollo y el subdesarrollo económico no son simplemente relativos y cuantitativos porque uno representa más desarrollo que el otro; están relacionados y son cualitativos por cuanto cada uno es estructuralmente diferente del otro, pero uno y otro son causados por su mutua relación. No obstante, desarrollo y subdesarrollo representan lo mismo, porque son producidos por una sola estructura económica y un proceso capitalista dialécticamente contradictorios.

Por tanto, no se les puede considerar como productos de estructuras o sistemas económicos supuestamente diferentes, o de supuestas diferencias en las etapas de crecimiento económico dentro de un mismo sistema. Un único proceso histórico de expansión y desarrollo capitalista en todo el mundo ha generado simultáneamente —y continúa generando— desarrollo económico y subdesarrollo estructural.

No obstante, como sugieren los *Fundamentos del marxismo-leninismo*, la contradicción metrópoli-satélite no sólo existe entre la metrópoli capitalista mundial y los países satélites periféricos, pues se encuentra también entre las regiones de esos mismos países y entre "el desarrollo rápido de las ciudades y los centros industriales y el atraso y la decadencia de los distritos agrícolas". Esta misma contradicción metrópoli-satélite penetra aún más hasta caracterizar a todos los niveles y las partes del sistema capitalista. Esta contradictoria relación entre el centro metropolitano y el satélite periférico, como el proceso de expropiación-apropiación del excedente, recorre todo el sistema capitalista mundial al modo de una cadena, desde su alto centro metropolitano mundial hasta cada uno de los diversos centros nacionales, regionales, locales y empresariales. Una consecuencia obvia de las relaciones externas de la economía del satélite es la pérdida de una parte de su excedente económico a manos de la metrópoli. La apropiación por la metrópoli del excedente económico de este y otros satélites tiende a generar desarrollo en la primera, salvo que, como ocurrió en España y Portugal, la metrópoli sea a su vez convertida en satélite y otros se apropien de su excedente antes de que pueda iniciar firmemente su propio desarrollo. En todo caso, la metrópoli tiende a dominar cada vez más al satélite y a hacerlo todavía más dependiente.

Para la generación de subdesarrollo estructural, aún más importante que el drenaje del excedente económico del satélite, después de la incorporación de éste al sistema capitalista mundial, es el infundir a la economía nacional del satélite la misma estructura capitalista y sus contradicciones fundamentales. Esto es, tan pronto como un país o un pueblo es convertido en satélite de una metrópoli capitalista externa, la expoliadora estructura metrópoli-satélite organiza y domina rápidamente la vida económica, política y social de ese pueblo. Las contradicciones del capitalismo se reproducen internamente y generan tendencias al desarrollo en la metrópoli nacional y al subdesarrollo en los satélites internos de ésta, como ocurre a nivel mundial, pero con una importante diferencia: el desarrollo de la metrópoli nacional adolece, necesariamente, de limitaciones, entorpecimiento o subdesarrollo que la metrópoli capitalista mundial no conoce, porque la metrópoli nacional es al mismo tiempo satélte, mientras que la metrópoli mundial no lo es. De modo análogo, las metrópolis regionales, locales o sectoriales del país satélite ven limitado su desarrollo por una estructura capitalista que las hace depender de toda una cadena de metrópolis situadas sobre ellas.

Por consiguiente, a menos que se liberen de esta estructura capitalista o que el sistema capitalista mundial sea destruido totalmente, los países, regiones, localidades y sectores satélites están condenados al subdesarrollo. Esta faceta del desarrollo y del subdesarrollo capitalistas, o sea la penetración de toda la estructura económica, política y social interior por las contradicciones del sistema capitalista mundial, recibe atención especial en este examen de la experiencia chilena, porque plantea el problema del análisis del subdesarrollo y la formulación de un enfoque político y económico que le ponga fin, de modo muy diferente de —y, a mi juicio, más realista que— otros enfoques de la cuestión.

La disertación precedente sugiere una tesis subsidiaria que envuelve ciertas implicaciones importantes con respecto al desarrollo y el subdesarrollo económico: si la condición de satélite es la que engendra el subdesarrollo, un grado más débil o menor de relaciones metrópoli-satélite puede engendrar un subdesarrollo estructural menos profundo o permitir una mayor posibilidad de desarrollo local. El ejemplo de Chile ayuda a confirmar esta hipótesis. Además, desde una perspectiva mundial, ningún país que haya estado firmemente atado como satélite a una metrópoli, a través de su incorporación al sistema capitalista mundial, ha alcanzado nunca la categoría de país económicamente desarrollado sin abandonar el sistema capitalista. Ciertos países, notablemente España y Portugal, que fueron parte en un tiempo de la metrópoli capitalista del mundo, se convirtieron sin embargo en naciones subdesarrolladas por haberse convertido en satélites comerciales de la Gran Bretaña a partir del siglo XVII[1]. Es también significativo, para la confirmación de nuestra tesis, el hecho de que los satélites, característicamente, han disfrutado de sus temporales auges de desarrollo durante guerras o depresiones en las metrópolis, que momentáneamente debilitaron o aflojaron su dominio sobre la vida de aquéllos. Como más adelante veremos, el mayor aislamiento en que estaba Chile de la metrópoli española, con relación a otras colonias, y su menor grado de interdependencia con España y de dependencia de ella en tiempos de guerra o depresión, contribuyeron materialmente a fortalecer los intentos chilenos de desarrollo a lo largo de los siglos.

3. La contradicción de la continuidad en el cambio

Las dos contradicciones precedentes sugieren una tercera contradicción del desarrollo y el subdesarrollo económico capitalista: la continuidad y ubicuidad de sus elementos estructurales a lo largo de la expansión del sistema capitalista en todo tiempo y lugar. Como lo dijo Engels, "hay contradicción en que una cosa siga siendo la misma pese a cambiar constantemente". Aunque la estabilidad y continuidad estructural puede haber caracterizado o no al desarrollo capitalista "clásico" en la metrópoli europea, el sistema capitalista, a través de su expansión y desarrollo en escala mundial, mantuvo en

---

[1] El desarrollo de las ex colonias británicas en América del Norte y en Oceanía fue posible porque los nexos entre ellas y la metrópoli europea no igualaron nunca la actual dependencia de los países subdesarrollados de América Latina, África y Asia. La industrialización del Japón después de 1868 debe atribuirse al hecho de que era entonces el único país importante no incorporado aún al sistema capitalista mundial; no había empezado, por ende, a subdesarrollarse. De igual modo, el hecho de que Tailandia esté hoy menos subdesarrollado que otros países del sureste de Asia se debe a que, a diferencia de los otros países, no fue nunca colonia, hasta que el reciente advenimiento de la "protección" de los Estados Unidos inició allí también el subdesarrollo.

conjunto su estructura esencial y engendró las mismas contradicciones fundamentales. Y esta continuidad de la estructura y las contradicciones del sistema capitalista mundial son los factores determinantes que tenemos que identificar y comprender si queremos analizar y combatir eficazmente el subdesarrollo de la mayor parte del mundo actual.

Por esta razón hago hincapié en la continuidad de la estructura capitalista y en su generación de subdesarrollo más que en los muchos cambios y transformaciones históricos, indudablemente importantes, por los cuales Chile ha pasado dentro de esta estructura. Mi propósito general es contribuir a la formulación de una teoría general más adecuada del desarrollo económico capitalista y, particularmente, del subdesarrollo, no acometer el estudio detallado de la realidad chilena pasada y presente.

Mi insistencia en la contradicción del cambio continuo implica que la misma no se ha resuelto en Chile. Lo que no quiere decir que no pueda resolverse. Mi revisión de la historia del desarrollo capitalista en Chile revela que en el transcurso del tiempo se han resuelto allí varias contradicciones importantes. Aunque pueda haberse creído, en la época de la independencia, por ejemplo, que los acontecimientos habían llevado o llevarían a la resolución de la contradicción fundamental que determina el curso de la historia chilena, no ha sido este el caso. Es importante, por ende, comprender las verdaderas contradicciones menores que se resuelven más fácilmente y a menor costo, pero que en última instancia no cambian nada esencial y a la larga hace más costosa y/o más distante la resolución de las contradicciones fundamentales. Creo que varios caminos de acción contemporáneos para la "liberación" de los países subdesarrollados y la eliminación del subdesarrollo, por bien intencionados que sean quienes los proponen, empeoran las cosas a la larga (y a menudo a la corta también). La comprensión de las realidades del capitalismo y el subdesarrollo no basta, desde luego, pero es sin duda esencial; no puede tener éxito ninguna revolución que carezca de una teoría revolucionaria adecuada. He ahí lo que me propongo.

Con la continuidad se relaciona también la discontinuidad. Mi análisis de la experiencia chilena sugiere qué puede haber habido oportunidades en que incluso ciertos cambios estructurales dentro de la estructura capitalista de Chile podían haber alterado materialmente el curso de la posterior historia del país. Cuando tales cambios no se efectuaron, o los esfuerzos por llevarlos a cabo no se realizaron como las circunstancias del momento requerían, esas oportunidades —como

24

la inversión del excedente económico producido por las minas de salitre de Chile— se perdieron para siempre. La experiencia de Chile sugiere que la historia de la evolución del subdesarrollo en muchas partes del mundo fue —y todavía es— probablemente jalonada por desaprovechamientos semejantes de las oportunidades de eliminar o reducir los sufrimientos creados por el subdesarrollo.

B. Las contradicciones capitalistas en América Latina y en Chile

El proceso histórico de la expansión y desarrollo del capitalismo sobre la faz del globo creó toda una serie de relaciones metrópoli-satélite eslabonadas entre sí como la cadena de la apropiación del excedente que antes se mencionó, pero también en las más complejas y diversas formas que adelante se indicarán. No es este el lugar para inquirir acerca de los orígenes históricos, en la Europa medieval, del sistema capitalista que en siglos recientes se extendió desde allí a todos los rincones de la tierra, aunque tal pesquisa es importante sin duda para comprender el carácter esencial del sistema capitalista-imperialista del mundo contemporáneo y los problemas de desarrollo y sub-desarrollo económico que engendró y sigue engendrando. Tal vez baste observar que desde ciudades de Italia, como Venecia, y después de Iberia y del noroeste de Europa, se extendió una red comercial que en el siglo xv abarcó el mundo mediterráneo, partes del África subsahariana y las islas atlánticas adyacentes, las Indias occidentales, América y parte de las Indias orientales y de Asia en el siglo xvi, los otros abastecedores africanos del centralizado comercio de esclavos y la economía de la Europa occidental —y posteriormente de la América del norte también—, en los siglos xvi a xviii, y el resto de África, Asia, Oceanía y la Europa oriental en las centurias siguientes, hasta que toda la faz del globo quedó incorporada en un solo sistema orgánico, mercantilista o mercantil-capitalista, y después también industrial y financiero, cuyo centro metropolitano se desarrolló en la Europa occidental primero y en la América del norte después, y cuyos satélites periféricos se subdesarrollaron en todos los demás continentes.

Los indígenas y los negros de la América del norte evidentemente sufrieron la misma relación de dependencia, mientras que los inmigrantes blancos —pero no, naturalmente, la población indígena— de Oceanía y hasta cierto punto de África del sur puede decirse que en cierta medida quedaron incluidos en la metrópoli capitalista mundial).

La América Latina se convirtió en un satélite o conjunto de satélites periféricos de la metrópoli ibérica y europea. En alianza con sus aprovechados monarcas, el capital mercantil español, el portugués, como también el italiano y el holandés, partiendo de la península ibérica en busca de rutas comerciales hacia las Indias y el oro, conquistaron algunas avanzadas en las Antillas y en la costa americana y las convirtieron en satélites comerciales suyos por medio de la guerra, la toma de esclavos, el pillaje, la creación de empresas de exportación minera y agrícola alimentadas por esclavos y, gradualmente, también por medio de las relaciones mercantiles. Estos satélites militares, productores y mercantiles de la metrópoli ibérica sirvieron luego de trampolines para la conquista y el establecimiento de nuevas avanzadas satélites en la tierra firme americana, las que a su vez se emplearon para conquistar e incorporar a los que habían de convertirse en satélites continentales aún más distantes (en parte, de los satélites antes citados, que llegaron a ser sus metrópolis, y en parte de la metrópoli europea directamente). Así pues, al igual que otros pueblos y continentes, todo el continente latinoamericano y sus pueblos quedaron convertidos en una serie de constelaciones económicas menores, cada una con su propia metrópoli menor y sus propios satélites menores, componiéndose éstos a su vez de todavía más metrópolis y satélites; pero todos ellos dependiendo directa o indirectamente del centro metropolitano europeo. Éste se trasladó primero a los Países Bajos y luego a Inglaterra (la cual se apropiaba del excedente hispanolusoamericano y de otros excedentes económicos para su propia acumulación de capital y su posterior industrialización), convirtiéndose así España y Portugal en satélites del centro metropolitano británico.

Al principio, la metrópoli final de Chile fue España. El hecho de que la misma España se convirtiera luego en satélite de la Europa noroccidental, particularmente Inglaterra, influye en mi análisis; pero en un ensayo dedicado específicamente a Chile sólo necesito tener en cuenta ésta y otras transformaciones del sistema capitalista mundial en la medida en que influyen directamente en el proceso chileno. La estructura económica de Chile, tanto nacional como internacional, ha sido profundamente afectada, incluso determinada, por la estructura y las transformaciones del sistema capitalista mundial en su conjunto. Dentro de los límites de este ensayo debemos, sin embargo, tomar estos últimos cambios principalmente como "datos". Las mismas consideraciones valen, desgraciadamente, para la aparición y la desaparición

26

de Lima como centro metropolitano también satélite dependiente de la metrópoli europea, y del cual Chile dependía más directamente.

Chile llegó a tener su propia metrópoli en Santiago y en el puerto de Valparaíso. Expandiéndose desde este centro, los intereses mineros, agrícolas, mercantiles y estatales incorporaron al resto del territorio y del pueblo chilenos en la expansiva economía capitalista y los convirtieron en satélites periféricos de Santiago. En relación con el centro metropolitano nacional, podemos considerar como satélites periféricos a los centros mineros, los centros comerciales, los centros agrícolas y, a veces, los centros militares de la frontera. Pero éstos, a su vez, se convirtieron (a veces permanentemente) en metrópolis o micrometrópolis de sus respectivas regiones interiores, poblaciones, minas, valles agrícolas o latifundios todavía más pequeños, que fueron a su vez micrometrópolis de sus periferias.

Una de las tesis principales de este ensayo es que esta misma estructura se extiende desde el centro macrometropolitano del sistema capitalista mundial hasta los obreros agrícolas más supuestamente aislados, los cuales, mediante esta cadena de relaciones metrópoli-satélite están atados a la metrópoli mundial y, por ende, incorporados al sistema capitalista mundial en su conjunto. La naturaleza y el grado de estas ataduras difieren en tiempo y lugar, y estas diferencias producen disimilitudes importantes en las consecuencias económicas y políticas a que dan origen. Tales diferencias deben ser finalmente estudiadas caso por caso. Pero estas disparidades entre las relaciones y sus consecuencias no salvan su similaridad esencial, por cuanto todas ellas, en una u otra medida, se fundan en la explotación del satélite por la metrópoli o en la tendencia de la metrópoli a expropiar y hacer suyo el excedente económico del satélite.

Son varias las relaciones metrópoli-satélite de este tipo. Tenemos, por ejemplo, la relación entre la fértil e irrigada tierra llana de un valle cultivable y la de las colinas que lo circundan, menos productivas agrícolamente o menos valiosas comercialmente; entre las tierras de la cabecera de un río, favorecidas por un sistema de irrigación gravitacional, y las tierras menos favorecidas de la parte baja del río; entre los latifundios y los minifundios que los rodean; entre la empresa latifundista manejada por su propietario o por un administrador y las empresas aparceras o arrendatarias que dependen de ella; incluso entre el campesino (o empresa) arrendatario y los asalariados permanentes u ocasionales que pueda emplear; y, por su puesto, entre cada serie de metrópolis y cada serie de satélites de una

27

a otra parte de esta cadena. Fundamentalmente, las mismas relaciones operan entre la gran firma industrial (a menudo "moderna" o "eficiente") y las empresas más pequeñas que le suministran elementos para su proceso de fabricación, o productos para sus agencias de venta; entre los grandes comerciantes y financistas y los pequeños comerciantes y prestamistas, entre los comerciantes urbanos y los terratenientes traficantes y los pequeños productores o consumidores rurales que dependen de aquéllos para venderles sus productos o para satisfacer sus necesidades de producción, consumo, crédito y otras.

Podemos apuntar sucintamente algunas de las condiciones de control monopólico relacionadas con la expropiación de los más por los menos que encontramos una y otra vez en nuestro examen de la historia chilena. Las fuentes del poder monopolista ejercido sobre el excedente económico chileno que se transfiere al extranjero son más evidentes, quizás, que las de sus semejantes nacionales. Aunque el producto principal de la exportación de Chile ha cambiado varias veces durante la historia del país, cada vez ha sido este sector exportador la fuente principal del excedente económico potencialmente invertible, y cada vez este sector exportador ha estado bajo el dominio de intereses extranjeros. Extranjeros han sido los propietarios de las minas que producían el excedente. Y cuando no eran los dueños de las minas o de la tierra que daban el producto de exportación, los extranjeros se apropiaban gran parte del excedente mediante el ejercicio de un poder de compra monopólico sobre el producto en cuestión, y el monopolio de su venta en otra parte. Por añadidura, los extranjeros han poseído o controlado una gran proporción de los almacenes, el transporte, los seguros y otros servicios relacionados con la exportación de la principal mercancía productora de plusvalía. En ocasiones los extranjeros han monopolizado o controlado el abastecimiento de los factores de producción que requería la mercancía exportable. Los extranjeros se han valido a menudo de su poder financiero y de su mayor integración mundial vertical u horizontal, de la industria de la que el producto chileno formaba parte. Similar posesión o control monopólico ha existido sobre otras industrias chilenas, además de la primaria de exportación.

Por medio del monopolio colonial o del "librecambio" basado en la superioridad tecnológica y/o financiera, los extranjeros han disfrutado también a menudo de posiciones monopolistas en la esfera de la exportación de mercancías a Chile. Estas relaciones de las empresas comerciales extranjeras con sus socios chilenos, de las que resulta la explotación de los últimos por las primeras, permitieron a los intereses extranjeros controlar a los diversos intereses chilenos, tanto en lo político como en lo económico. Cuando esta relación económica no fue suficiente para dar a los extranjeros el grado de control que deseaban, la completaron a menudo con la fuerza política y militar.

En el plan nacional se dan formas análogas y de otro tipo de dominio monopolista, y de ellas resulta asimismo la expropiación del excedente económico producido por los más en los niveles inferiores, y su apropiación por los menos en los altos niveles de la economía nacional chilena. Siempre ha habido un grado mayor o menor de concentración monopolista de la propiedad y dominio de los principales medios de producción de la industria y de la agricultura, de los servicios de transporte y almacenamiento de los canales del comercio y, lo que probablemente es más importante, de la banca y otras instituciones financieras, así como también de las principales posiciones económicas, políticas, civiles, religiosas y militares de la economía nacional y la sociedad chilena. En verdad, el grado de concentración monopolista, a lo largo de la historia de Chile y de otros países subdesarrollados, probablemente ha sido siempre mayor que en los países desarrollados, en épocas recientes.

En nuestro análisis de la historia chilena hemos encontrado una y otra vez que los exportadores e importadores extranjeros o nacionales, así como otros grandes comerciantes y financistas, dominan y se apropian el capital de los comerciantes relativamente menores de la capital de la nación y los de las regiones. Estos últimos, a su vez, se alzan sobre los comerciantes, los productores y los consumidores, a quienes explotan directa o indirectamente gracias a nuevas series de relaciones en las que un capitalista aniquila a muchos. Aparte la más obvia expropiación de los productores por los poseedores del capital, podemos distinguir también otros tipos de apropiación, por uno o varios capitalistas, del capital y el excedente de muchos. Esta contradicción existe asimismo entre una empresa industrial o agrícola relativamente grande y sus productores agrícolas, quienes dependen de la oferta de parte de lo que consumen o de la demanda de parte de lo que producen, o necesitan capital, crédito, canales de venta, intervención política y otros servicios en general. Todas estas relaciones económicas dentro del sistema capitalista internacional, nacional, local y sectorial se caracterizan de manera típica por la contradicción expropiación-apropiación vinculada a los elementos monopolistas de las

29

relaciones mismas y a la estructura o red económica que éstas forman en su conjunto.

Cada una de estas relaciones o constelaciones metrópoli-satélite, cualesquiera sean los otros sentimientos o relaciones que puedan contener, se apoyan en una fuerte —y a la larga determinante— base económica comercial. Toda la red de relaciones metrópoli-satélite, o todo el universo de constelaciones económicas, surgió por razones esencialmente económicas y comerciales. Digamos lo que digamos de la metrópoli capitalista, primero comercial, luego industrial, después financiera, el carácter esencial de las relaciones metrópoli-satélite, en la periferia del sistema capitalista mundial, sigue siendo comercial, por más "feudales" o personales que parezcan estas relaciones. Es a través de estos nexos económicos y también, por supuesto, de los nexos políticos, sociales y culturales, que el asalariado ocasional se vincula, en la mayoría de lo casos de hecho, con el campesino arrendatario que lo emplea (o, con más frecuencia, directamente con el dueño de la tierra), el arrendatario con el terrateniente y con el comerciante (o ambas cosas), que está a su vez relacionado con el mayorista de la metrópoli comercial (o a veces a un gran comerciante nacional o internacional), que tiene vinculaciones con la metrópoli nacional industrial, financiera, comercial e importadora, finalmente vinculada con el centro mundial, de modo que el último miembro y el más "aislado" se conécta con la cúspide capitalista mundial.

Cada una de estas relaciones entre satélite y metrópoli es, en general, un cauce a través del cual el centro se apropia de una parte del excedente económico de los satélites. De este modo, aunque en parte es expropiado en cada peldaño de la escalera, el excedente económico de cada uno de los satélites menores y mayores gravita hacia el centro metropolitano del mundo capitalista.

C. AMÉRICA LATINA, COLONIAL Y CAPITALISTA

Las tres contradicciones del capitalismo, la expropiación-apropiación del excedente, la estructura centro metropolitano-satélite periférico y la continuidad en el cambio, hicieron su aparición en América Latina en el siglo XVI y desde entonces han caracterizado a este continente.

América Latina fue conquistada y su pueblo colonizado por la metrópoli europea para expropiar el excedente económico de los trabajadores del satélite y apropiárselo para su acumulación de capital, iniciando con ello el presente subdesarrollo del satélite y el desarrollo económico de la metrópoli. La relación capitalista metrópoli-satélite entre Europa y América Latina fue establecida por la fuerza de las armas. Y por esta misma fuerza, así como por la fuerza de la creciente vinculación económica y de otro tipo, se ha mantenido esta relación hasta hoy. Las principales transformaciones ocurridas en América Latina en los cuatro últimos siglos han sido producto de sus respuestas a las influencias económicas, políticas y otras que, o bien partieron de la metrópoli, o bien surgieron de la estructura metrópoli-satélite. Excepto en la Cuba postrevolucionaria, todos estos cambios no han alterado las esencias de esa estructura.

Marx observó que "la historia moderna del capital comienza con la creación, en el siglo XVI, de un comercio y un mercado mundialmente expansivos". (Marx, I:146.) Después de Marx, la contradicción capitalista de la expropiación-apropiación fue subrayada, entre otros, por Werner Sombart y Henri Sée. Este último escribe en su *Orígenes del capitalismo moderno*:

> Las relaciones internacionales constituyen el fenómeno principal que uno encuentra cuando trata de comprender la causa de la acumulación primaria del capital (...). La más fecunda fuente del capitalismo moderno se halla, sin duda, en los grandes descubrimientos marítimos (...). Los orígenes del comercio colonial consisten ante todo, como dice Sombart, en la expropiación de los pueblos primitivos, incapaces de defenderse contra los ejércitos invasores. Mediante verdaderos actos de piratería, los mercaderes europeos obtuvieron enormes ganancias (...). No menos lucrativas fueron las prácticas de trabajo forzoso que los europeos exigieron de los aborígenes de las colonias (...) y de los negros importados de África por los tratantes de esclavos, comercio criminal éste, pero que creó, no obstante, enormes riquezas (...). Debemos reconocer que esta fue una de las fuentes (...) del capitalismo. (Sée, 1961: 26, 40.)

La conquista y la incorporación a la estructura metrópoli-satélite del capitalismo fueron más rápidas y llegaron más lejos en la América Latina que en otras partes. ¿Razones? El oro, el azúcar y la expropiación de ambos a los satélites latinoamericanos y su apropiación por la metrópoli europea y, más tarde, también por la norteamericana. Así, Sergio Bagú escribe en su clásico *Economía de la sociedad colonial-Ensayo de Historia comparada de América Latina*:

"La revolución comercial, que se inicia en el siglo xv, al multiplicar el capital mercantil y estimular su vocación internacionalista, vinculó la suerte de un país con la de otro, intensificando su interdependencia económica". "La economía que las metrópolis ibéricas organizaron en América fue de incuestionable índole colonial, en función del mercado centro-occidental europeo. El propósito que animó a los productores luso-hispanos en el nuevo continente tuvo el mismo carácter. No fue feudalismo lo que apareció en América en el período que estudiamos, sino capitalismo colonial... Iberoamérica nace para integrar el ciclo feudal". "Si alguna característica bien definida e incuestionable podemos encontrar en la economía colonial es la de la producción para el mercado. Desde los primeros tiempos del régimen hasta sus últimos días, ella condiciona toda la actividad productiva"... "Es así como las corrientes que entonces predominaban en el mercado internacional europeo constituyen elementos condicionantes de primera importancia en la estructuración de la economía colonial. Esto es, por otra parte, característico de todas las economías coloniales, cuya subordinación al mercado extranjero ha sido y sigue siendo el principal factor de deformación y aletargamiento".

La penetración capitalista, además de convertir a la América Latina en satélite de Europa, introdujo pronto en ella esencialmente la misma estructura metrópoli-satélite que caracterizaba las relaciones latinoamericanas con Europa. El sector que explotaba las minas y exportaba los minerales fue el alma de la economía colonial, y aunque nunca dejó de ser un satélite de la metrópoli europea se convirtió en todas partes en un centro metropolitano del resto de la economía y la sociedad nacional. Surgió o se creó una serie de sectores y regiones satélites para abastecer a las minas de madera y de combustible, a los mineros de comida y ropa, y a los ociosos dueños de minas, comerciantes, funcionarios, clérigos, militares y *gorrones*, de la parte de los elementos de su vida parasitaria que no importaban de la metrópoli con el producto del trabajo forzoso indígena e importado. Creció de este modo una economía ganadera, triguera y textil que no era menos comercial y sí más dependiente que la economía minera misma.

El ganado, que entonces era una fuente de bienes de consumo y exportación mucho más importante que ahora, y el trigo, renglón principal de la hacienda española, se produjeron desde el principio en grandes *haciendas* que españoles y criollos poseían y administraban. Los primeros trabajadores fueron, por fuerza, esclavos, después indígenas *encomendados* o sujetos a la *mita*; más tarde brazos alquilados, obligados a la servidumbre por deudas o por diversos contratos de aparcería que aseguraban su permanente disponibilidad. La tierra, al principio en gran parte inútil para los españoles, pero después progresivamente buscada y más valiosa a medida que el valor comercial de sus productos aumentaba, se adquiría por *merced*, por conquista, por expulsión de los indígenas de sus tierras comunales, y posteriormente de los mestizos y hasta de los pobladores blancos de sus predios, ocupándose primero la tierra secuestrada y legalizándose después la ocupación mediante soborno y falsificación de documentos, a menudo mediante compra o embargo por deudas del propietario anterior, o por diversos medios fraudulentos, pero nunca, debe observarse, por *encomienda*, pues ésta sólo otorgaba derechos sobre los indígenas y no sobre la tierra.

Los monarcas sólo concedían tierras a quienes se hacían acreedores a ello por vivir en la capital de la colonia o de la provincia. A menudo los propietarios de tierra no se distinguían de los poseedores de derechos exclusivos sobre el comercio internacional o interior, la explotación de minas, los medios de transporte, el capital usurario, los empleos civiles y religiosos y otras fuentes de privilegios.

La propiedad privada surge, pues, en circunstancias favorables para que cambie de manos; sus títulos se heredan, se negocian, se transfieren por compraventa; los compradores surgen entre los funcionarios (cuyos buenos sueldos les permiten disponer de dinero, tan escaso entonces) y entre quienes han logrado enriquecerse con rapidez gracias al comercio y, sobre todo, a las minas de oro y plata. Es lógico, por tanto, que encomenderos y funcionarios fuesen los primeros propietarios rurales e iniciaran un lento proceso de acumulación de tierras que alcanzará su apogeo en el siglo XVII (Céspedes, 1957: III, 414).

Fue el nexo monetario y la dura realidad económica en que se apoyaba, y no principalmente las tradiciones, los principios o las relaciones sociales aristocráticas o feudales, lo que rigió en América Latina desde el comienzo. Y fue la concentración estructural de la propiedad, del predominio y del capital la que también concentró la tierra, los brazos *encomendados*, el comercio, las finanzas y los empleos civiles, religiosos y militares en unas pocas manos [1]. El poder del capital monopolista predominó desde el principio y continúa predominando. La sede geográfica, económica, política y social de esta apropiación y acumulación monopolista de capital fue, por supuesto, la ciudad y no el campo, por mucho que éste haya sido la fuente de la riqueza.

La ciudad colonial vino a ser el centro metropolitano interior predominante, y el campo el satélite periférico dependiente. Al mismo

[1] Eduardo Arcila Farías escribe en *El régimen de la encomienda en Venezuela* (1957: 307):

"La encomienda y la propiedad territorial en América son instituciones que no tienen entre sí ninguna relación. Entre los institucionalistas no existe confusión alguna al respecto, y los historiadores especializados han puesto cada cosa en su sitio. En realidad no se justifica el hacer aquí esta aclaración sobre una materia muy clara, sino en razón del desconocimiento que existe en Venezuela tanto sobre la encomienda como sobre los orígenes de la propiedad territorial, sobre los cuales no se ha intentado aún estudio alguno.

"A menudo muchas personas que escriben sobre historia en nuestro país confunden ambos términos y atribuyen los orígenes de la propiedad a la encomienda".

Silvio Zavala, en su *New Viewpoints on the Spanish Colonization of America* (1943: 80, 84), dice así: "La idea más generalmente aceptada al respecto de la *encomienda* es que las tierras y los indios fueron repartidos entre los españoles desde los primeros días de la Conquista [...]. Pero esta noción de que las *encomiendas* fueron el verdadero origen de la hacienda está expuesta a seria duda, a la luz de la historia de la tierra tanto como a la del pueblo [...]. En resumen podemos decir que la propiedad del suelo en Nueva España no era conferida mediante *encomiendas*. Dentro de los límites de una sola *encomienda* podían encontrarse tierras pertenecientes a indios individualmente, tierras poseídas colectivamente por las aldeas, tierras de la Corona, tierras adquiridas por el *encomendero* mediante una concesión diferente de la *encomienda* o relacionada con su derecho al pago de contribuciones en productos agrícolas, y, por último, tierras otorgadas a otros españoles, aparte el *encomendero*. Lo anterior demuestra que la *encomienda* no puede haber sido el antecedente directo de la hacienda moderna, porque no daba verdaderos derechos de propiedad [...]. En Chile, en cierto caso, el *encomendero* de una aldea despoblada, lejos de pretender que las tierras abandonadas le pertenecían por virtud de su *encomienda* original, acudió a las autoridades reales para que le diesen el derecho a ellas mediante una nueva y diferente concesión".

De las funciones capitalistas de la *encomienda* se trata en el capítulo sobre el "problema indígena", y los orígenes capitalistas de la propiedad de la tierra se examinan más adelante en este mismo capítulo.

tiempo, el dominio y la aptitud para el desarrollo económico de la ciudad latinoamericana fueron coartados desde el principio, pero no por su región satélite o alguna supuesta estructura feudal de aquélla (antes bien, la estructura del campo fue y sigue siendo la fuente principal del desarrollo económico urbano), sino por su propia condición de satélite de la metrópoli mundial extranjera. En cuatrocientos años ninguna metrópoli latinoamericana ha superado esta limitación estructural de su desarrollo económico. Un investigador de la América Central observa:

> "La posición privilegiada de la ciudad tiene su origen en la época colonial. Fue fundada por el conquistador para cumplir las mismas funciones que todavía cumple en la actualidad: las de incorporar al indígena en la economía traída y desarrollada por ese conquistador y sus descendientes. La ciudad regional era un instrumento de conquista y es aún en la actualidad de dominación". (Stavenhagen, 1963: 81.)

De dominación, empero, no sólo de su propio grupo gobernante sino también de la metrópoli imperialista, cuyo instrumento es la ciudad latinoamericana, con su disperso sector terciario "de servicios".

Una vez introducidas en la América Latina, en los niveles internacional y nacional, las contradicciones capitalistas de la polarización y la expropiación-apropiación, sus consecuencias necesarias, esto es, desarrollo limitado o subdesarrollo en las metrópolis del continente y desarrollo del subdesarrollo estructural, lejos de retardar su aparición varios siglos, hasta después de la revolución industrial inglesa, como con tanta frecuencia se sugiere, comenzaron a generarse y brotar desde luego. Bajo el subtítulo de "Dinámica de las economías coloniales", Aldo Ferrer confirma nuestra tesis en *La economía argentina, las etapas de su desarrollo y problemas actuales*:

> "Si se pretende determinar cuáles fueron las actividades económicas dinámicas en la economía colonial, deben recordarse las características de la economía de la época y se concluye que fueron aquellas estrechamente ligadas al comercio exterior. La minería, los cultivos tropicales, las pesquerías, la caza y la explotación forestal, dedicadas fundamentalmente a la exportación fueron las actividades expansivas que atrajeron capital y mano de obra. En estos casos, (economías coloniales) la producción

se realizaba generalmente en unidades productivas de gran escala, sobre la base de trabajo servil. Los grupos de propietarios y comerciantes vinculados a las actividades exportadoras eran, lógicamente, los de más altos ingresos, conjuntamente con los altos funcionarios de la Corona y del clero (que muchas veces consiguieron sus puestos por la compra de los mismos). Estos sectores constituían la demanda dentro de la economía colonial y eran los únicos sectores en condiciones de acumular. Forzando el concepto, constituían al mismo tiempo el mercado interno colonial y la fuente de acumulación de capital.

En estas condiciones, al mismo tiempo que el sector exportador era muy poco diversificado, la composición de la demanda tampoco favorecía la diversificación de la estructura productiva interna. Cuanto más se concentraba la riqueza en un pequeño grupo de propietarios, comerciantes e influyentes políticos, mayor fue la propensión de adquirir los bienes manufacturados de consumo y durables (consistentes en buena proporción de bienes suntuarios de difícil o imposible producción interna) en el exterior, y menor fue la proporción del ingreso total de la comunidad gastado internamente... El sector exportador no permitía, pues, la transformación del sistema en su conjunto, y una vez que la actividad exportadora desaparecía, como ocurrió con la producción azucarera del noreste del Brasil ante la competencia de la producción antillana, el sistema en su conjunto se desintegraba y la fuerza de trabajo volvía a actividades de neto carácter de subsistencia. Independientemente de las restricciones que las autoridades solían imponer sobre las actividades que dentro de las colonias competían con las metropolitanas, poca duda cabe que tanto la estructura del sector exportador como la concentración de la riqueza constituyeron obstáculos básicos para la diversificación de la estructura productiva interna, la elevación consecuente de los niveles técnicos y culturales de la población y el surgimiento de grupos sociales vinculados a la evolución del mercado interno y a la búsqueda de líneas de exportación no controladas por la potencia metropolitana. Este chato horizonte del desarrollo económico y social explica buena parte de la experiencia del mundo colonial americano y, notoriamente, de las posesiones hispano-portuguesas". (Ferrer, 1963: 31-32).

Poniendo en mis propios términos las observaciones y el análisis de Ferrer, se puede observar cómo el establecimiento de la estructura metrópoli-satélite entre Europa y las colonias latinoamericanas, y dentro de estas mismas, sirvió para fomentar desde luego un desarrollo limitado o subdesarrollo en la metrópoli colonial (nacional después) y un subdesarrollo estructural en los satélites periféricos de estas metrópolis coloniales. Bagu y Ferrer observan que la exportación del excedente económico de las colonias fue la causa y la fuerza motriz que las llevó a ser partes integrantes del expansivo sistema capitalista mundial. Como anota Ferrer explícitamente, el sector dinámico de las colonias o satélites fue el de la exportación, es decir, la metrópoli interior. Desde el principio mismo, esta metrópoli interior y más tarde nacional expropió el excedente económico de sus satélites periféricos y, sirviéndose de esta metrópoli interior como instrumento de expropiación, la metrópoli mundial se apropió a su vez de gran parte de ese mismo excedente económico. Algo de este excedente económico de las periferias provinciales quedó, por supuesto, en las diversas metrópolis latinoamericanas. Es decir, como señala Ferrer, el producto interno se concentró allí, como también, en consecuencia, la actitud nacional para el consumo y la inversión o la acumulación. Pero la misma estructura metrópoli-satélite, cuyo desarrollo, en primer lugar, dio existencia a la América Latina que conocemos, creó y sigue creando en estas metrópolis latinoamericanas (quizás aún más ahora) intereses que indujeron a sus grupos dirigentes a satisfacer por medio de importaciones gran parte de su concentrada demanda de consumo.

Esta estructura conspiró también contra la inversión por aquéllos del excedente económico apropiado de sus compatriotas, en fábricas para su propio consumo o para la exportación, y mucho menos, por supuesto, para el consumo de los expropiados. Las consecuencias de la estructura metrópoli-satélite del capitalismo internacional sobre la estructura y el proceso capitalista nacional no se resumen únicamente, por tanto, en la apropiación por la metrópoli mundial del excedente de los centros nacionales, que además de ser satélites de aquélla son metrópolis de sus respectivos satélites periféricos, de cuyo excedente económico se apropian a su vez. Los efectos del capitalismo mundial y nacional calan más hondo y conducen a la orientación errónea y al mal empleo hasta del excedente que queda a disposición del satélite.

Esta ha sido, pues, la regla del desarrollo económico y, simultáneamente, del subdesarrollo a lo largo de la secular historia del capitalismo. Si los grupos gobernantes de los países satélites han encontrado provechoso, de vez en cuando, adoptar un grado relativamente mayor de industrialización y desarrollo autónomos, como ocurrió en el siglo XVII y varias veces después, no fue porque hubiese cambiado la estructura esencial del sistema capitalista mundial sino únicamente porque el grado de dependencia de las metrópolis mundiales había menguado temporalmente, debido al accidentado desarrollo del belicoso sistema capitalista mundial. Durante las depresiones y las guerras, el desarrollo industrial y económico de los satélites latinoamericanos tomó impulso, sólo para ser cercenado de nuevo o reencauzado en el subdesarrollo por la subsiguiente recuperación y expansión de la metrópoli, o por el restablecimiento de la integración activa de ésta con sus satélites.

Vale decir que en el conjunto de América Latina, las tres contradicciones del capitalismo hicieron su aparición desde el principio y comenzaron a ejercer sus inevitables efectos. A despecho de todas las transformaciones económicas, políticas, sociales y culturales por las que han pasado la América Latina y Chile desde el período inmediatamente posterior a la Conquista, han retenido los elementos de la estructura capitalista que la colonización implantó en ellas. La América Latina, lejos de haber superado recientemente o de no haber superado aún el feudalismo (que, en realidad, nunca conoció), o de haber tomado hace poco un papel activo en el teatro del mundo, inició su vida y su historia posterior a la Conquista como parte integrante y explotada del desarrollo capitalista mundial. Eso explica su subdesarrollo de hoy.

D. El capitalismo del siglo xvi en Chile:
colonización de un satélite

Las mismas contradicciones capitalistas comenzaron a determinar el destino de Chile en el siglo xvi. Ya desde el comienzo de su existencia colonial Chile ha tenido una economía basada en la exportación. La estructura económica, política y social de Chile fue siempre determinada —y sigue siéndolo— en primer lugar por la realidad y la naturaleza específica de su participación en el sistema capitalista mundial y por la influencia de este sistema en todos los aspectos de la vida chilena. Mi tesis, desde luego, no es compatible con la imagen generalmente aceptada que presenta al Chile de ayer y aun al de hoy como una economía y sociedad "autárquica" o "feudal", "cerrada" y "reclusa". Pero es compatible con la realidad histórica y contemporánea de Chile.

Es muy característico el hecho de que Chile iniciara su existencia colonial como exportador de oro. Pero sus minas (en Chile, lavaderos en la superficie) no eran muy ricas ni duraron mucho. Su explotación

38

formal comenzó por el año de 1550 y su producción decayó rápidamente después de 1580. Empero, a diferencia de las colonias continentales españolas, aunque no, quizás, de Guatemala, ya en esa época Chile exportaba un producto de su país: el sebo de sus reses. Por cierto, el más atento estudioso de esa época chilena cree que el valor de las exportaciones de oro de Chile no excedió en ningún momento el de las de sebo (información personal de Mario Góngora). El grueso de las exportaciones de sebo chilenas iba ya entonces a Lima, el más cercano centro comercial grande del imperio colonial, y no a la metrópoli europea. Al mismo tiempo, la cría de ganado para venta y consumo local y la producción de lana para telas con que vestir a mineros, soldados y otros formaron la base de una creciente economía comercial, dependiente e interior.

Pocos años después de la muerte de Valdivia ya existe un pequeño intercambio con el virreinato; dice Ross que en 1575 ya menciona la historia un cargamento de 400 fanegas de trigo que se exportaba a Lima por el Maule. Este comercio se mantuvo por vía marítima desde entonces, y más de una vez fue estimulado por las medidas oficiales: en 1592, por ejemplo, Hurtado de Mendoza suprimió en forma eventual los derechos de alcabala de la exportación de Chile al Perú. El intercambio era interrumpido transitoriamente de cuando en cuando por los corsarios que siguieron a Drake después de 1568, y con posterioridad fue alterado de un modo artificial por los intereses monopolistas. Al finalizar el siglo XVI la influencia del encomendero sobre la tierra, y las mercedes que se conceden, han echado las bases de una gran propiedad territorial que va a imprimir una especial fisonomía a la vida agrícola; lo propio ocurre con la encomienda indígena respecto de la mano de obra rural. Es el momento en que se impone la economía pastoril y pierden importancia los lavaderos de oro, pero la larga transformación que ahí se inicia, a juicio del profesor Jean Borde, viene a culminar sólo en el siglo XVIII; y es en relación, sin duda, con el auge del trigo que dicha evolución converge a la lenta definición de un nuevo tipo de mano de obra y de estructura agraria, el inquilinaje, que constituye hasta la actualidad el elemento característico de toda la vida rural del Chile central.

Historiadores como Vicuña Mackenna y Barros Arana, al referirse a este momento de transición en la economía colonial, han insistido quizás demasiado en su carácter de subsistencia y en el escaso auge alcanzado por el comercio de los frutos de la tierra. Nosotros creemos que este comercio se inició tempranamente, y tuvo algún significado, puesto que sacando ventajas de las condiciones de clima, el retorno chileno a las mercaderías españolas provenientes del Perú, pasó pronto del oro primitivo a los productos agrícolas y al sebo. No tiene otra explicación que los corsarios capturaron barcos repletos de mercaderías que iban hacia el Perú, y que españoles de empresa como Juan Jofré y Antonio Núñez de Fonseca poseyeran navíos dedicados a la navegación comercial y permanente con el virreinato...

Existe más de un motivo para pensar que la producción agrícola excedía, al explicar el primer siglo de la Colonia, las necesidades del consumo; así lo evidencia un informe ordenado por García Ramón, en 1600, al decir, tal vez con algo de exageración, que la producción agrícola del reino podía abastecer a cincuenta ciudades mayores que la capital... Múltiples son los testimonios que dan cuenta de la relación comercial con el Perú y de los mayores ingresos de una población en aumento; así, por ejemplo, el corsario holandés Oliverio de Noort, que estuvo en Valparaíso en 1600, enumera las mercaderías encontradas en uno de los barcos que hacían este comercio pionero, en el cual ya se evidencia un dominio de los productos de origen animal sobre los propiamente agrícolas; es la característica del siglo del sebo. Idéntica opinión se encuentra en las informaciones proporcionadas por el padre Ovalle, cuando dice que fuera de 20.000 qq. de sebo que quedaba en el país, todo lo demás se repartía por el Perú. Sin embargo, la producción agrícola propiamente tal, ocupaba un lugar secundario (Sepúlveda, 1959: 13-15).

Documentos contemporáneos confirman el reciente juicio de Sepúlveda e iluminan más la estructura monopolista del comercio exterior e interior del siglo XVI y el empleo que se hacía del excedente económico generado y concentrado por esa estructura. En 1583, el Cabildo de Santiago resolvió que "por cuanto hay gran falta en esta ciudad de candelas y sebo para ellas, y si se diese lugar a que se saque para el Perú, como al presente se dice que lo envían algunas personas, esta ciudad quedaría muy desproveída, y para que se ponga remedio en lo susodicho, mandaron a que se apregone públicamente que ninguna persona lleve a embarcar ningún sebo ni velas sin licencia de este Cabildo, so pena que lo tenga perdido, aplicado para propios de esta ciudad". (Alemparte, 1924: 21).

Cien años después, en 1693, el Cabildo de Santiago ordenaba "que ninguna persona saque de esta ciudad, de cualquier calidad que sea, para el puerto de Valparaíso ni otros de estas costas... trigo, harina, ni bizcocho, so pena de cien pesos y perdido cualquiera de los géneros referidos y las mulas en que se condujiere". (Alemparte, 1924: 22).

"Somos informados y se ha visto por experiencia que cuando hay falta de mercaderías, algunas personas procuran recoger todas las que hay de aquel género, para efecto que solamente se hallen en su poder, para venderlas a los precios que él quisiere, con lo cual se sigue notable daño a la república". (Alemparte, 1924: 12).

Alemparte habla de cientos de ejemplos en las actas municipales de tales faltas artificialmente creadas, de especulación interior y de exportación, cuando esta última, en detrimento de la población local, resultaba aún más provechosa, y de ordenanzas municipales destinadas a reprimir tales prácticas. Alemparte añade que "es cierto que la revisión completa de estos documentos muestran como fueron violadas frecuentemente estas ordenanzas; pero no deberíamos · sorprendernos de ello, puesto que los regidores de la ciudad y los hacendados —como ya observamos— eran los mismos". Aunque Alemparte sugiere que estas regulaciones eran compatibles con las costumbres económicas y morales de la época, las actas del Cabildo de mayo de 1695 dan de ellas una razón más esclarecedora: sin ellas, "pereciera una república por voluntad de codicia o se diera lugar a un motín, que fuera de peor consecuencia". (Alemparte, 1924: 19, 21, 24).

Las ordenanzas de la época, particularmente en sus esfuerzos por imponer restricciones y prohibiciones, revelan mucho acerca del empleo que se daba al excedente económico generado en forma tan monopolística: "En los años que siguen [1558], el lujo va en aumento y el color negro —implantado por el sombrío Felipe— pasa también a Chile... en 1559 vemos figurar en un inventario «treinta barras de damasco de la China, dos libras y una de seda de la China... veinte barras y cuarta de franjas de oro... un vestido de mujer argentado»..." (Alemparte, 1924: 64). El 23 de octubre de 1631 el Cabildo de Santiago, en reunión con "ciertos individuos privados de esta ciudad, para tratar de la reforma del vestido", ordenó como sigue:

"El 23 de octubre de 1631 el Cabildo de Santiago, reunido junto con algunas personas particulares de esta ciudad, para ver la reformación de los trajes", dictó las ordenanzas siguientes: I, "que ninguna persona, hombre o mujer, de ningún estado o calidad que sea, puede vestirse enteramente de tela rica, de oro y plata, ni de seda, ni traer jubones, ni mangas de dicha tela, ni lana de oro y plata, ni más guarniciones en los vestidos que la que en las ordenanzas siguientes se dispondrá", bajo serias

41

penas... Octava: que "ningún indio ni india, de cualquier nación que sea, negro o negra, mulato o mulata, puedan vestirse más que a su uso de ropa de la tierra, o cuando mucho de paño de la tierra...", décima cuarta: "que los vecinos y moradores, con gastos superfluos e inexcusados [no se arruinen] mandamos que en todas las cosas que se ofrecieren y hubieren de hacer, guarden y cumplan en gasto y orden muy moderado, sin exceder de una modestia justa, y que las autoridades corrijan y castiguen cualquier exceso, lo mismo que a los inventores de gastos nuevos e intrusos". (Alemparte, 1924: 66).

Alemparte observa, indudablemente con razón y con evidente importancia, para la tesis que en este ensayo se expone:

"Es útil agregar que estas disposiciones contra el lujo fueron dictadas no por razones morales o religiosas —como pudiera creerse, a primera vista— sino por motivos económicos, según se establece en su parte expositiva. Pues la ruina de los particulares, causada por los "costosísimos trajes, que cada día se varían... enflaquece las repúblicas, desustanciándolas del dinero... sangre y nervios que las conservan". (Alemparte, 1924: 68).

En términos de hoy, el gobierno se preocupaba por la balanza de pagos y el drenaje de divisas del país y de recursos locales (el excedente) que las importaciones de este sector monopolista representaban entonces no menos que hoy.

E. El capitalismo del siglo XVII en Chile:
   desarrollo capitalista "clásico"

Los acontecimientos del siglo XVII esclarecen aún más cómo la participación de Chile en el sistema capitalista mundial determinó no sólo la estructura interna de su economía y sociedad sino también sus instituciones económicas y sociales, sus transformaciones y, en verdad, la historia económicosocial de todo Chile. De una parte, son los ciclos económicos y las influencias generadas por el desarrollo del capitalismo en el mundo los que determinan en gran parte el relativo aislamiento económico y espacial de Chile respecto de su metrópoli (era pobre en minas y se hallaba al final de un larguísimo viaje desde España, a través del istmo de Panamá), aislamiento que debilitó los lazos entre metrópoli y satélite y permitió a Chile un grado de independencia y, por ende, de desarrollo económico potencial y real mayor que el que otras colonias pudieron lograr. Por otra parte, fue el debilitamiento temporal o cíclico de estas eficaces relaciones entre metrópoli y satélite, como resultado de una guerra o una depresión en la metrópoli, lo que permitió a los satélites, entonces como ahora, una oportunidad igualmente temporal de iniciar instituciones y medidas capitalistas que promueven el desarrollo económico, en tanto no las revierta de nuevo el cese del alivio momentáneo de la hegemonía metropolitana.

El siglo XVII puso a Chile y a otras partes de América Latina en tales circunstancias. Las influencias económicas generadas por el desarrollo del capitalismo mundial introdujeron cambios de mucho alcance en las instituciones y en el nivel de producción agrícola y fabril de América Latina, los cuales han sido documentados en cuanto a México y a Chile. Como la mayoría de las otras partes del imperio colonial español, incluyendo a la metrópoli misma, Chile presenció durante el siglo XVII un notable descenso del suministro de brazos indígenas y de la productividad de su economía minera. Sus resultados fueron análogos a los que respecto de México estudiaron detalladamente Chevalier, Borah y Kubler. La decadencia del poder de la oligarquía doméstica para comprar bienes metropolitanos, originada en el descenso de la producción de oro, causado a su vez por el menor rendimiento de las minas y el menor suministro de brazos, resultado, esto último, de la decadencia de la población indígena inducida por la Conquista, así como también la baja de la demanda metropolitana de bienes coloniales y la del suministro de bienes metropolitanos, derivada de la "depresión" que en el siglo XVII sufrieron España y Europa, se combinaron para aislar un tanto de la metrópoli a Chile y a otras colonias.

Existe cierto desacuerdo acerca de las consecuencias precisas de esos factores en México, Chile y, en otras partes, especialmente en el Perú. Pero se puede decir con certeza que, al igual que en el nordeste brasileño, a cuya declinante economía azucarera se refirió Ferrer, el peso del impacto desfavorable cayó sobre los estratos más bajos —indígenas y mestizos— de la sociedad colonial. A causa de la reducción del suministro de trabajadores, se concibieron nuevos medios institucionales, a menudo más onerosos, para forzar a las capas inferiores a dar su trabajo a la oligarquía española y criolla. Aunque algunos criollos sucumbieron, sin duda, durante la larga crisis de todo el siglo, otros capearon la tormenta, pasando cada vez más de la minería a la cría de ganado, a la producción de trigo (y, en México, de otros comestibles de que la población blanca se abastecía anteriormente mediante los pequeños y numerosos cultivos de los indios), de telas y otros bienes de consumo, para reemplazar los abastecimientos relativamente menores que venían de la metrópoli. Como señalan Chevalier, Borah, Góngora y Zavala, el siglo XVII, por ende, si no dio a luz a la hacienda la vio crecer en número, en tamaño, en diversificación interior y en importancia general. El auge de la hacienda, debe destacarse, no se debió a la encomienda ni, mucho menos, a instituciones feudales que los españoles pudieran haber traído consigo en el siglo XVI. La hacienda de Chile y de toda la América Latina, así como la estructura de la explotación agrícola, deben atribuirse a la difusión y desarrollo del capitalismo mercantil en el mundo en general y en Chile y América Latina en particular.

"A partir del gran incremento del valor comercial de los productos ganaderos, hacia 1595, ya la distribución de tierras empieza a abarcar todo el valle [del Puangue, cerca de Santiago]"... "Tampoco existía una jerarquía aristocrática de familia... La clase dirigente es aún muy fluida, pesan fuertemente la riqueza y la posición personal... La utilización fundamental del trabajo indígena es, hasta cerca de 1580, la minería... Los encomenderos sacuden sus obligaciones militares; por otra parte, compensan la disminución de la minería por el incremento de la riqueza ganadera, que empieza a valorizarse en el mercado... Los comerciantes importadores formaban el núcleo más poderoso de la clase jurídica de los moradores (es decir, de los vecinos con casa establecida en las ciudades, y con pleno derecho a participar en la vida comunal, pero no dotados de encomienda).

Los importantes mercaderes que obtienen mercedes en Puangue, adquieren otras aun mayores... El poder económico de estos mercaderes parece haber sido considerable. El motor principal de la acumulación de tierras es, evidentemente, el interés mercantil por los productos ganaderos y agrícolas. La economía ganadera chilena se constituye desde el comienzo en grandes explotaciones. La frecuencia de estos remates indica que no son accidentes aislados en la historia de algunas fortunas familiares. Debe tratarse de un resultado de las frecuentes oscilaciones del sebo, cordobanes y trigo en el mercado limeño y santiaguino, que constituye un rasgo característico de la economía chilena. (Góngora, 1960: 43-44, 49-50, 57, 62).

Podemos cerrar nuestro examen del Chile colonial del siglo XVII con las observaciones de un contemporáneo:

"Lo que logra en aquel país la industria humana, consiste principalmente en la cría de ganados de que hacen las matanzas que apunté arriba, y el sebo, badanas y cordobanes que navegan a Lima, quedando esta ciudad con lo que ha de menester, que son veinte mil quintales de sebo cada año, y a esta proporción los cordobanes; se reparte todo lo demás por Perú y los cordobanes suben a Potosí, y todas aquellas minas y ciudades adentro, donde no se gasta otra ropa que la de Chile, y baja también a Panamá, Cartagena y a todos aquellos lugares de Tierra Firme; también se saca alguna de esta ropa para Tucumán y Buenos Aires, y de allí a Brasil. El segundo género es la jarcia, de que se proveen todos los navíos del Mar del Sur y la cuerda para armas de fuego que se lleva de Chile a todos los ejércitos y presidios de aquellas costas del Perú y Tierra Firme... El tercer género son las mulas que llevan a Potosí por el despoblado de Atacama". (Ramírez, 1959: 31-32).

Esto no describe una economía cerrada o autárquica, sino más bien una economía abierta cuya estructura interna y el destino de su pueblo son determinados, ante todo, por su relación con otras partes del sistema mercantilista y por la estructura y el desarrollo de este sistema mundialmente expansivo.

Es posible que el principal factor determinante fuese, en el siglo XVII, el mayor aislamiento y la menor interdependencia entre metrópoli y periferia. Chile estaba ya más aislado o más débilmente integrado en la estructura metrópoli-satélite del mundo capitalista que otras colonias españolas. La depresión del siglo XVII redujo el volumen del intercambio comercial entre España y sus colonias, como lo prueban la reducida navegación atlántica, el descenso de las exportaciones americanas de mineral y el más bajo nivel de las exportaciones españolas de trigo y productos nanufacturados. Chile y las otras colonias vinieron a quedar más aisladas que en el siglo XVI; más, presumiblemente, el primero que las otras. Lejos de ser una causa directa del subdesarrollo, es este menor grado de interdependencia (y, como satélite, de dependencia) de la metrópoli el que sin duda originó la acrecida producción doméstica de bienes "para sustituir importaciones", e incluso de mercancías exportables a los mercados de las restantes colonias americanas de España. Con el nuevo fortalecimiento, en el siglo XVIII, de la interdependencia y la dependencia chilena, esta producción y, en verdad, la capacidad para producir declinaron otra vez, con lo que el subdesarrollo se enraizó aún más firmemente en Chile.

La situación surgida en el siglo XVII respecto de la tierra fue transformada también por el renovado aumento del comercio en el siglo XVIII. Por una parte, el siglo XVII presenció el continuo desarrollo de la hacienda como empresa agrícola, manufacturera y comercial indicada a servir al mercado urbano y a su propia población. La hacienda, por supuesto, no habría de convertirse en una economía de subsistencia en sí misma, puesto que su principal *raison d'être* era, y lo es todavía, el suministro comercial de productos agrícolas al mercado urbano o extranjero y la apropiación, por el propietario, de la mayor parte del excedente económico así producido por los trabajadores de la hacienda, que aquél expropia ejerciendo su poder monopolista sobre ellos. Esto excluye, claro está, todo intercambio entre la hacienda y el mundo exterior, excepto el que pasa por la puerta del peaje, que el propietario controla. Pero la hacienda chilena del siglo XVII no tenía aún todo estos rasgos monopolistas. Iba a adquirirlos con el aumento de la demanda de sus productos. En el siglo XVII, el propietario de estancias ganaderas, que necesitaba relativamente pocos trabajadores, a menudo mantenía inquilinos mestizos o "blancos pobres" en su propiedad, a quienes exigía poco o nada por el uso de su tierra y que a su vez explotaban sus pequeñas empresas ganaderas, manteniendo, al parecer, un nivel de vida adecuado mediante la producción para ellos mismos y para el mercado. La relación metrópoli-satélite entre el propietario y sus inquilinos, si no sus trabajadores indígenas, no estaba todo lo polarizada que habría de estar después.

F. EL CAPITALISMO DEL SIGLO XVIII EN CHILE: RESATELIZACIÓN, POLARIZACIÓN Y SUBDESARROLLO

En 1736, el virrey del Perú, José Armendáriz, apuntó: "la insigne dependencia que esta capital [Lima] tiene de un reino [Chile] que es el almacen de las preciosas especies… y el depósito de los granos con que la alimenta… que sin Chile no existiera Lima…" (Ramírez. 1959:33.) No obstante, un observador oficial informaba en 1802 que "Chile sufre, en efecto, todas las verdaderas pérdidas de un comercio meramente pasivo" (Ramírez, 1959:51). La dependencia de Lima respecto de Chile, que no obstante llevó a éste "todas las pérdidas connaturales de un comercio pasivo", fue, por supuesto, el resultado y el reflejo del carácter y la relación de satélite capitalista de Chile con respecto a su metrópoli primaria, Lima, y con respecto a las metrópolis española y francesa también.

El estudio de Chile en el siglo XVIII revelará cuán profundamente arraigadas estaban ya las contradicciones capitalistas en el país, tanto en sus relaciones con el mundo exterior como en cuanto a su estructura económica, política y social. Tan profunda y firmemente arraigadas, en realidad, que el pueblo de Chile no pudo evitar el continuo desarrollo del subdesarrollo chileno en los siglos XIX y XX, a despecho de algunos esfuerzos por resolver las contradicciones capitalistas y evitar que Chile continuara subdesarrollándose. Todas estas tentativas de liberación se efectuaron dentro de la estructura capitalista misma; no podía ser de otro modo entonces. Después de las elecciones de 1964, debemos afirmar una vez más que el pueblo chileno no ha logrado todavía la necesaria emancipación de la estructura y el proceso económicos que inevitablemente producen al mismo tiempo un desarrollo limitado y un subdesarrollo estructural.

Las tres contradicciones capitalistas de la expropiación-apropiación del excedente, de la polarización metrópoli-satélite y de la continuidad en el cambio en el Chile del siglo XVIII se expresan de la mejor forma, quizás, apelando a la observación de Marx acerca de que "en todas las esferas de la vida social la parte del león corresponde al intermediario. En el campo de la economía, v. gr., los financistas, los especuladores de la bolsa de acciones, los mercaderes, los tenderos se llevan la crema; en los asuntos de la vida civil... en la política... en la religión" (Marx, I, 744, nota 1). El poder monopolista de los intermedios expropió-apropió el excedente económico a través y dentro de la estructura capitalista de las encadenadas constelaciones-metrópoli-satélite, y dominó las relaciones de comercio y producción entre Lima y Chile hasta el punto de resistir y vencer toda oposición pública y oficial a ellas en ambos países; caracterizó la producción y distribución chilena y peruana de productos agrícolas; cambió totalmente en Chile la institución de la propiedad de la tierra en formas que sólo después vendrían a ser mal llamadas "feudales"; determinó la nueva extinción de las industrias manufactureras chilenas que habían surgido al amparo del relativo aislamiento del siglo XVII.

47

1. *La polarización internacional a través del comercio exterior*

Un reciente analista de la historia chilena subraya que "el carácter de la economía chilena colonial [era] esencialmente de exportación y no de mera subsistencia, como alguna vez se ha afirmado. Esta impronta es genérica a la economía colonial de diversos países, exceptuando al Paraguay..." (Sepúlveda, 1959:21-32).

No obstante, durante todo el siglo XVIII Chile tuvo una balanza comercial claramente desfavorable con respecto a Lima, España y Francia (Ramírez, 1959: 46-49). Fue así a pesar del hecho de que su producción minera (ahora de plata y cobre cada vez más, en vez de oro) volvió a aumentar a lo largo del siglo, y de que conoció y satisfizo un espectacular aumento de la demanda exterior de los productos de su tierra, ahora principalmente agrícolas más que ganaderos. Las exportaciones chilenas de trigo a Lima habían empezado a crecer entre 1687 y 1690. Esta se ha atribuido a menudo al terremoto de 1687, del que se supone que destruyó la capacidad productiva de las tierras trigueras cercanas a Lima. En *El trigo chileno en el mercado mundial*, Sergio Sepúlveda pone en duda esta explicación y ofrece en su lugar una razón económica que concuerda con mi tesis acerca del papel de los monopolios mercantiles en un sistema capitalista estructurado sobre la polarización metrópoli-satélite.

"Queda establecido que entre el 18 de noviembre de 1698 y el 9 de diciembre de 1699, se registraron en el Callao 113 entradas de buques, correspondiendo 44 de ellas a buques procedentes de Chile (23 de Valparaíso, 13 de Concepción, 3 de Coquimbo y 5 de Arica, que el autor incluye como viniendo también de Chile), que en conjunto internaron 86.013 fanegas de trigo, 18.402 zurrones también de trigo y 5.561 zurrones de harina, además de 27.038 quintales de sebo. Vale decir, que Perú importaba en este momento comercial claramente decidido, unos 66.000 quintales entre trigo y harina de Chile.

Tal como lo hemos insinuado, es una verdad que con ocasión del terremoto de 1687 se abrió el mercado peruano, iniciándose las mayores exportaciones de nuestro trigo, debido a la alteración de la vida económica de Lima y la lógica escasez de bienes de consumo, durante la emergencia. Pero la inundación de los trigos de Chile se hizo permanente, no por los efectos del polvillo, sino que se perpetuó gracias a la acción económica inteligente de un monopolio que no tardó en organizarse y que supo aprovechar su mejor calidad para imponerlo definitivamente en el medio

48

menos apto. La producción interna del Perú fue aniquilada en virtud de una política de regulación de la oferta mediante la imposición de los precios. Modalidad que se vio facilitada por la debilidad congénita del trigo peruano frente al chileno.

Como conclusión se infiere que el trigo de Chile se impuso desde entonces, iniciando la conquista de su primer mercado, en virtud de una voluntad económica sistemática y por haber encontrado un medio adecuado capaz de crear la dependencia. Nuestra opinión es que ella se habría creado de todas maneras, aún sin mediar el accidente del terremoto, pues tarde o temprano en un régimen de concurrencia normal el trigo chileno habría terminado por imponerse. El intercambio entre ambas colonias se activa desde entonces, animando el Valle central, especialmente entre el Choapa y el Maule donde se recogía en 1695, entre 80 y 90.000 fanegas, sin contar algo más que se obtenía en Coquimbo y en Concepción. El grueso de la exportación salió desde el comienzo por Valparaíso, donde los granos aprovechaban las antiguas bodegas destinadas a guardar el sebo y se beneficiaban con nuevas construcciones, siendo además la salida natural del fértil valle del Aconcagua. Algunas agrupaciones con carácter institucional participan de él y originan, andando el tiempo, conflictos graves por el choque de sus intereses con los productores y bodegueros de Chile y los importadores peruanos. Interesante es este momento de la iniciación de la nueva corriente comercial, por el reajuste económico que supone y por los efectos psicológicos que produce en una población que no estaba preparada para entender la oportunidad." (Sepúlveda, 1959:20).

Los efectos económicos, políticos, sociales y culturales sobre Chile fueron trascendentes y duraderos, y desde el punto de vista de la discriminada población de la periferia satélite local, cuyo subdesarrollo se fomentaba, no fueron ni ventajosos ni bien acogidos. La razón no era tanto la falta de preparación para "comprender", como Sepúlveda sugiere aquí, sino que era —y todavía es— la absoluta incapacidad para reaccionar de otro modo dentro de las limitaciones políticas y económicas que la misma estructura capitalista imponía, como lo demuestra el propio Sepúlveda en otros pasajes.

Si los intereses monopolistas peruanos arruinaron la relativamente ineficiente producción de trigo de su país para reemplazarla por el producto chileno, que la geografía y el clima favorecían más, no fue porque tuvieran presentes los intereses de los productores de trigo chilenos. Al contrario:

"Chile, además de ser colonia de España, se encontraba económicamente subordinado al virreinato del Perú. Aquel país era el más potente centro económico de Sudamérica... Pudo formarse en el Virreinato un núcleo de poderosos comerciantes que no sólo comandaba las actividades productoras peruanas, sino también las de otras colonias españolas en la América meridional, desde Guayaquil hasta las provincias del Plata. El comercio limeño controlaba la riqueza minera del Alto y Bajo Perú, la producción agropecuaria y minera de Chile, la producción agrícola tropical del Perú y la región de Guayaquil y las producciones ganaderas de las provincias de la Plata. Por su comunidad de intereses y por sus aspiraciones hegemónicas fundadas en su superioridad financiera, estos comerciantes operaban con una solidez y eficacia tales «que parecían actuar bajo la inspiración de una o muy pocas personas... La red de negocios manejados por este grupo, que por rico y numeroso tenía largos brazos, era enorme». El influjo de estos empresarios guiados por un espíritu monopolista infinitamente mayor que el de la Corona les permitió subordinar a sus designios a las autoridades políticas del virreinato, con lo cual pudieron conquistar y consolidar todo un sistema de privilegios establecidos en su favor. Tales ventajas fueron debidamente aprovechadas por los círculos mercantiles de Lima: a base del riguroso sistema monopolista establecido por la metrópoli —del cual eran activos usufructuarios— llegaron a constituir una especie de imperio autónomo dentro del imperio español. Cuando observaron que la metrópoli orientó su política comercial en un sentido más liberal se movilizaron luchando tenazmente contra todas las franquicias económicas que pudieran otorgarse a otras regiones y procurando conservar, de todos modos, los mercados que en un principio les pertenecieron por razones históricas más que geográficas" (Ramírez, 1959: 65-66, citando también a Guillermo Céspedes del Castillo, *Lima y Buenos Aires*, y a Emilio Romero, *Historia económica del Perú*).

La situación descrita se hizo sentir con particular intensidad sobre Chile. Perú fue su único proveedor de algunos artículos de primera necesidad: era el intermediario indispensable de artículos europeos. Además, fue el principal mercado consumidor de sus productos. Por estas razones, los comerciantes peruanos —que eran dueños de casi la totalidad de los barcos que traficaban en el Pacífico Sur y que disponían de abundantes recursos— pudieron ejercer dominio efectivo sobre nuestro comercio externo. Ellos compraban el trigo "en las bodegas de Valparaíso al costo y a veces sólo del flete, perdiendo el labrador su trabajo y expensas"; además, se comportaban frente a los productores de cobre como "duros comerciantes que se valen de la necesidad para fijarles los precios" (Ramírez, 1959: 68-69, citando también del "Informe del gobernador A. O'Higgins al gobierno de España", setiembre 21 de 1789).

Al mismo tempo, estos mercaderes traficaban con ciertas mercancías "en que ganan a ciento, doscientos y trecientos por ciento con la sola navegación de quince o veinte días, que no se gastan más en llegar de Chile a Lima" (Ramírez, 1959:69, citando a Alonso Ovalle, *Histórica Relación*, I, 19).

"De los navieros del Callao y de los bodegueros de Valparaíso, de cuyos planes de recíproco monopolio para dañarse inconsiderada y torpemente los unos a los otros, de cuyos interminables litigios, de cuyos avenimientos ocasionales y aun alianzas solemnes para poner bajo su ley a los panaderos de uno y otro reino y por medio de éstos a todos sus habitantes, estaban llenas las crónicas y los archivos de entonces" (Sepúlveda, 1959: 23, citando a Benjamín Vicuña Mackenna, *Historia de Valparaíso*).

Los productores y consumidores satélites de Perú y Chile, y hasta sus respectivos gobiernos, lejos de ignorar lo que ocurría se daban perfecta cuenta de ello e intentaron remediar la situación quebrantando el poder de los monopolistas comerciantes importadores y exportadores. Pero, como hoy, la lógica del sistema capitalista no permitía tal remedio. Al contrario, la estructura acaparadora del sistema capitalista polarizó el poder económico y político entre ambos países y dentro de ellos, de modo tal que los monopolistas eran más poderosos cada vez y el "público" y sus gobernantes, consecuentemente, menos capaces de adoptar las medidas económicas y políticas que su protección demandaba.

En efecto, sabemos de documentos que muestran la reacción social y oficial ante la alternativa de absorber el aumento de la demanda externa, sacrificando el consumo o de mantener sin menoscabo el abastecimiento interno. Tal documentación muestra que la comunidad fue contraria desde el principio a este tipo de intercambio, por las consecuencias que trajo consigo; contraria a la restricción del consumo, contraria al alza de precio interno, lo que se tradujo en una política restrictiva y extemporánea, destinada a poner trabas al comercio naciente, limitando las licencias y el monto de la cuota exportable, pero sin imaginar, ni ensayar otras soluciones positivas. Hacia 1694, por ejemplo, sólo

51

estaba permitido exportar oficialmente unas 12.000 fanegas (8.860 qq. mm.), y en noviembre de 1695 culmina esta actitud negativa cuando Marín de Poveda prohibe la exportación de los trigos de la ciudad de Santiago y de sus partidos.

Sin embargo, a pesar de la crisis de desequilibrio, provocada por el aumento notable de la demanda externa, los imperativos económicos fueron más fuertes y todas las medidas adoptadas para impedir el comercio, fatalmente fracasaron. Las prohibiciones fueron burladas por personas allegadas a los propios medios oficiales que lucraron con la venta de licencias, cobrando la prima de un peso por fanega exportada. En Lima llegó a venderse la fanega a 25 pesos y más, mientras en Chile el precio se había triplicado de 2 pesos y 6 reales a 8 y 10 pesos, sin que por comparación la utilidad fuera remuneradora.

Hacia esta época surgió en Chile, por instigación de los terratenientes o productores, una organización destinada a poner fin a las anomalías del comercio, protegiendo a uno de los sectores económicos que participaban en él; fue el conflicto de bodegas que resultó de la iniciativa de los hacendados o productores organizados para defenderse de los dictados de los navieros del Callao. Según Vicuña Mackenna, éstos eran: "mansas víctimas de los monopolistas al paso que los bodegueros, de buen o mal grado, se contentaban con hacerse cómplices de los últimos." Una tal subordinación implica el acatamiento de los precios de compra y la imposición por los comerciantes foráneos de la magnitud de la exportación anual.

Los navieros y comerciantes del Perú devolvieron la mano con una institución similar, aunque más poderosa, en virtud de su experiencia y habilidad económica, y de sus mayores recursos. Estatuyeron un comprador único, exigieron la selección de los trigos que importan, colocaron los buques bajo una sola voluntad; en fin, se impusieron tanto en Valparaíso como en Lima, donde dominaron la resistencia que intentó oponerles el gremio de los panaderos, enviando por su cuenta dos barcos a Chile. Subordinaron además a los cultivadores del Perú, mediante una simple acción sobre precios, bajando el trigo importado en el momento de las cosechas. El mismo mecanismo lo explica el propio Vicuña Mackenna: "A fin, pues, de estrechar el monopolio a sus últimos límites, los navieros dueños del trigo de Chile aguardaron la época de la cosecha de los valles vecinos a Lima, y cuando llegaba aquélla, bajaban el precio del cereal de improviso, sin que por esto salieran de sus manos sino unas pocas fanegas".

Pero la recuperación que veía el virrey no era tal, y el triunfo de toda su política estaba condenada al fracaso por la oposición de dos fuerzas de evidente poder. En efecto, el virrey estaba luchando contra la reacción más o menos circunstancial de los importadores que lucraban con precios especulativos, sabedores que la demanda de artículos esenciales es inelástica y su curva siempre positiva estaba luchando, era lo peor, contra la fuerza todopoderosa de las limitaciones impuestas por la geografía económica del país. Toda la historia posterior del trigo en este mercado nos da la razón (Sepúlveda, 1959: 20-21, 25-27).

2. La polarización interior

Los acontecimientos del siglo XVIII en la economía chilena demuestran que las contradicciones del capitalismo no sólo se manifiestan en las relaciones entre grandes regiones o países, sino que penetran en el cuerpo económico, político y social interior, hasta la última célula, integrando el todo en su contradictoria estructura. Sepúlveda encuentra que la misma apropiación monopolista del excedente, dentro de una estructura polar de metrópoli y satélite, caracteriza a la producción y distribución agrícola interior chilena del siglo XVIII.

La falta de probidad comercial atentaba también contra el desarrollo *normal* de la vida agrícola. Una comunicación del gogobernador O'Higgins, dirigida a los subdelegados de Aconcagua y Curimón en 1788, solicitando informe sobre las prácticas empleadas por los comerciantes en trigo, permite conocer los abusos usurarios que éstos cometían respecto de los pequeños productores. Por lo general, los mercaderes concedían al labrador un abono en mercaderías o especies, comprando en verde la cosecha de trigo en condiciones tan leoninas, que el único favorecido era el intermediario; estos contratos viciosos daban origen a numerosos conflictos en la época de las cosechas, pues a veces el agricultor actuando también dolosamente se obligaba con varios acreedores, y al no poder cumplir hacia abandono de su sementera (Sepúlveda, 1959: 29. El subrayado es mío).

De acuerdo con mi tesis, lo único que podemos objetar en esta observación es la idea muy común de que esta clase de acomodo no es "normal" bajo el capitalismo y que alguna otra forma de arreglo podría ser más normal. Ojalá fuera así.

Mas la creciente demanda exterior de trigo chileno y las condiciones bajo las cuales creció durante el siglo XVIII produjeron efectos que penetraron muchísimo más en el agro chileno (aunque no en grado igual en todas sus regiones y valles), transformando allí la naturaleza misma de las instituciones rurales, aunque no las relaciones metrópoli-satélite esencialmente capitalistas que ya existían dentro y alrededor de los latifundios. Estos cambios sólo sirvieron para polarizarla aún más. Los dramáticos acontecimientos, y sus causas y significaciones, son reseñados y analizados por Mario Góngora en sus libros de excepcional importancia titulados *Origen de los "inquilinos" de Chile central* y (con Jean Borde) *Evolución de la propiedad rural en el valle del Puangue.* Testimonio importante de otro valle es el cuidadosamente analizado por Rafael Baraona y colaboradores en *El valle del Putaendo: estudio de estructura agraria.*

Las influencias comerciales y otras presiones económicas sobre la agricultura chilena en el siglo XVIII produjeron cambios trascendentales en la distribución de la propiedad de la tierra entre los poseedores, y en las formas institucionales de la relación propietario-trabajador dentro de las fincas. En ambos casos las presiones tendían a aumentar la polarización de (y dentro de) la estructura metrópoli-satélite en el plano local. De una parte aumentaba la polarización entre latifundios y minifundios; de la otra, la análoga relación metrópoli-satélite entre los grandes propietarios y sus inquilinos se polarizaba también.

3. *La polarización latifundio-minifundio*

El siglo XVIII es diferente y lleno de transformaciones. Diversos mecanismos, de los que el principal es la herencia, hacen surgir prematuramente dos formas características y contrapuestas de propiedades y haciendas. Estas dos formas, delineadas ya claramente en la cuarta década del siglo, se acentúan en el resto de la centuria y en la siguiente, hasta presentar en la actualidad un tipo de propiedad atomizada, o minifundio, y otro de gran propiedad, que se manifiesta a fines del siglo XVIII, está representada objetivamente en la formación de dos grandes propiedades en el norte del valle: la Hacienda de Putaendo y la Hacienda de San José de Piguchén. En ninguno de los dos casos se trata del dueño de una merced de tierras que redondea su propiedad con otras contiguas, sino de individuos que no tienen tierras en el valle y que llegan a formar grandes estancias exclusivamente a través de compras de gran magnitud...

Si bien todas las propiedades nacen como grandes unidades,

muy luego se separan las que continuarán siéndolo de aquellas que serán subdivididas. En todos los casos conocidos, la gran propiedad, una vez constituida, nunca pierde su carácter de tal. Las cuatro haciendas actuales, El Tártaro, La Vicuña, San Juan de Piguchén y Bellavista, se han mantenido como grandes propiedades desde el siglo XVII hasta hoy. Aunque se haya realizado con ellas transacciones parciales de suma, resta o división de terrenos, éstas de ninguna manera han sido capaces de alterarlas en esencia. Por otra parte, ninguna gran propiedad se ha dividido. Ningún intento ha podido refundir propiedades mayores de unas cien cuadras, ni ha podido sostenerse más allá de algunos años. Las mercedes de tierras no sólo dieron lugar a la formación de las grandes propiedades, sino también a la forma opuesta, la pequeña propiedad. Esta última resulta de la repartición continuada de las tierras paternas por partes iguales entre todos los herederos. Como causal de subdivisión sigue, muy a la zaga, la venta de tierras. En realidad, las ventas no hacen sino acentuar el proceso; su aparición es posterior a los efectos de la herencia y se realiza sobre tierras ya subdivididas. Las ventas de terrenos de pequeñas dimensiones, son características de la segunda mitad del siglo XVIII y del siglo XIX ...

El rasgo dominante de estos nuevos propietarios, es su deficiente capacidad económica. El hecho de adquirir estas tierras para vivir en ellas y de ellas, los diferencia de quienes las obtuvieran, junto con otras, como un bien más, como capital. Por la escasez de recursos inician la explotación de la estancia mediocremente equipados: poca mano de obra, utilaje reducido. En estas condiciones el trabajo no rinde utilidades y se transforma en un mezquino medio de subsistencia. Una explotación de este tipo es extremadamente sensible a las fluctuaciones del mercado y a las irregularidades del ambiente físico. Basta una sequía prolongada, inundaciones que arrasen con las siembras y el ganado, alguna epidemia que azote a los animales, o las tan frecuentes oscilaciones de precios, para que la hacienda se derrumbe. La consiguiente mantención de un bajo status económico (manifestado en múltiples hechos, como la contratación frecuente de empréstitos de dinero, las hipotecas de tierras, ganado y siembras, los remates por la no cancelación de deudas, las ventas de terrenos para costear funerales, etcétera), es la causa directa de la subdivisión de las tierras ...

Las tierras constituyen la principal, la única fuente de producción y, por consiguiente, de rentas. Aparte de los cargos públicos, que en los siglos XVII y XVIII se remataban a alto precio, el hijo sin tierras tenía perspectivas económicas muy limitadas;

55

carecía de capital para transformarse en prestamista, una de las actividades más lucrativas de la época; tampoco tenía dinero para instalar alguna pequeña industria, como curtiembre, molienda, confección de paños. Por lo demás, aunque el padre hubiera dispuesto de esclavos, indios o ganado en cantidad equivalente al valor de las tierras, no habría podido dejar al hijo terrateniente sin mano de obra ni bienes con qué continuar la explotación. En último término pesaba la tradición: el agricultor se sentía pegado a la tierra.

Durante un tiempo, las grandes haciendas se salvarán de la subdivisión por la sola existencia de gran cantidad de bienes a dividir: terrenos en Putaendo y fuera del valle, dinero, esclavos, etcétera. Sin embargo, si éste fuera el único factor operante, al cabo de dos o tres generaciones estarían en las mismas condiciones que los propietarios originalmente pobres, y comenzaría el proceso incontenible de la subdivisión. La realidad es otra: por una parte, los bienes, lejos de ser estáticos, se reproducen; la riqueza crea riqueza; el capital, puesto a disposición de la explotación de la estancia, se traduce en más mano de obra, más y mejores herramientas de labranza, ganado, semillas, obras de regadío adecuadas y todas las habilitaciones necesarias para un trabajo eficaz. Por otra parte, las haciendas cuentan con condiciones físicas óptimas: gran extensión de tierras planas, buenos suelos (La Vicuña tiene los mejores del valle), extensas veranadas y abundante agua de riego. La subdivisión se inicia en la mayoría de los casos conocidos en el valle por una explotación deficiente de las estancias debida tanto a falta de capitales como a una conjunción de factores físicos negativos. En último término el comienzo de la subdivisión de las propiedades tanto en Putaendo como en otras partes puede ser accidental; lo interesante es si las circunstancias locales permiten una vez desencadenado el proceso, que éste continúe. Seguramente hay en Chile innumerables áreas de pequeña propiedad frustradas, que comenzaron a subdividirse y luego se consolidaron (Baraona, 1960: 146, 153, 174-176).

La agricultura chilena del siglo XVIII, nos dice Baraona, está permeada por las contradicciones capitalistas de la polarización y la apropiación del excedente. Es la polarizada estructura metrópoli-satélite de la agricultura y la economía capitalista en conjunto, viene a decir él, la que por sí engendra más polarización. Retornaremos al análisis de Baraona de esta estructura y este proceso esencialmente capitalistas cuando examinemos períodos históricos más cercanos al nuestro. En esta área de nuestra investigación, empero, la existencia concreta de

la contradicción capitalista de la continuidad en el cambio parecería
haber quedado establecida por la evidencia hasta ahora presentada.

4. La polarización propietario-trabajador dentro del latifundio

La demanda externa de trigo y la sustitución de la cría de ganado
por este cultivo en los suelos del valle Central incrementaron el valor de
la tierra y, además, transformaron las instituciones conforme a las cuales se usaba aquélla dentro del latifundio.

La introducción de la agricultura cerealista trajo un cambio
considerable en este plano. Paralelamente a ella se produce un
notorio incremento de pequeñas explotaciones dependientes dentro
de la hacienda, ya no de indios yanaconas, sino de "arrendatarios",
que aparecen fuera del estatuto propio de los indígenas. No son,
como los arrendatarios de la estancia, hombres de cierto nivel económico, sino gentes pobres, que ocupan porciones pequeñas de
tierras, tanto dentro de las haciendas, como en los pueblos, donde
obtienen fácilmente de los indios mejores condiciones... Podemos, pues, constatar que la institución generalmente conocida en
el siglo diecinueve bajo el nombre de inquilinaje, ha surgido en
la comarca estudiada en relación con el proceso de "cerealización"
de la tierra y el aumento del valor debido a la agricultura. No
viene directamente de los antiguos indios yanaconas, que habían
servido de mano de obra en la época de la pura economía pastoril
del siglo diecisiete... El agotamiento de las minas ha tenido
sobre la evolución de la propiedad tanta influencia como su descubrimiento, al cerrar los horizontes de una población relativamente numerosa... Así, pues, una vez desaparecida la riqueza
minera (produce) cierto grado de pobreza, aunque no de miseria
y, por fin, el aislamiento...
Pero de una manera más general, puede decirse que el cultivo
cerealista dio una nueva potencia y concentración a la difusa
vida estancia-pastoril, provocando una valorización de tierra y una
necesidad más intensa de servicio. Aumentan por eso los distintos
tipos de trabajadores rurales: los esclavos, los peones, y esta forma
mixta de tenedor de la tierra y de vaquero, que es el inquilino.
Más que una relación directamente comprobable en cada caso, se
trata de la elevación general del nivel de las haciendas, que hace
más apetecible la tenencia, y que, por otra parte, incita al dueño
a buscar más mano de obra, y a pedirle más servicio o mayores
cánones por el uso de la tierra. Sería el factor que explica mejor

la sustitución paulatina de la idea del préstamo —basada en el débil valor de la tierra y en la ventaja de tolerar un disfrute casi gratuito— por el arrendamiento. Y por un arrendamiento que no sólo implica un canon, sino también un complejo de deberes que se empezará a hacer cada vez más pesado a medida que se avance hacia el mayor desarrollo comercial de la agricultura chilena.

Ya hemos dicho que, desde el siglo anterior (los arrendatarios) estaban sujetos a la asistencia de rodeos... Pero ahora encontramos que la práctica rural ha ampliado este principio, donde hay labores importantes de regadío, extrayendo de él una nueva norma, la de acudir a estas faenas mediante un peón... El deber de trabajo para la propiedad se ensancha, manteniendo a otro trabajador. Es un indicio de la tendencia general de la institución a incrementar las obligaciones del arrendamiento para con la hacienda, a hacer más costoso el precio de la tenencia... Pero también estas tendencias van evolucionando. Del uso gratuito con un canon simbólico, se pasa a posesiones que implican deberes de custodia de linderos o asistencia a rodeos. En el siglo dieciocho acontece un viraje capital, el comercio de trigo con el Perú, que trae consigo una organización más intensa de la hacienda y una valorización de la tierra desde el Aconcagua hasta Colchagua, regiones exportadoras. La tenencia se constituye en arrendamiento, cobrando cierta importancia el pago del canon... los arrendatarios... ya no asisten solamente a rodeos... sino que... la gran hacienda va descargando su necesidad de servicio sobre los arrendatarios... Desde el punto de vista de la historia rural, esta transición pudiera ser vista principalmente como reflejo de proceso de lenta valorización de la tierra dentro de un sistema de gran propiedad, no totalmente explotado por el dueño... (Góngora, 1960: 101-102,114-115).

Por ende, las influencias económicas que vienen del extranjero y surgen de la contradictoria estructura del sistema capitalista y del curso desigual de su desarrollo penetran hasta en los últimos resquicios de la vida rural chilena, obligando a las instituciones que rigen la producción y la distribución, incluso *dentro* de las haciendas particulares, a adaptarse a las exigencias de la estructura metrópoli-satélite del capitalismo. Durante el siglo XVII los pequeños arrendatarios y los propietarios de fincas producían para sí mismos, guardando la mayor parte de lo que producían y entregando a los grandes terratenientes poco o nada del excedente económico de su trabajo, mientras la tierra fue de poco valor para estos propietarios. Al comenzar el siglo XVIII los arrendatarios fueron forzados a entregar a los terratenientes una parte cada vez más grande de su excedente económico, a medida que el mercado capitalista incrementaba tanto el valor de la tierra como la necesidad de hombres que la trabajaran. Citando a Góngora de nuevo, "el inquilino se irá convirtiendo, en el siglo siguiente, más y más dependiente... según una tendencia a la proletarización del inquilino en un trabajador que avanza en el siglo xix" (Góngora, 1960: 98).

Dada la impresión generalizada de que la institución del inquilino en Chile y otras instituciones similares de la América Latina son "feudales", es importante destacar, como lo hace Góngora correctamente, el origen y el significado real de aquellas de esas instituciones que aún sobreviven:

> En suma, pues, las tenencias rurales, desde el préstamo al inquilinaje, nada tienen que ver con la encomienda ni con instituciones de la conquista. Proceden del segundo momento de la historia colonial, en que se estratifican hasta arriba, los terratenientes, hacia abajo los españoles pobres y los diversos tipos de mestizajes y castas... La estratificación se marca crecientemente en los siglos dieciocho y diecinueve, y en la misma proporción se agravan los deberes de los inquilinos. El tránsito de la ocupación pastoril del suelo a la agricultura cerealista coincide con el mismo proceso y le origina en parte. Así las instituciones tenenciales reflejan la historia agraria y social de todo un territorio (Góngora, 1960: 116-117).

5. *Polarización y subdesarrollo industrial*

Posiblemente desorientados por ciertas nociones modernas acerca de los inevitables beneficios económicos que derivan del aumento de las exportaciones, las mejorías cíclicas y los "buenos tiempos" en general, podríamos sentirnos inclinados a suponer que el renovado auge de las exportaciones mineras en el siglo xviii y el aumento de las exportaciones agrícolas tuvieron efectos provechosos sobre otros sectores de la economía chilena, como el comercio y la manufactura. Mas la realidad fue otra en el siglo xviii y sigue siendo otra en el xx. Como lo afirma mi tesis acerca del papel y las consecuencias de las contradicciones capitalistas en una economía de satélite periférico ya dependiente, los buenos tiempos en el nivel capitalista mundial o metropolitano traen malos tiempos para los satélites, al menos en cuanto se refiere a los acontecimientos que fomentan el desarrollo y el subdesarrollo económico. Las acrecentadas exportaciones de Chile estaban vinculadas, por supuesto, a la recuperación del mundo capitalista, en el siglo XVIII, de su "depresión" en el XVII. Y la recuperación del mundo capitalista, a su vez significó la perdición del desarrollo fabril de Chile y trajo forzosamente a este país un mayor subdesarrollo estructural.

La afluencia de mercaderías europeas, a bajo precio, tuvo efectos saludables sólo en los comienzos, pues el país no producía nada que representara un valor exportable hacia Europa; se planteaba el consiguiente desequilibrio, pues de una parte sólo había emigración de circulante, afectando grandemente los ingresos del trigo, como se ve en las justas frases de un historiador: "La inundación de mercaderías francesas no surtió otro efecto que cambiar las ganancias y las economías acumuladas por los pobladores en el comercio del trigo y del sebo con el Perú, por ropas, menajes y todo género de artículos europeos. Dio una capa de barniz europeo al tipo de vida; pero debilitó la potencialidad económica chilena." Esta misma falta de sentido económico en el empleo de las mayores utilidades provenientes de un aumento en las exportaciones de trigo, se repetirá al promediar el siglo diecinueve con los beneficios de California y Australia. Las dificultades con el mercado peruano se acentuaron cuando la corriente de retorno de la exportación, tradicionalmente constituida por las mercaderías europeas, que para llegar a Chile pasaban por el Perú, disminuyó en gran parte al ser reemplazada por los artículos que en forma directa entregaban los franceses en los puertos de Chile. Contribuyó a hacer más enojosa la situación la entrada, además, de mercaderías asiáticas y de aquellas provenientes del Río de la Plata, las cuales penetraban clandestinamente desde el último decenio del siglo diecisiete. Los navíos franceses y asiáticos se atrevieron incluso a abastecer al propio virreinato por medio de los buques que iban al Callao, aprovechando algunas de las desiertas bahías chilenas (Sepúlveda, 1959: 24).

Empero, todavía faltaba lo peor. España, ya crecientemente subordinada a Inglaterra y a Francia, intentó adaptar sus relaciones económicas y políticas a las exigencias de su desventajosa posición en el mercado capitalista mundial, mediante la modificación de toda la serie de regulaciones que ordenaban las relaciones económicas externas de sus colonias, la institución del "librecambio" en 1778, la apertura del puerto de Buenos Aires, etc. Los efectos de estas medidas sobre el desarrollo fabril y económico en general de las colonias españolas, Chile incluido, fueron trascendentales.

La situación descrita, esto es, la balanza comercial desfavorable continuó durante el siglo dieciocho; eso si que se torna muy vigorosa y toma contornos excepcionalmente agudos con posterioridad al 1778... Desde luego, a partir de 1783 —año en que realmente el reglamento de 1778, comenzó a producir efectos— como consecuencia de su considerable internación, el mercado chileno quedó virtualmente saturado de productos extranjeros... Con el establecimiento de los navíos de registro y la dictación del Reglamento de 1778, se facilitaron enormemente las relaciones mercantiles de Chile con España, las que se hicieron directamente por vía del Cabo de Hornos o a través de Buenos Aires: se eliminaron también los obstáculos para un mayor intercambio entre Chile y las otras colonias... los precios de las manufacturas de procedencia europea o americana experimentaron visible reducción... Todo esto favoreció la internación de manufacturas extranjeras a nuestro país. Ahora bien, este hecho tuvo, en general, consecuencias muy negativas. Los artículos elaborados en el exterior... entraron en ventajosa competencia con los productos de la incipiente industria chilena, la que comenzó a decaer en forma notoria, reduciéndose los volúmenes de su producción y aun extinguiéndose virtualmente algunos rubros de ella... Se produjo como consecuencia una disminución en la venta de las jarcias elaboradas en Chile... esas franquicias comerciales perjudicaron a otra industria que se había desarrollado en nuestro país, esto es, la construcción de embarcaciones; también decayó de un modo considerable la producción de textiles; se redujo el consumo de objetos de alfarería y de metal de producción nacional; la industria de cuero experimentó un serio quebranto, etcétera. En una palabra, comenzó gradualmente a reducirse la significación económica de una actividad productora que satisfacía el mercado interno y que aún era capaz de hacer envíos al exterior. Chile comenzó a ser un país consumidor de manufacturas extranjeras, fenómeno que se acentuó con posterioridad a la Independencia. Es de suma importancia subrayar que el fenómeno analizado se manifestó en diversos países americanos (Ramírez, 1959: 40-43, 54, 57). Fue en efecto, el activo intercambio que se inició con los reglamentos de 1778, la causa de la decadencia de las primeras industrias nacionales (*Ibidem*, 44, citando a Ricardo Levene, *Inves-*

tigaciones acerca de la historia económica del virreinato del Plata,
II, 152).

"Hoy todos estos ramos que componían la felicidad del
reino en cuanto a interés, y otros de menor cuantía, se ven ex-
tremamente abatidos aunque por diferentes causas. Pero el mayor móvil es innegablemente la abundancia de efectos de Europa
que ha inundado a estas provincias con el lujo e inclinado a las
gentes a lo superfluo con prelación a lo necesario". ("Informe de
Domingo Díaz de Salcedo al gobernador Ambrosio O'Higgins",
de marzo de 1789, en *Archivo Vicuña Mackenna*, citado por
Ramírez, 1959: 45).

Para terminar, dejaré que otros autores, tanto contemporáneos
como del siglo XVIII, hablen por mí. Lo que dicen y hasta las palabras
que eligieron confirman mi tesis: el capitalismo produce una metrópoli que se desarrolla y una periferia que se subdesarrolla, y esta
periferia —caracterizada a su vez por la metrópoli y los satélites que
contiene— está condenada a un desarrollo económico limitado, o subdesarrollo, en su propia metrópoli, y a un subdesarrollo inevitable en
sus regiones y sectores satélites periféricos.

Los virreyes del Perú, siguiendo con la concepción autártica
y mercantilista miraron a Chile, según un historiador: "como
un apéndice del virreinato, como un granero destinado a suplir
las necesidades de trigo y de sebo, como un mercado que debía
alimentar la prosperidad del comercio limeño y como una colonia que sólo producía a España gastos y que era necesario conservar no por ella misma, sino por la seguridad del Perú (Encina,
Historia de Chile, V, 264, citado por Sepúlveda, 1959: 29).

Tampoco eran muy diferentes las relaciones de Chile con la metrópoli española:

"En ningún instante la metrópoli abandonó lo básico de su
política mercantil con respecto a América, que consistía en el
traslado de manufacturas y frutos españoles a cambio del oro y
la plata que extraía de las minas indianas... Todas estas medidas tienen una importancia extraordinaria en nuestra historia
económica. Sus proyecciones, de gran trascendencia, no pasaron
inadvertidas para los gobernantes ni para los hombres de negocios de la época. Con ellas se evidenció, en primer término,
que las acciones realizadas por el gobierno metropolitano con

62

vistas a fortalecer la economía hispana no eran adecuadas ni convenientes a la economía chilena. En segundo lugar, y como resultado de lo anterior, se empezó a hacer notorio el antagonismo entre las necesidades e intereses económicos de Chile y los del sistema económico establecido por la metrópoli en América. Por último, con esta medida y sus efectos, quedó perfectamente sentado un hecho: Chile había llegado a ser una unidad económica tan definida, que para su posterior desenvolvimiento necesitaba de una política particular que contemplara justamente sus específicos intereses, determinados por la singular conformación de toda su vida económica." "... la vida económica general del país sufría los efectos de una violenta contradicción: por un lado, estaban las fuerzas productivas que pugnaban por expandirse, que se encontraban ante la necesidad orgánica natural de crecer; en el otro, se hallaban los factores que, al mantener un rígido marco, impedían u obstruían esa normal expansión. Esta contradicción no es interna, esto es, no existe dentro del cuerpo económico de Chile, sino que se manifiesta entre la economía de este país y la estructura del imperio español; en su efecto, es la totalidad de la economía nacional la que está en situación de crisis y ello se debe al carácter de país colonial o dependiente que posee Chile, lo cual significa que está privado de mantener relaciones comerciales fuera del ámbito hispano y que está sujeto a las decisiones de la política económica metropolitana (Ramírez, 1959: 40, 98-99).

José Armendáriz, como virrey del Perú, tenía autoridad para decir en 1736:

"El comercio de este reino es una paradoja de tráfico y una contradicción de opulencia no experimentada hasta su descubrimiento, floreciendo con lo que a otro arruina, y arruinándose con lo que otros florecen, por consistir su abundancia en la negociación de tratos extranjeros y sus decaimientos en la libertad de otros y es que se ha mirado no como comercio que es necesario mantener abierto, sino como heredad que es necesario mantener cerrada..." (*Memorias de los virreyes*, III, 250, citado por Ramírez, 1959: 68).

¿Podrían expresarse mejor y más poéticamente las duras realidades de las tres contradicciones capitalistas, que en épocas pasadas y todavía en las actuales generan simultánea y conjuntamente desarrollo y subdesarrollo?

63

G. El capitalismo del siglo xix en Chile: consolidación del subdesarrollo

Las contradicciones capitalistas de la apropiación del excedente dentro de la estructura metrópoli-satélite del capitalismo mundial y nacional iban a determinar también el desarrollo y el subdesarrollo de Chile en el siglo xix. En verdad, no sólo las nuevas contradicciones del período "nacional" posterior a la independencia, sino también, y acaso principalmente, los prolongados efectos de las contradicciones capitalistas del período colonial, siendo como eran manifestaciones concretas en el siglo xix de las contradicciones capitalistas fundamentales de toda la historia chilena, frustraron los esfuerzos de Chile por desarrollar su economía nacional y condenaron a su pueblo al continuo desarrollo del subdesarrollo. Tomo la palabra "frustraron" del fundamental y excelente estudio de Aníbal Pinto, *Chile: un caso de desarrollo frustrado*. Yo acepto su análisis hasta donde alcanza. Pinto sugiere que el Chile colonial tuvo una economía reclusa y que sólo después de la independencia abrió sus puertas e intentó un desarrollo hacia afuera, que fue frustrado por los intereses adversos y el poderío combinado del imperialismo y la reacción nacional. Pero mi explicación de esta frustración difiere de la de Pinto en que yo trato de buscar las causas y raíces de la frustración del desarrollo económico de Chile y el desarrollo de su subdesarrollo en los comienzos de su historia y en la estructura del sistema capitalista, cuyas raíces se implantaron entonces y cuyos amargos frutos se cosechan ahora.

Según mis términos, la experiencia chilena en el siglo xix puede describirse como la de un país satélite que intenta lograr su desarrollo económico por medio del capitalismo nacional, y fracasa. Durante un tiempo, reiteradamente por cierto, Chile trató de resolver algunas de sus contradicciones capitalistas con la metrópoli mundial imperialista. Conociéndola como la conocía, Chile trató de escapar de su condición de satélite capitalista y se aventuró en esfuerzos por su desarrollo económico a través de programas bismarckianos de fomento nacional patrocinados por el Estado, mucho antes de que Bismarck pensara en ello y mientras Friedrich List trataba aún de persuadir a Alemania a adoptarlos. Pero todas estas tentativas se continuaron dentro de la estructura del capitalismo, aunque ahora se tratase del capitalismo "nacional".

Si el capitalismo nacional o estatal, en el siglo xix, pudo todavía haber emancipado a Chile —o a cualquier otro país entonces satélite y hoy subdesarrollado—, o si pudo haber reparado los efectos de su anterior condición de satélite y abierto así el camino a un desarrollo económico semejante al de la metrópoli, es cosa difícil de decir hoy. Yo me inclinaría a creer que tal liberación nacional de un país dependiente a través del capitalismo nacional probablemente no era ya posible en el siglo XIX, como sin duda ya no es posible en la presente centuria. Pero puede decirse con seguridad, porque la evidencia histórica es clara, que ni Chile ni país alguno del mundo que haya estado firmemente incorporado como satélite al sistema capitalista mundial, ha podido, de hecho, escapar desde el siglo XIX de ese *status* y alcanzar su desarrollo económico basándose solamente en el capitalismo nacional. Los nuevos países que desde entonces se han desarrollado, como los Estados Unidos, el Canadá y Australia, habían logrado ya una sustancial independencia económica interna y externa o, como Alemania y más significativamente el Japón, no habían sido nunca satélites, o como la Unión Soviética, rompieron con el sistema capitalista mundial mediante una revolución socialista. Significativamente, ninguno de estos países más o menos desarrollados era, cuando emprendió su desarrollo, más rico que Chile cuando intentó hacer otro tanto. Pero —y ésta es, a mi juicio, la diferencia importante—, no estaban ya subdesarrollados.

1. *Tentativas de independencia y desarrollo económicos: Portales, Bulnes y Montt*

Chile, por el contrario, tenía ya la estructura del subdesarrollo económico durante los gobiernos de su libertador, O'Higgins, del primer ministro Portales y de los presidentes Bulnes y Montt, con cuyos nombres podemos asociar sucesivamente cada decenio entre 1820 y y 1860. Después de este período, los esfuerzos oficialmente patrocinados decayeron, aunque hubo algunas iniciativas privadas, hasta llegar al nuevo e importante intento del presidente Balmaceda en los años 1886-1891.

En 1834 el ministro de Hacienda, Manuel Rengifo, se dirigió al Congreso en los siguientes términos:

> Por todas partes las ciudades se dilatan y hermosean, el cultivo de la tierra prospera, las praderas se cubren de ganados y los campos de mieses, ricas y abundantes minas brindan con la donación espontánea de los tesoros que ocultan en su seno; el comercio florece alimentado por centenares de buques que abor-

dan sin cesar a nuestros puertos, nuevos ramos de la industria se naturalizan en el país, la población crece bajo la acción del benigno clima, mejorada la condición del labrador y la suerte del artesano, penetran las condiciones de la vida hasta la humilde habitación del pobre (*Memoria de Hacienda*, 1834, citada por Sepúlveda, 1959: 35).

Para aprovechar las aparentes oportunidades de la época se aprobaron, por inspiración del mismo ministro, leyes que favorecían el desarrollo nacional chileno:

> La reforma aduanera concebida por Rengifo y consagrada en las leyes del 8 de enero y del 22 de octubre de 1835, destinada a promover el aumento de la Marina Mercante y, consecuentemente, del comercio, instauraba principios como los que se exponen en seguida: exclusividad del cabotaje para los barcos nacionales con absoluta exención de derechos; rebaja de derechos de internación equivalente al 10 % de la mercadería extranjera introducida por un buque nacional construido en el extranjero y de 20 % si el buque había sido construido en Chile. En cuanto al comercio del trigo, la exportación del grano debía pagar 6 % de derechos, mientras que la harina estaba gravada con el 4 % de su avalúo (Sepúlveda, 1959: 35).

La política de estimular el comercio y promover la independencia adquiriendo una marina mercante nacional (aunque en parte se componía de barcos de propiedad extranjera abanderados en Chile) tuvo éxito por un tiempo: "En primer lugar gracias al estímulo externo se logró aumentar la Marina Mercante nacional, que pasó de más o menos 103 buques en los años anteriores a 1848, a 119 en 1849, a 157 en 1850, y a 257 en el año 1855; fue lo positivo. En segundo término, Valparaíso... había logrado transformarse en un puerto de primer orden con el establecimiento de almacenes de depósito" (Sepúlveda, 1959: 37).

Sepúlveda sugiere que este tipo de desarrollo "hacia afuera" era el único de que disponía entonces Chile, puesto que costaba menos capital que el intento de competir industrialmente con la metrópoli, y capital era, precisamente, lo que Chile no tenía. En la medida en que este juicio puede ser correcto observaremos que esa falta de capital debe atribuirse, al menos en gran parte, a la expropiación del excedente económico que Chile había padecido durante muchas décadas, a causa de la monopolización de su comercio por otros países. La realización del viejo sueño de adquirir sus propios buques, para escapar al menos de esa fuente, desde luego, un esfuerzo por remediar esta situación. Pero no bastaba.

No faltaron sin embargo medidas en pro del desarrollo económico nacional. Y se cuentan sin duda entre las más significativas y progresistas de aquellos tiempos.

> Durante los años 1841-1861 bajo los gobiernos de Bulnes y de Montt... se producen diversos sucesos que vigorizan la economía. Desde 1845, más o menos, comienza a explotarse formalmente el carbón... Posteriormente la economía recibe un nuevo impulso a raíz del descubrimiento de los terrenos auríferos de California, lo que produjo, junto a una gran emigración chilena hacia esa comarca, un apreciable aumento de la producción agrícola y manufacturera. Toda esta riqueza se vuelca en la realización de grandes obras públicas: se abren caminos, se construyen ferrocarriles... barcos a vapor recorren las extensas costas del Pacífico... El telégrafo abrevia las comunicaciones. Y la miseria continúa siempre en aumento... El progreso económico y técnico transforma las condiciones de vida. El auge de la minería... El desarrollo de las vías férreas y el aumento del comercio produjeron el enriquecimiento de numerosas familias... (Pinto, 1962: 19, citando a J. C. Jobet).

> La audacia y la visión de Montt para emplear los recursos y capacidad administrativa del Estado en desarrollo ferroviario, sólo puede apreciarse justicieramente teniendo en cuenta el hondo prejuicio que existía contra la intervención estatal y que llevó, como inevitable alternativa, a que en casi todos los países latinoamericanos fueron inversionistas extranjeros los que tomaron a su cargo la tarea (Pinto, 1962: 22).

Tampoco faltaron tentativas de fomentar las manufacturas chilenas y otras industrias. Nuestro examen de los siglos anteriores muestra que es un error muy común el de ver la manufactura sólo en el futuro y nunca en el pasado de los países subdesarrollados de hoy. Antes al contrario, en varias épocas de su historia Chile, muchos otros países latinoamericanos hoy subdesarrollados y por supuesto la India se industrializaron por sus propios esfuerzos relativamente más que muchos de los países actualmente desarrollados. A este respecto Carlos Dávila, ex presidente de Chile, sugiere:

"A principios del siglo XVII la producción industrial del Brasil colonial era mayor que la de Inglaterra, y en el siglo XVIII mayor que la producción industrial de los Estados Unidos" (Dávila, 1950).

En la segunda mitad del siglo pasado se realizó un importante esfuerzo industrial en el campo metalúrgico. Numerosas industrias de este tipo se instalaron en la región de Santiago y Valparaíso, la mayoría de ellas dirigidas por extranjeros. Los proyectos de estas industrias metalúrgicas fueron ambiciosos: fabricaron arados, trilladoras, locomotoras, carros de carga para ferrocarriles, campanas de gran tamaño, etcétera; también se construyeron cuatro locomotoras a vapor. Esta iniciativa desarrollada en el campo metalúrgico, mostró su eficiencia al poder abastecer de armas e implementos al ejército y a la marina chilena durante la guerra del Pacífico. Sin embargo, dicho esfuerzo, que tan promisoriamente había surgido, fue anulado más tarde, en gran parte, por la competencia de productos importados (Nolff, 1962: 154).

A despecho de todas estas medidas, la de Chile continuó siendo (no se convirtió, como dirían algunos) una economía de exportación. Su producción minera creciente, que ya incluia el cobre, y su producción agrícola, aún basada principalmente en el trigo, aumentaron con rapidez como respuesta a la demanda exterior. Aníbal Pinto, quien opina que el comercio exterior vino a ser la fuerza motriz de la economía chilena sólo después que la independencia le abrió las puertas, comenta a este respecto:

La expansión del sector exportador no puede calificarse sino como espectacular. La estadística sólo permite registrarla a partir de 1844, pero basta anotar que entre ese año y 1860, se cuadruplicó el valor de las exportaciones... Entre 1844 y 1880, los productos agropecuarios significaron en promedio un 45 % del total. La actividad minera aportó la contribución más sobresaliente al gran "salto" motivado por la demanda de mercados expansivos... La producción de plata se multiplicó seis veces entre 1840 y 1855. La de cobre creció de unas 6.500 toneladas en los años 1841-43 hasta alrededor de 50.000 toneladas la década de 1860, cuando las entregas chilenas alcanzaron a representar más del 40 % de la producción mundial, abasteciendo alrededor del 65 % de las necesidades de la industria y el consumo británicos (Pinto, 1962: 15).

Hacia 1876, pudiéramos añadir, Chile producía el 62 por ciento del cobre del mundo, todo procedente de minas de propiedad chilena abiertas por iniciativa nacional. En 1913 Chile poseía aún el 80 por ciento de sus minas de cobre; hoy posee el 10 por ciento. El 90 por ciento restante es de propiedad norteamericana, adquirida y ampliada sin apenas inversión alguna de capital norteamericano. El capital empleado en esta expansión fue expropiado del excedente económico producido por Chile, del que se apropiaron las compañías norteamericanas para su propio beneficio (Vera, 1963: 30 y otras)

Volviendo al siglo XIX, Aníbal Pinto agrega:

> Las exportaciones de trigo, que antes de la independencia y a su principal mercado, el Perú, alcanzaban a unos 145.000 qm. en la década de 1850, estuvieron casi invariablemente por encima de los 300.000 qm. "La agricultura chilena —dice un concienzudo estudio reciente— reaccionó con evidente superación ante el estímulo externo que logró cambiar su orientación. La estancia pierde su importancia, y aumenta, en cambio, el número de haciendas que se dedica al monocultivo del trigo. La economía triguera se impuso en desmedro de la economía pastoril... El crecimiento económico del país y su respaldo, la estabilidad política, cimentaron sólidamente el prestigio de Chile en el extranjero. Un testimonio decidor brota de la comparación en las cotizaciones de valores sudamericanos en el mercado de Londres. Hasta 1842-43, los títulos chilenos del 6 % se cotizaron entre 93 y 105; los de Argentina, a 20; los de Brasil, 64, y los del Perú no tenían demanda (Pinto, 1962: 15-16, citando también a Sepúlveda).

Hasta 1865, los principales mercados de exportación del trigo chileno estaban en el Pacífico, y el Perú continuaba siendo el comprador más importante, como en los tiempos coloniales. Después de aquel año, aunque el Perú siguió siendo un comprador de consideración, las exportaciones fueron cada vez más a Europa, principalmente a Inglaterra. En California y en Australia los hallazgos de oro después de 1849 y 1851 produjeron súbitos aumentos temporales de la demanda de trigo, pero el trigo chileno fue desplazado en forma progresiva por la producción creciente de los Grandes Llanos de los Estados Unidos.

Esta intensa integración de Chile con el mercado mundial fue, para decirlo del modo más suave, una relativa bendición. En realidad, tratándose de un país que participaba en ese mercado y en el sistema capitalista o imperialista mundial con carácter de satélite de la metrópoli ultramarina, fue necesariamente una maldición.

La estrecha vinculación de Chile con el mercado mundial imperialista no tardó, una vez más, de tener sus consecuencias profundas y casi catastróficas para la economía chilena con el renovado cierre de los mercados trigueros de California y Australia, y entre 1858 y 1861, y aún más con la contemporánea crisis mundial de 1857. "A fin de agosto de 1857, la contracción monetaria y crediticia se hizo tan intensa, que las transacciones comerciales se paralizaron completamente en Valparaíso". "La crisis comercial tenía fatalmente que repercutir sobre los agricultores, mineros e industriales... Se vieron obligados a reducir sus trabajos, a abandonar o aplazar las grandes instalaciones y mejoras que habían emprendido. Hubo muchas quiebras ruidosas. El precio de la propiedad rural bajó en un 40 % (Encina, citado por Pinto, 1962: 29).

De igual modo, integrada como estaba la abierta economía chilena al mercado mundial la depresión universal de 1873 y la Guerra del Pacífico, con sus consecuencias, produjeron violentas oscilaciones económicas, tanto en el sector "doméstico" como en el de la exportación.

Se produjo un alza general de precios, que comenzó en 1850 para terminar en 1873. Los precios de cien artículos... subieron 32,9 % entre el período 1847-50 y 1875. A partir de esta última fecha se produjo una declinación general de precios. El golpe de gracia lo dio la baja del cobre. En 1872 la tonelada inglesa se cotizaba en Londres a 108 libras. Este precio cayó a pique, y de tumbo en tumbo, descendió hasta 39,5 libras en 1878. Colocaron a los agricultores en la imposibilidad de servir el interés de sus deudas... faltaron compradores que dispusieran de los recursos necesarios para adquirir fundos por el monto de la deuda... Muchos acreedores, inclusive bancos, se vieron obligados a pagarse con precios rústicos (Encina, citado por Pinto, 1962: 26-29).
"El pináculo de esta situación fue la declaración de inconvertibilidad de la moneda en 1878 y el ingreso de un régimen de papel moneda" (Pinto, 1962: 29).

La economía triguera chilena, grande desde el punto de vista nacional, pero que sólo satisfacía una pequeña proporción del consumo mundial, quedó necesariamente expuesta también a las violentas oscilaciones del mercado mundial y de toda la economía capitalista. "En el fondo la magnitud de nuestra exportación dependía de la producción mundial" (Sepúlveda, 1959: 62). La única salvación era el mercado peruano, el cual, relativamente aislado de las fluctuaciones

70

metropolitanas, ofrecía mucho menos variación en su demanda de trigo chileno y, por ende, tenía una influencia parcialmente estabilizadora.

El comercio exterior del trigo, en el siglo pasado, era afectado muy de tarde en tarde con las crisis o bajas de la exportación, y como el comercio estaba influido y era sensible a las fluctuaciones de la economía mundial... La curva de la exportación total presenta fluctuaciones muy grandes con ascensos francamente extraordinarios y con caídas súbitas también de una inusitada magnitud... Las graves depresiones de 1870, 1878, 1890 y 1895, por ejemplo, que afectan la curva de la exportación total, no se dejan sentir en la curva del Pacífico; ésta se mantiene sensiblemente constante. Lo mismo sucede si nos colocamos en el extremo opuesto, las más altas exportaciones se destacan con toda claridad en la curva del comercio total, pero tampoco se acusan en la exportación hacia el Pacífico (Sepúlveda, 1959, 60-61).

La Guerra del Pacífico, contra Perú y Bolivia, trajo otro trastorno en la economía. Se produjo espontáneamente la restricción en las importaciones de todo lo que no era necesario para vestir y equipar el ejército. La minería y la agricultura pagaron el saldo que no alcanzó a cubrir la restricción de las importaciones suntuarias... La industria fabril, por su lado, dobló en diez, veinte y hasta cien veces la elaboración de vestuario, calzado, artículos de talabartería, pólvora, productos químicos y farmacéuticos, carros, barriles, mochilas, carpas, cureñas, calderas para buques, etcétera... Terminada la guerra, se produjo la liquidación de la industria improvisada (Encina, citado por Pinto, 1962: 42).

El auge y la decadencia del número de establecimientos industriales son sugeridos por lo siguiente (Nolff, 1962: 153):

	1868	1878	1888
Molinos de trigo	507	553	360
Fábricas de tejidos	177	302	281
Tenerías	61	101	70
Fábricas de tejidos	7	10	5
Fundiciones de cobre	250	127	69

71

Aunque el movimiento de buques en los puertos chilenos aumentó tres veces entre 1860 y 1870, la flota mercante chilena, que había llegado a tener 276 naves en 1860, descendió a 21 en 1868, y hacia 1875 sólo había vuelto a aumentar a 75 (Sepúlveda, 1959: 72). El mismo Sepúlveda comenta:

> La Marina Nacional prácticamente no interviene, a partir de entonces, en el comercio internacional; la influencia de los barcos mercantes extranjeros será decisiva y podrá constituirse por mucho tiempo en un fuerte monopolio; así lo expone el *Boletín de la Sociedad Nacional de Agricultura*, del 26 de diciembre de 1898: "La agricultura chilena, bloqueada por una marina mercante extranjera y limitada que impide, merced a los privilegios que imprevisoramente le concedemos, el desarrollo de una marina mercante nacional sin la cual el país no podrá subsistir como entidad comercial de expansión propia, segura e independiente. . ." (Sepúlveda, 1959: 72).

El historiador Francisco Encina, conservador en materia de economía, considera que el abandono chileno de su cabotaje a intereses extranjeros es "uno de los mayores y más trascendentales errores que registra la historia de los pueblos hispanoamericanos y entre los factores dependientes de la voluntad humana el que ha pesado más adversamente en la evolución histórica del pueblo chileno". (Encina, *Historia de Chile*, XIV, 644, citado por Sepúlveda, 1959: 72.)

Encina pasa revista a todo el período inmediatamente posterior a la independencia:

> "En menos de cincuenta años el comerciante extranjero ahogó nuestra naciente iniciativa comercial en el exterior; y dentro de la propia casa nos eliminó del tráfico internacional y nos reemplazó, en gran parte, en el comercio de detalle... Casi todos los progresos realizados por la agricultura entre 1870 y la guerra del Pacífico se debieron a la influencia directa de la industria minera. Los magnates de la minería, lo mismo que a mediados del siglo, compraban en el centro grandes haciendas por formar, las regalaban y su espíritu más progresista y emprendedor que el del antiguo hacendado, los movía a adquirir maquinarias modernas y a implantar nuevos cultivos. Entretanto, el agricultor tradicional no sólo estaba cohibido por su falta de iniciativa sino de capital... Hacia 1890, casi la totalidad de las industrias de alguna importancia que existían en el país, seguía en poder de

los extranjeros y de sus descendientes inmediatos." (Encina, citado por Pinto, 1962: 58.)

¿Cómo podemos interpretar y comprender tanto las temporarias expansiones y contradicciones económicas como la subyacente tendencia al subdesarrollo estructural en el medio siglo posterior a la independencia política de Chile? La interpretación general del desarrollo y el subdesarrollo en función de las relaciones metrópoli-satélite dentro de la estructura del sistema capitalista puede servir de ayuda a este respecto.

Las expansiones y contracciones temporarias de la economía chilena y su metrópoli nacional pueden buscarse, por razón de sus nexos con la metrópoli capitalista mundial, en el accidentado desarrollo del sistema capitalista mundial en su conjunto. Dale Johnson me ha sugerido que las primeras medidas de inversión y desarrollo nacional chileno adoptadas después de la independencia debieran atribuirse a la mayor cantidad de excedente económico de que Chile disponía, una vez que su emancipación del régimen colonial español puso fin a la expropiación de ese excedente por parte de España y, hasta cierto punto, de Lima. Este excedente adicional, como hemos visto, se canalizó en parte hacia la inversión en el país, y en parte hacia el consumo.

El historiador chileno Enzo Faletto, después de leer un borrador de este ensayo, sugiere que otras tres tentativas chilenas de expansión económica llevadas a cabo en ese período deberían interpretarse también, probablemente, como respuestas nacionales a acontecimientos en el sistema capitalista mundial en su conjunto, y a sus efectos sobre el satélite chileno. Sacando partido de su independencia Chile trató de romper el monopolio que, gracias en parte al control de la navegación, había ejercido Lima por tanto tiempo sobre la economía chilena. Las medidas orientadas a estimular la expansión de una marina mercante nacional después de 1835 deberían interpretarse en este contexto. Esas medidas condujeron en 1837 a la guerra con el Perú cuya oligarquía comercial no estaba dispuesta a ceder sin lucha.

Faletto sugiere asimismo que la intermitente guerra contra los araucanos y la Guerra del Pacífico contra el Perú y Bolivia pueden atribuirse también a los flujos y reflujos de la economía mundial. Los araucanos poblaban las regiones meridionales de Chile que estaban destinadas a convertirse en tierras trigueras. Según el señor Faletto, la investigación histórica demostrará, probablemente, que las importantes campañas militares efectuadas para despojar a los araucanos de sus tierras coincidieron, precisamente, con los períodos en que la demanda mundial de trigo chileno estaba en alza: después por ejemplo, de la derogación de las leyes cerealistas en Inglaterra y del descubrimiento del oro en California y en Australia. La Guerra del Pacífico, abiertamente emprendida para despojar al Perú y a Bolivia de sus zonas salitreras durante la expansión económica de Chile, en la década del 70, debería relacionarse también, según Faletto y de conformidad con la tesis de este ensayo, con el aflojamiento de los lazos del satélite Chile con la metrópoli capitalista mundial, debido a la seria depresión económica que sufrió esta última después de 1873.

Los mismos tres acontecimientos, opina Faletto, confirman otra parte de mi tesis acerca del desarrollo y el subdesarrollo y la interpretación de la experiencia chilena: era capitalista en el nivel interno. Estas tres expansiones económicas chilenas no sólo fueron respuestas a estímulos externos que afectaban a Chile como parte integrante del sistema capitalista mundial, sino que también en el nivel interno ocurrieron totalmente dentro de una estructura capitalista de metrópoli y satélite. Todo desarrollo chileno, no obstante las limitaciones que la metrópoli mundial pueda imponerse, ocurre necesariamente a expensas de satélites internos. Así, la expansión de la producción de trigo metropolitana durante este período se hizo a expensas de los araucanos, que con ello fueron crecientemente satelizados y quedaron sin duda más subdesarrollados que antes. De igual modo, la posterior expansión económica y la incorporación de salitre al proceso del desarrollo chileno tenían que implicar la conversión de las regiones salitreras en un satélite capitalista interno de la metrópoli chilena, como ésta a su vez era satélite de la metrópoli capitalista mundial.

2. El librecambio y el subdesarrollo estructural

Estas ilustraciones en la economía chilena van acompañadas y subrayadas por una tendencia al subdesarrollo estructural que hasta hoy no ha cesado. Este subdesarrollo debe atribuirse también a la participación de Chile en el sistema capitalista mundial y a la estructura económica y política internas que éste le impuso y que aún mantiene. Todo este período de la expansión económica chilena, que duró poco más de una generación, coincidió con la expansión mundial del librecambio. Así, pues, antes que surgieran fuertes intereses chilenos ligados al desarrollo nacional independiente, ccartados como estaban por la estructura social, económica y política heredada de los tiempos coloniales, el librecambio reintegró a la metrópoli chilena y a sus influyentes grupos comerciales al sistema capitalista mundial, ahora como satélites de la Gran Bretaña.

En el siglo XIX, librecambio quería decir monopolio y desarrollo industrial para Inglaterra y mantenimiento de la expoliadora estructura metrópoli-satélite capitalista e, inevitablemente, un subdesarrollo estructural aún más profundo para los satélites. Una vez industrializada Inglaterra al amparo de sus aranceles protectores, sus *Navigation Acts* y otras medidas monopolistas, su principal producto de exportación llegaron a ser la doctrina del librecambio y su mellizo, el liberalismo político. El debate en torno al liberalismo y el librecambio involucró a todo el mundo. En Chile tomó formas que los siguientes argumentos de mediados del siglo XIX podrían resumir. La tesis inglesa en pro del librecambio fue expuesta en una nota oficial del *Foreign Office* en 1853:

> El gobierno chileno puede estar seguro de que una política comercial liberal producirá en Chile los mismos resultados que en Inglaterra, es decir, el aumento de las rentas del gobierno y la elevación de las comodidades y de la moral del pueblo. Este sistema, que en el Reino Unido ha sido aceptado después de larga consideración y que tras haber sido probado en la experiencia ha logrado triunfos que superan las expectaciones más optimistas, merece —si bien se considera— la pena de ser ensayado por el gobierno de Chile. (Instrucciones del encargado de negocios de Inglaterra en Chile, 23 de setiembre de 1853, citado por Ramírez, 1959: 68).

El gobierno de Su Majestad, como todos los poderes metropolitanos, no se limitó a dar consejos:

> Con fecha 7 de febrero de 1853, el ministro de Relaciones Exteriores de Gran Bretaña instruyó a su representante en Santiago para que reclamara ante el gobierno de Chile por el derecho de exportación al cobre que éste había establecido ... "Tengo que informar a Ud. que el gobierno de S. M. no puede mirar esta medida sino como perjudicial a la navegación de retornos de las cosas occidentales de América que ahora encuentra fletes en la traída de minerales de esa región para el tratamiento metalúrgico en este país. Este comercio es de considerable valor, y seguramente se incrementará pues Gran Bretaña actualmente

importa minerales de cobre para ser fundidos... se han erigido molinos para moler y trabajar esos productos de Chile, y el negocio tiende a crecer, pero la ley chilena del 21 de octubre último no puede sino desanimar estas empresas en este país, y privar a Chile de la ventaja de extraer y exportar sus propios productos minerales... Exprese la esperanza del gobierno de S. M. que la ley en cuestión será anulada, como que está calculada para restringir el intercambio comercial entre los dos países y para limitar los beneficios que Chile ahora deriva de la extracción y embarque de minerales". (Ramírez, 1960: 64-67).

La tesis contraria apareció, el 4 de mayo de 1868, en *El Mercurio*, hoy el principal periódico chileno, que por aquella época aún no había iniciado el proceso que lo convertiría veintitantos años después, en el más firme aliado chileno del imperialismo hasta el presente.

Chile puede ser industrial, pues tiene capitales, brazos y actividad, pero le falta la voluntad decidida de querer ser. Hay un fuerte capital extranjero representado en la importación de manufacturas. Este capital está y estará siempre dispuesto a oponer todo cuanto obstáculo tenga en sus manos al establecimiento de la industria en el país... El proteccionismo debe ser la leche que amamante a toda naciente arte o industria, el alma que les de su real animación positiva; porque sin él todo naciente adelanto queda expuesto desde la cima a los embates furiosos y bien combinados de la importación extranjera que está representada en el libre cambio. (Ramírez, 1960: 89).

Apenas puede dudarse hoy de qué lado estaba la razón; es asimismo evidente cuál de las partes triunfó: el librecambio, esto es, la relación metrópoli-satélite que había llegado a ser en extremo ventajosa para quienes, en las metrópolis mundial y nacional, se apropiaban de los excedentes.

La tendencia librecambista se acentuó en la época en que advienen las grandes exportaciones de trigo. Las consecuencias de esta orientación, en última instancia fueron: la internacionalización de nuestra economía, el aniquilamiento de la Marina Mercante (ordenanza de aduana de 1864) y la falta de capitalización en obra de interés nacional de las mayores entradas por el concepto de trigo y más tarde del salitre... La nueva Ordenanza de Aduanas de 1864 que declaraba la absoluta libertad del cabotaje nacional. Esta medida del estado en aras

76

del liberalismo ambiente provocó la destrucción de la Marina Mercante Nacional, que no estaba en condiciones de resistir la competencia extranjera. Los tratados comerciales que Chile celebró en ese tiempo, llevaron incorporados sin discriminación "la cláusula de la nación más favorecida". Por medio de ellas los estados contratantes se obligan a otorgar las ventajas que pueden conceder a una tercera nación, también al otro contratante. Esto ocurrió con los países europeos, particularmente con Inglaterra, que gracias a dicha cláusula hizo de América Latina una verdadera colonia comercial impidiendo en Chile el progreso manufacturero y el de la Marina Mercante Nacional. (Sepúlveda, 1959: 36, 71-72).

Medidas librecambistas como la abolición de las *cornlaws* en Inglaterra en 1846, y de las restricciones chilenas a los buques extranjeros en 1864, aumentaron, en efecto, las exportaciones de trigo chileno a Inglaterra, en parte porque la apertura más liberal de los puertos de Chile a la navegación extranjera reducía el costo del embarque del cereal. Pero estas mismas medidas de librecambio, instituidas después de la presidencia de Manuel Montt, el patrocinador de la inversión de los capitales del país en los ferrocarriles, etc., no tardaron en servir también para deprimir la industria hullera chilena con la competencia del carbón de piedra inglés traído por los barcos que acudían a cargar trigo. No tardó mucho el librecambio en estrangular a la manufactura chilena también. La satelización de Chile por Inglaterra metropolitana, o mejor, la colonización de Chile por Inglaterra una vez que aquél se hubo independizado de España, era inevitable. Ello no pasó inadvertido en Chile. Respecto del cobre, por ejemplo, *El Ferrocarril*, de Valparaíso (que también estaba entonces por cambiar su política editorial), escribió el 19 de enero de 1868:

"Entrando a examinar las causas a que debe Chile la riqueza que lo ha elevado por sobre los demás estados que fueron colonias de los españoles, hemos hallado que todo lo debe a sus minas y principalmente al cobre que ha proporcionado al mundo más de la mitad de lo que consume". "No obstante, este producto de nuestra industria ha estado sujeto a un monopolio que ha disminuido considerablemente nuestros provechos, recargándolos además con fletes, comisiones y otras gabelas inventadas por los fundidores ingleses. Por falta de otros mercados, los mineros americanos deben necesariamente mandar sus productos a Gran Bretaña y contentarse con el precio que les ofrezcan los

77

fundidores de ese país. Hace veinte años que ellos han abusado de la dependencia en que se hallan los vendedores y, en los últimos dos años y principios del actual, los fundidores han obtenido ganancias fuera de toda proporción..." "¿Es esto soportable en un país que encierra los elementos para libertarnos de tan odioso monopolio?... Desde que el monopolio de los fundidores ingleses los hace árbitros del precio de este producto, y desde que por medio de sus capitales ellos limitan o ensanchan nuestra explotación, la verdadera riqueza de nuestra sociedad queda sometida al interés de especuladores extranjeros que, consultando los suyos, nos ponen en la triste situación que tocamos...

"¿Es sufrible que un país que encierra en sí todos los elementos para fundir todos sus minerales, refinarlos hasta ponerlos al estado más puro para que de aquí salgan a la India, a la China, a la Europa y al mundo entero, sea encadenado a un tal monopolio y sometida a la caprichosa voluntad de unos pocos individuos su principal riqueza? Como lo hemos comprobado, no es la oferta y la demanda lo que ha hecho bajar nuestro cobre; es sólo nuestra incuria y abandono de un lado; es el poder de un capital que por nuestra ignorancia hemos formado a expensas nuestras en el extranjero. Bien es sabido el juego de los fundidores ingleses que al aviso de ir ricos cargamentos de nuestros productos, los bajan de precio para comprarlos a su llegada y volverlos a subir de nuevo cuando se hallan en sus manos, estableciendo una permanente oscilación en el precio de nuestros minerales que se arregla a su sola conveniencia No podía ser de otro modo desde que ellos se habían hecho árbitros de nuestra riqueza en la que sólo su voluntad debía prevalecer." (Ramírez, 1960: 82-84).

Y todo esto gracias al orden de cosas efectivamente monopolista al que liberalmente se llama "librecambio".

Mas la metrópoli, claro está, no confiaba únicamente en los efectos de su política librecambista sobre el mercado mundial. Siempre que así le convino y le fue posible, la metrópoli, ahora representada por Inglaterra, como por otros antes y después, penetró hasta el mismo corazón de la estructura interior mercantil, industrial y a menudo agrícola de la periferia (hasta donde el país satélite tuviera una economía "'nacional"), para apoderarse de ella. A este respecto, Hernán Ramírez observa en su *Historia del imperialismo en Chile*:

Con posterioridad a 1850, el predominio británico en la industria minera se acrecentó por medio de los ferrocarriles ingleses que recorrían la zona... Además de controlar el comercio internacional y monopolizar la producción de cobre, los ingleses estuvieron constantemente alertas para impedir que Chile perdiera su calidad de exportador de materias primas y alimentos y de consumidor de manufactura... (Ramírez, 1960: 63-64).

Y Ramírez continúa:

Gran parte de la actividad mercantil interna estaba bajo el control directo e inmediato de empresarios británicos. Uno de los vehículos para la creación y el mantenimiento de esta situación, fue la alta dependencia en que el comercio interno se hallaba con respecto a las casas mayoristas inglesas, las que... tenían en sus manos el comercio internacional... Esas casas extendieron el giro de sus negocios, se conectaron con diversos ramos de la actividad productora nacional... El otro, fue la participación que los británicos tenían en la Marina Mercante chilena... "una gran proporción de barcos... aunque navegando con la bandera de Chile y bajo cubierta de propietarios nativos, porque los barcos extranjeros no pueden hacer cabotaje, son realmente de construcción inglesa, propiedad de súbditos británicos".

Las grandes casas comerciales extranjeras, vale decir, inglesas, desempeñaban un significativo papel en la vida financiera del país: otorgaban créditos, emitían vales y aún billetes, comerciaban con el dinero, etcétera; en una palabra, operaban como verdaderas instituciones bancarias... esto significa que tan pronto como dejamos de ser colonia de España, llegamos a ser dependencia, usufructuada por el capitalismo inglés. (Ramírez, 1960: 73-75).

No debería pensarse, empero, que la colonización económica de la periferia chilena y la conversión de ésta en satélite, llevadas a cabo por la metrópoli inglesa, sólo ocurrieron porque la metrópoli del mundo capitalista es por definición fuerte y su periferia débil, o porque la doctrina inglesa del librecambio convenciera a todos y cada uno de los de la periferia (u otras partes de la metrópoli) por el poder de su lógica. No. La metrópoli del mundo capitalista tenía, indudablemente, aliados en las metrópolis periféricas, y la doctrina del librecambio cayó en oídos interesados en los satélites periféricos capitalistas, como Chile, si bien no tanto en otros países metropolitanos o independientes, como Alemania y el Japón. La contradicción polar metrópoli-satélite del capitalismo trasciende a todo el sistema capitalista mundial, desde su centro macrometropolitano hasta su satélite más microperiférico. En virtud de las diferentes circunstancias, los intereses económicos y de otro tipo que esta contradicción central origina, las incontables contradicciones menores concretas asumen por supuesto, una amplia variedad de formas.

Por desdicha, las circunstancias de este período de la historia chilena no han sido aún tan bien estudiadas como las del período posterior. Empero, pueden hacerse algunas sugerencias acerca del conflicto y de la alianza de los intereses creados por las contradicciones capitalistas en Chile a mediados del siglo XIX. Se dispone de un indicio en Courcelle-Seneuil, librecambista de la época, mundialmente conocido, que fue importado por (o exportado a) Chile como asesor oficial del gobierno, y a quien muchos historiadores chilenos han identificado con la adopción del librecambio en Chile después de 1860. Courcelle-Seneuil observó que:

> "Gran parte de las nuevas ganancias han sido empleadas en dar ensanche a los goces de los propietarios; el mayor número de éstos se han puesto a construir soberbias casas y comprar suntuosos mobiliarios, y el lujo de los trajes de las señoras que ha hecho en pocos años progresos increíbles... Se puede decir que mientras los labradores gastaban en locas diversiones los aumentos de sus entradas, los propietarios empleaban las suyas en aumentar goces más durables, pero unos y otros han capitalizado muy poco". (Sepúlveda, 1959: 51.

Estos terratenientes, sin duda, miraban con malos ojos las restricciones al comercio que impedían tales progresos a sus señoras. El ministro de Hacienda del régimen siguiente al de Montt explicó al Congreso que el freno a la navegación extranjera todavía en vigor, es decir, la posición privilegiada de la marina chilena, debía desaparecer, y ello en bien de "esos intereses para los que [el privilegio] fue creado" (Véliz, 1962: 240). Es decir, los intereses de los terratenientes, y aún más los de los exportadores y los importadores, sin duda. El diputado Matta sostuvo que los derechos de aduana no eran más que una señal de la debilidad y cobardía del gobierno, y que todos ellos debían ser abolidos.

Podemos presumir, pues, que la estructura metrópoli-satélite del sistema capitalista mundial, y de Chile dentro de él, creó grupos de intereses definidos dentro de la metrópoli del satélite chileno, los cuales, no obstante los conflictos con el imperialismo que puedan haber tenido, sentíanse impelidos a respaldar, por sobre cualquier otra política, la que servía para hacer de Chile un satélite aún más dependiente de la metrópoli capitalista mundial. No sorprende, por tanto, encontrar a. esos grupos valiéndose de la debilidad del gobierno, originada en la depresión mundial de 1857, para rebelarse contra el presidente Montt y sus programas de desarrollo nacional. Se puede, por ende, estar de acuerdo con Claudio Véliz cuando dice:

> Manuel Montt se enfrentó a dos revoluciones... la segunda en 1859 estuvo más próxima a los intereses políticos y económicos de los grupos de presión mineros y agrícolas del país. Gran parte de la oposición a la actitud centralista, fuerte, de ingerencia estatal en la cosa económica que pregonizaba Montt, provino de los grupos liberales —y, por supuesto, librecambistas— cercanos a la exportación de minerales y de productos agropecuarios del norte y sur del país. Desde luego, es más que una coincidencia sin importancia el hecho de que los núcleos de resistencia contra el gobierno de Montt hayan estado situados en Copiapó y Concepción. (Véliz, 1962: 242).

3. *La revolución industrial frustrada: Balmaceda y el salitre*

El siguiente período fue decisivo para la firme consolidación de esta tendencia al subdesarrollo en la estructura social, económica y política de Chile. Decisivo por así decirlo, claro está. Porque las semillas del ·subdesarrollo estructural habían sido sembradas por la Conquista misma y por la estructura económica internacional, nacional y local a la que el pueblo de esta nación, potencialmente rica en otros sentidos, fue por consiguiente incorporado. Decisivo sólo por el hecho de que los acontecimientos posteriores marcaron lo que quizás ha sido el más espectacular intento de desarraigar el árbol del subdesarrollo y plantar en su lugar el del desarrollo. Por otra parte, este intento, vinculado al nombre del presidente Balmaceda, fue menos decisivo de lo que sugieren escritores como Pinto, Nolff, Ramírez y otros. Si fracasó después de todo —y fracasó de modo espectacular— fue sólo porque sus posibilidades de éxito habían sido perjudicadas por las mismas circunstancias que en los tres siglos anteriores habían originado ya fracasos similares, aunque tal vez menos divulgados. Las raíces del subdesarrollo estaban demasiado profunda y firmemente adentradas en la estructura, la organización y el funcionamiento del sistema económico del que Chile ha sido parte desde sus principios hasta hoy.

Investigadores como Jobet, Pinto, Ramírez, Nolff y Vera, unas veces explícitamente, otras implícitamente, explican la frustración del desarrollo en la era de Balmaceda atribuyéndola a la infortunada concatenación de una serie de circunstancias más o menos especiales. Esta explicación sería aceptable si, como esos mismos autores sostienen, Chile hubiera sido un país cerrado, "recluso", autárquico o feudal hasta la segunda mitad del siglo XIX (Jobet), o la primera mitad de la misma centuria (Pinto y Nolff) o, al menos, hasta el siglo XVIII (Ramírez), y tardíamente hubiera tratado de saltar de la autarquía al "desarrollo hacia afuera" en vez de "hacia adentro". La verdad lisa y llana de la historia y de la estructura económica de Chile es que este país ha sido una economía satélite abierta, capitalista y dependiente desde el principio; dicho de otra modo, las raíces de su subdesarrollo son muy profundas, están en la estructura del capitalismo y no en el feudalismo o el desarrollo "hacia afuera" o en una combinación de los dos últimos. Por consiguiente si Chile ha de pasar del subdesarrollo al desarrollo, su transformación estructural tendrá que ser mucho más honda que el mero cambio del desarrollo capitalista hacia afuera por el desarrollo capitalista hacia adentro.

Algunos de los que vivían en Chile en la segunda mitad del siglo XIX discernieron, después de todo, la tendencia a un desarrollo cada vez más profundo, y algunos de ellos intentaron frenarla. La nueva *Sociedad de Fomento Fabril*, en su prospecto inaugural, puso muy altas sus miras y las de Chile —aunque pudiera pensarse que no sin razón— en 1883.

> Chile puede y debe ser industrial. Probar esta idea hasta la evidencia, establecerla como máxima de todos, pueblo y gobierno, pobres y ricos, llegar a hacer de ellos el punto de mira y el solo objetivo racional de los hombres laboriosos y de los acaudalados capitalistas... Debe ser industrial por su agricultura; porque la feracidad de las tierras de todo el valle central reclama cultivos más ricos... y en mucho mayor escala que lo que hasta ahora se hace. Y porque nuestro país, reducido en su extensión, comparativamente con otros que ya son productores de trigo, se verá obligado en algunos años más, y por fuerza, a abandonar la exportación de este artículo... Debe ser industrial por su minería, porque su verdadera riqueza consiste no en reventones

o vetas de plata y cobre con centenares de marcos en su ley, sino en sus montañas de metales pobres que ofrecen ganancia segura y verdadera por largos años al industrial inteligente... Debe ser industrial por las condiciones de su raza, inteligente y fuerte, apta para comprender y dirigir cualquier maquinaria a poco que se le enseñe y capaz de repetir cualquier trabajo con sólo encomendarlo a su proverbial entusiasmo y buena voluntad... Debe ser industrial porque tiene los elementos para serlo: posee las substancias minerales de más alta importancia en abundancia extraordinaria: el cobre, el fierro, el carbón de piedra, el salitre y el azufre, y con ellos el ácido sulfúrico y todos los productos químicos que la industria necesita para su establecimiento y desarrollo; tiene los elementos vegetales, maderas de todo género, lino, cáñamo de primera clase... y cuenta con productos animales, pieles, lanas y seda que pueden fabricar los más delicados trajes y tejidos. Sin que nada justifique que tan ricos y variados productos salgan de nuestro suelo a recibir en otra parte su elaboración definitiva y vuelvan en seguida a nuestro país a ser vendidos por precios que nos arrebatan mucho más que la ganancia de venta del artículo primo. Debe ser industrial, porque en conformación geográfica posee una fuerza de trabajo de un valor inmenso, que puede aprovecharse en todas las industrias hasta llegar a una producción más barata que la de todos los demás países. Esta fuerza es la corriente de los ríos, los que en el curso de la cordillera al mar se prestan por su declive a formar millones de caídas de agua que son otros tantos motores y fuentes de riqueza para el país.

Y para terminar, Chile debe ser industrial, porque es el estado a que lo lleva su natural evolución de pueblo democrático y porque sólo dedicando sus fuerzas a la industria llegará a poseer la base estable del equilibrio social y político de que disfrutan las naciones más adelantadas, llegará a tener clase media y pueblo ilustrado y laborioso, y con ello porvenir de paz de engrandecimiento para muchas generaciones... (*Prospecto de la Sociedad de Fomento Fabril*, 1883, citado por Ramírez, 1958: 149).

La verdad es que en el período 1830-1930 la agricultura chilena tuvo todo a su favor: mercados externos, divisas para tecnificarse, crédito abundante, "tranquilidad social", pleno liberalismo en la política oficial, protección de los gobiernos... hasta desvalorización monetaria para aliviar sus deudas. Y, sin embargo, en lugar de prosperar fue retrogradando. Con alguna razón... (Pinto, 1962: 84).

¡Qué amarga ironía que literalmente lo mismo pueda decirse y se diga hoy, todavía con igual justificación! ¿Qué ocurrió?

La Guerra del Pacífico proporcionó enormes riquezas a Chile con las provincias septentrionales antes peruanas y bolivianas, que contenían los mayores depósitos de salitre —y los únicos— que el mundo conocía. El salitre, antes del posterior descubrimiento de un sustituto sintético, constituía, con el guano peruano y chileno, el principal fertilizante comercial del mundo. Las minas de salitre se habían abierto con capital peruano y chileno y eran trabajadas en gran parte por obreros chilenos, y por el control de ellas, esencialmente, se rompieron las hostilidades. Chile ganó la guerra y las minas, pero las consecuencias de su victoria fueron desastrosas. Porque la victoria aumentó el interés en Chile de una potencia metropolitana cuya participación en los asuntos económicos y políticos chilenos condenó al país aún más a la ruina del subdesarrollo.

Con anterioridad a la Guerra del Pacífico, la industria salitrera había comenzado a desarrollarse gacias a la energía de empresarios peruanos y chilenos; además, actuaron en ellos algunos ciudadanos británicos y de otras nacionalidades. Los capitales que se empleaban, provenían en su totalidad de los centros financieros de Perú y Chile, el que llegaba hasta la región por las vías del crédito o de la inversión. Esto es significativo y debe subrayarse: Tarapacá no recibió inversión de capitales ingleses, en el nacimiento, promoción y desarrollo inicial de la industria salitrera, los ingleses no tuvieron ninguna participación importante. (Ramírez, 1960: 114).

El capital inglés-norteamericano representaba el 13 % de la industria, y el peruano-chileno el 67 %; el 20 % restante pertenecía a extranjeros económicamente nacionalizados. (Encina, citado por Pinto, 1962: 55).

Los bonos y certificados entregados por el gobierno peruano en pago de las plantas, que habían perdido casi todo su valor (a causa de y durante la guerra), de repente comenzaron a ser solicitados por "compradores misteriosos... que pagaron por ellos 10 y hasta 20 % de su valor nominal, en soles depreciados" al consumarse la decisión del gobierno chileno (de honrar los bonos peruanos), los nuevos tenedores pasaron a ser los dueños de la parte más valiosa de la industria. Figura central en este drama tan absurdo como sospechoso fue el casi legendario Mr. John T. North, quien, para colmo de ironías, realizó la fantástica especulación que lo convirtió en "rey del salitre" con capitales chilenos provistos por el Banco de Valparaíso. Esta institución y "otros prestamistas chilenos facilitaron a North y sus asociados $ 6.000.000 para acaparar los certificados salitreros y los ferrocarriles de Tarapacá". El proceso de desnacionalización fue rápido y se extendió, cosa curiosa, hasta el punto de reducir la parte de la industria que controlaron los chilenos antes del conflicto, según Encina... el 10 de agosto de 1884, el capital peruano había desaparecido; el chileno estaba reducido al 36 %; el inglés montaba a 34 %, y el capital europeo no nacionalizado 30 %. (Pinto, 1962: 55, citando también a Encina).

Los ingleses no tardaron en eliminar una proporción todavía mayor del capital chileno:

> El ex ministro Aldunate, que tuvo un papel importante en la decisión gubernativa, que abría paso a la entrega del nitrato, reflexionaba melancólicamente más tarde, en 1893: "Por desgracia, y en fuerza de una combinación de circunstancias que sería largo de recordar, la industria salitrera se halla íntegra y exclusivamente explotada y monopolizada por extranjeros. No hay un solo chileno que posea acciones en las suculentas empresas de ferrocarriles de Tarapacá... Los buques que conducen desde nuestros puertos a los centros del consumo las riquezas del litoral, son todos de extraña bandera. Es inglés todo el combustible que se emplea para el movimiento de las máquinas. Y para que el monopolio exótico de estas industrias sea completo, son también extranjeros todos los agentes intermediarios entre productores y consumidores, y en sus manos quedan íntegramente también las utilidades comerciales de la industria". (Pinto; 1962: 55-56).

No obstante, *El Ferrocarril*, cuya política económica no era ya la de 1868, sostenía el 28 de marzo de 1889:

> "Las riquezas acumuladas por los extranjeros no deben inspirar recelos, porque son legítimos frutos de su actividad, trabajo e inteligencia, y sirven también al país que suelen dar a nuevas industrias, lo que desarrolla mayor consumo de productos nacionales y beneficia a nuestros esforzados trabajadores... Hay universal convencimiento en que las futuras bases de la prosperidad nacional deben buscarse en el desarrollo industrial a que se presta admirablemente nuestro país por la abundancia y variedad de sus productos naturales, y nadie podrá negar que

en esta vía nos es indispensable la cooperación extranjera, ·ya sea con sus capitales, ya con su experiencia y conocimientos. Quien ama de veras la patria, no debe hostilizar entonces a los factores de su grandeza". (Ramírez, 1958: 102).

Para cualquier lector objetivo de un país actualmente subdesarrollado, en América Latina o en otra parte, tal experiencia de la "contribución" del capital extranjero y de sus apologistas interiores y foráneos no será, sin duda, una sorpresa. Porque la misma realidad y la misma fábula son todavía parte cabal de su diaria existencia. Lo mismo han experimentado los ferrocarriles de la Argentina y Guatemala, los servicios públicos de Chile y el Brasil, las minas, tierras y fábricas en los países subdesarrollados de todas partes. ¡Cuánto fraude y saqueo constantes se han perpetrado al amparo de las nobles palabras "inversión y ayuda del exterior"! (Véase capítulo V y Frank, 1963a y 1964b).

Aunque *El Ferrocarril* alegaba que era "universal" la convicción de que Chile prosperaría por el camino de sus relaciones económicas con el extranjero, y que "nadie podía negar que la cooperación extranjera era, por tanto, indispensable", no todos convenían en ello, como el mismo periódico sabía demasiado bien (y por eso escribió como lo hizo), sobre todo el recién electo presidente Balmaceda. En el discurso en que aceptó su designación como candidato a la Presidencia, el 17 de enero de 1886, Balmaceda proclamó su filosofía y programa económicos:

El sistema tributario exige una revisión y práctica que guarde armonía con el igual repartimiento de las cargas públicas prescritas en la Constitución. El cuadro económico de los últimos años prueba que dentro del justo equilibrio de los gastos y las rentas, se puede y se debe emprender obras nacionales reproductivas que alienten muy especialmente la hacienda pública y la industria nacional. Si a ejemplo de Washington y de la gran República del Norte, preferimos consumir la producción nacional, aunque no sea tan perfecta y acabada como la extranjera; si el agricultor, el minero y el fabricante construyen útiles o sus máquinas de posible construcción chilena en las maestranzas del país; si ensanchamos y hacemos más variada la producción de la materia prima, la elaboramos y transformamos en substancias u objetos útiles para la vida o la comodidad personal; si ennoblecemos el trabajo industrial aumentando los salarios en proporción a la mayor inteligencia de aplicación por la

clase obrera; si el estado, conservando el nivel de sus rentas y
de sus gastos, dedica una porción de su riqueza a la protección
de la industria nacional sosteniéndola y alimentándola en sus
primeras pruebas; si hacemos concurrir al estado con su capital
y sus leyes económicas, y concurrimos todos, individual o colectivamente, a producir más y mejor; y a consumir lo que pro-
ducimos, una savia más fecunda circulará por el organismo industrial de la república y un mayor grado de riqueza y bienestar nos dará la posesión de este bien supremo de pueblo trabajador y honrado: vivir y vestirnos por nosotros mismos. A la
idea de industria nacional está asociada la de inmigración industrial y la de construir, por el trabajo especial y mejor remu-
nerado, el hogar de una clase numerosa de nuestro pueblo, que
no es el hombre de la ciudad, ni el inquilino, clase trabajadora
que vaga en el territorio, que presta su brazo a las grandes
construcciones, pero que en épocas de posibles agitaciones sociales, puede remover intensamente la tranquilidad de los espíritus.
(Ramírez, 1958: 111-112).

Ramírez resume como sigue la política salitrera y otros programas económicos de Balmaceda:

1. Romper el monopolio que los capitalistas ingleses ejercían en Tarapacá, como una manera de impedir que aquella
región fuera "convertida en una simple factoría extranjera".
2. Estimular la formación de compañías salitreras nacionales, cuyas acciones fueran intransferibles a ciudadanos o empresas extranjeras. De este modo, junto con neutralizarse la
preponderancia británica, se lograba "radicar en Chile al menos
una parte de los cuantiosos provechos de la industria salitrera".
3. Impedir el mayor desarrollo de las empresas extranjeras,
aunque sin obstaculizar las actividades que ya realizaban.
4. Fomentar la producción del salitre mediante el empleo
de medios técnicos más perfeccionados, la apertura de nuevos
mercados y el abaratamiento de los fletes marítimos y terrestres.
Estos sanos y previsores propósitos, no alcanzaron a materiali-
zarse. (Ramírez, 1958: 98).

Ramírez examina, además, los diligentes programas económicos
de Balmaceda para las categorías siguientes: obras públicas, ferrocarriles, carreteras, salud pública, política financiera, fiscal, agrícola,
minera, industrial y docente; administración pública planificación
y descentralización de la economía. (Ramírez, 1958: 114-160).

Los conservadores y la Iglesia parecen haber reconocido algunos de los méritos de Balmaceda, lo que no quiere decir que les gustaran. El periódico que hablaba por ellos, *El Estandarte Católico*, escribió como sigue, el 4 de junio de 1889, en un artículo atrayentemente titulado "Antes lo necesario que lo conveniente":

> El señor Balmaceda está empeñado en adquirir para su nombre la gloria de haber cruzado el país a lo largo y a lo ancho de caminos de hierro, de haber levantado palacios para la instrucción, aumentado el material de la marina y el ejército, abierto puertos y construido diques; en suma, haber dado impulso vigoroso al progreso industrial y material. Pero en esta prodigalidad espléndida para todo lo que brilla, en este reparto fastuoso de millones de obras de mera utilidad y dudosa conveniencia, no ha reservado ni un maravedí para mejorar la situación económica del país, para aliviar al pueblo de la carga abrumadora de los impuestos, para acelerar la conversión metálica, para procurar el bienestar general con la disminución de miseria. (Ramírez, 1958: 117).

La diferencia exacta entre "lo necesario" y "lo conveniente" —esto es, ¿necesario para el "bien general" de quién, y alivio de los impuestos para qué parte "del pueblo?— nos es revelada por otros dos artículos de fondo aparecido en otros periódicos en la misma primavera de 1889:

> Alza de jornales, con motivo de las innumerables obras públicas que se construyen en la actualidad en toda la república, los jornales han subido desde un año a esta parte de un modo digno de ser notado por nuestros economistas. A los peones, a quienes antes se les pagaba sesenta centavos por día, sin ración, se le abona en los edificios de construcción noventa centavos y se les da una ración que equivale a veintiséis centavos al día. (Ramírez, 1958: 115, de *La Tribuna*, 20 de abril de 1889).
>
> El mal aumenta. A la escasez general de trabajadores y ya subido jornal, pésimo estado de viñas y mala calidad de los productos en general, se agrega ahora el subido precio con que la empresa del ferrocarril Clark se está atrayendo a la mayor parte de los peones. Los vinicultores se ven hoy día en la imperiosa necesidad de pagar el mismo jornal de la empresa para poder concluir en debido tiempo sus cosechas. Muy conveniente sería que la empresa pusiera todo empeño en atraer de otros

pueblos el resto de la peonada que necesita. (Ramírez, 1958: 116, de *Ecos de los Andes*, 18 de abril de 1889).

Esto disipa toda duda acerca de qué se consideraba "necesario" para quién e inmediatamente "conveniente" para qué parte del pueblo y, a la larga, para el desarrollo de la economía en general, también.

El presidente Balmaceda, de igual modo, estaba muy claro acerca de quién era quién y cuáles instituciones representaban a cuáles intereses y fuerzas.

> El congreso es un haz de corrompidos; hay un grupo que trabaja el oro extranjero y que ha corrompido a muchas personas. Hay un hombre acaudalado que ha envilecido la prensa y ha envilecido los hombres. Las fuerzas parlamentarias han fluctuado entre vicios y ambiciones personales. El pueblo ha permanecido tranquilo y feliz, pero la oligarquía lo ha corrompido todo. (Ramírez, 1958: 201).

El *Times* de Londres no estaba menos informado o no era menos informativo.

> El Partido Progresista está principalmente y primariamente compuesto de amigos de Inglaterra, y representa todos los elementos conservadores y adinerados, lo mismo que la inteligencia del país. (*Times*, 22 de junio de 1891, citado por Ramírez, 1958: 197).

Pocos meses después, ya movilizada la oposición a él, Balmaceda observó:

> Estamos sufriendo una revolución antidemocrática iniciada por una clase social centralizada y poco numerosa, y que se cree llamada por sus relaciones personales y su fortuna a ser agrupación directiva y predilecta en el gobierno... (Ramírez, 1958: 201).

La siempre presta alianza imperialista nacional de los intereses comerciales, financieros, mineros y agrícolas no tardó en movilizar sus fuerzas contra el presidente Balmaceda:

> Cuando a fines del año 1890 y principios del 91 se preparaban algunos elementos para la guerra que tendría que sobre-

venir, los señores Agustín Edwards y Eduardo Matte remitieron a don Joaquín Edwards, en Valparaíso, órdenes de pago por las sumas con que ellos contribuían para los gastos de los futuros acontecimientos (*El Ferrocarril*, 17 de enero de 1892, citado por Ramírez, 1958: 193).

Los gastos hechos en Europa durante los primeros meses de la revolución, en servicio de la causa del Congreso, fueron atendidos por nosotros con fondos del Banco A. Edwards y Cía. (Augusto Matte y Agustín Ross, *Memoria presentada a la Junta de Gobierno*, citada por Ramírez, 1958: 194).

El Banco A. Edwards y Cía. sigue siendo hoy el más poderoso de Chile; pertenece a la familia de ese apellido, junto con otras muchas empresas comerciales, incluyendo el periódico más importante de Chile, *El Mercurio*, a través de cuyas páginas, como de sus muchas otras actividades, la familia Edwards declara hoy su lealtad suma al imperialismo yanqui. Ella y su banco financiaron todavía la coalición de los intereses políticos más reaccionarios en las memorables elecciones de 1964.

En la centuria pasada era el capital inglés (apropiado, pero no contribuido) el que predominaba en Chile. El ministro de los Estados Unidos en Santiago no tenía la menor duda de ello cuando el 17 de marzo de 1891 informaba al Departamento de Estado: "Puedo mencionar como un asunto de particular interés el hecho de que la revolución cuenta con la completa simpatía, y en muchos casos, con el activo apoyo de los residentes ingleses en Chile... Es sabido que muchas firmas inglesas han hecho liberales contribuciones al fondo revolucionario. Entre otros, es abiertamente reconocido por los dirigentes de la guerra civil que M. John Thomas North (a quien conocemos de antes como «el Rey del salitre») *ha contribuido con la suma de 100.000 libras esterlinas*". (Ramírez, 1958: 195). Eso era, indiscutiblemente, una gota en el mar comparado con lo que el Rey del Salitre ya se había agenciado en Chile. ¿Se puede dudar de que sus descendientes norteamericanos, que ponen sus nombres a minas de cobre y otras empresas que en justicia pertenecen a Chile, están "invirtiendo" hoy de otros modos en su propio futuro?

El *Times* de Londres resumía la situación el 28 de abril de 1891, como sigue:

Es evidente que la mayoría del Congreso y sus partidarios —con mucha anterioridad a diciembre— se habían formado la idea de que una ruptura con el Ejecutivo y una tentativa revolucionaria eran inevitables. Y con la influencia de casi todas las familias terratenientes, de los ricos elementos extranjeros y del clero, no hay que sorprenderse que estimaran fácil la caída del presidente. Además, habían conseguido el apoyo de la marina y creían contar con gran parte del ejército; por estas razones, no parecían dudar de que, al enarbolar la bandera revolucionaria, se daría la señal para que en todo el país se produjera un movimiento popular en su favor. Parte de estas previsiones se ha realizado. Las grandes familias, los grandes capitalistas nacionales y extranjeros, los mineros de Tarapacá, la flota y un pequeño número de desertores del ejército están con ellos. Pero la gran mayoría del pueblo chileno no ha mostrado signos de revuelta y los nueve décimos del ejército permanecen leales al gobierno establecido. (Ramírez, 1958: 191).

El gobierno del presidente Balmaceda cayó, en medio de una cruenta guerra civil, y el mismo presidente fue forzado a suicidarse. Los intereses económicos extranjeros y los gobiernos (el norteamericano no menos que el inglés) que los representaban no se habían cruzado de brazos. El cónsul inglés cablegrafió al Foreign Office en 1891: "En cambio de la mencionada activa asistencia contra las fuerzas revolucionarias, el gobierno de los Estados Unidos espera que Chile denunciara sus tratados con los países europeos y concluirá un tratado comercial con los Estados Unidos". (Ramírez, 1958: 229). El mismo año, el corresponsal en Chile del *Times* de Londres comunicó a la cancillería británica (no a su periódico) su temor de que "Sería una lástima que Chile, que hasta ahora ha sido en aquella costa el baluarte contra la interpretación de la Doctrina Monroe hecha por Blaine, llegar a ser «blainista» a pesar de nosotros". (Ramírez, 1958: 229).

Sólo dos años antes, en 1889, James G. Blaine, entonces secretario de Estado de los Estados Unidos, había convocado en Washington al Primer Congreso Panamericano, para crear la Unión Panamericana, cuyo edificio —y no digamos su política— se halla hoy en manos de su actual descendiente, la Organización de Estados Americanos. Por suerte para los ingleses, si no necesariamente para los chilenos, sus temores de que Chile se hiciera "blainiano a pesar de nosotros" eran todavía prematuros. Ese sueño vendría a asumir las proporciones de una pesadilla algo después.

Las consecuencias de los antedichos sucesos fueron resumidas en 1912 por Encina en su *Nuestra inferioridad económica. Sus causas, sus consecuencias:*

> El comerciante extranjero ahogó nuestra iniciativa comercial en el exterior; y dentro de la propia casa, nos eliminó del tráfico internacional... Igual cosa ha ocurrido en nuestras grandes industrias extractivas. El extranjero es dueño de las dos terceras partes de la producción de salitre, y continúa adquiriendo nuestros más valiosos yacimientos de cobre. La Marina Mercante Nacional... ha venido a menos y continúa cediendo el paso, aun dentro del cabotaje, al pabellón extranjero. Fuera del país tienen sus directorios la mayor parte de las compañías que hacen entre nosotros el negocio de seguros. Los bancos nacionales han cedido y siguen cediendo terreno a las agencias de los bancos extranjeros. A manos de extranjeros que residen lejos del país, van pasando en proporción creciente los bonos de las instituciones hipotecarias, las acciones de los bancos nacionales y otros valores de la misma naturaleza. (Ramírez, 1960: 257).

Ramírez, a su vez, resume las consecuencias para la economía chilena, destacando algunos de los rasgos que en nuestros días se consideran señales de "subdesarrollo": "1. Balanza de pagos desfavorable; 2. Dificultad para estabilizar el valor de la moneda y para abandonar el régimen de papel moneda (*that is, in terms of our days, to restablish a hard currency*); 3. Lenta capitalización del país, lo que obstruía el crecimiento de sus fuerzas productivas...; 4. Como consecuencia de lo anterior, la potencialidad económica de la República se debilitaba y se suscitaban agudos problemas económicos sociales que recaían con gran violencia sobre pequeños industriales, pequeños comerciantes y, particularmente, sobre la gran masa de asalariados." (1960: 249-250.) Esto es, la polarización interna metrópoli-satélite y entre las clases se acentuó, lo mismo que la polarización entre Chile y la metrópoli imperialista. Índice de esa polarización es el valor del peso chileno, que era de 39 5/8 peniques en 1878; 16 4/5 peniques en 1900 y 8 31/32 peniques en 1914. Hoy, naturalmente, el peso vale una pequeña fracción de penique.

Si Chile se desarrollaba o se subdesarrollaba es una duda resuelta por el ex ministro Luis Aldunate, quien escribió en 1893-1894: "El país se ha debilitado en sus fuerzas económicas, se ha empobrecido".

4. La consolidación del subdesarrollo

Cuando se inquiere por qué Chile se subdesarrollaba y "empobrecía", la respuesta la da nuestra tesis sobre los efectos de las contradicciones capitalistas de la polarización y de la expropiación-apropiación del excedente, así como también los hechos evidentes. La metrópoli imperialista expropiaba el excedente económico de Chile y se lo apropiaba para su propio desarrollo. En vez de desarrollar la economía chilena, el salitre chileno sirvió para desarrollar la agricultura europea, que entonces experimentaba el progreso técnico gracias, en parte, al fertilizante chileno. Después de la primera guerra mundial, Alemania produjo un sustituto sintético más barato, y las salitreras chilenas fueron en gran parte abandonadas. El excedente económico o capital potencial del salitre había sido dilapidado y había contribuido al desarrollo de otros. y Chile jamás había de recuperarlo. Al mismo tiempo, después de 1926 Chile cesó de ser exportador de trigo, cereal que los países metropolitanos mismos, y unos pocos como la Argentina, producían cada vez más para su propio consumo y para el mercado mundial. En el ínterin, se estima que gracias al salitre solamente Inglaterra se apropió, entre 1880 y 1913, unos 16 millones de libras esterlinas en ganancias del excedente económico producido por Chile, mientras que los chilenos y los extranjeros residentes en Chile no retenían más de dos millones de libras del excedente producido por las salitreras chilenas con lo que casi exclusivamente fue capital y trabajo *chilenos*. (Ramírez, 1960: 255-256). El excedente económico expropiado y apropiado por la metrópoli no fue sólo el del salitre, Crecientemente incluyó también el del cobre, expropiado por los Estados Unidos. Y no debemos olvidar el excedente del que se apropió la metrópoli gracias a su ventajosa posición en el mercado del trigo chileno y, por supuesto, en el de las manufacturas que Chile importaba. Además, la metrópoli se apropia asimismo una buena parte del excedente económico de sus satélites a través del concepto de "servicios prestados". Se estima que sólo en 1913 las compañías extranjeras establecidas en la industria, el comercio, la banca, los seguros, el telégrafo, los tranvías, etc., de Chile, remitieron al exterior dos millones de libras. (Ramírez, 1960: 256.) (Véase en el capítulo V y Frank, 1965, una relación del excedente latinoamericano expropiado a través de tales servicios en la actualidad.)

Parte de los chilenos de principios de siglo se daban plena cuenta de mucho de lo que estaba pasando, de cómo la metrópoli se apropiaba del excedente económico de Chile. El Partido Nacional de Chile advirtió en su asamblea de 1910 que "la acumulación de capitales, base indispensable de toda prosperidad económica duradera, es entre nosotros insignificante... [de las utilidades del salitre] casi los dos tercios salen del país, sin dejar huella en él".

El 24 de enero de 1899, el Senado chileno oía a uno de sus miembros decir: "Yo, por mi parte, no sueño tanto con esos capitales extranjeros que embriagan a muchos, y aunque no desconozco su importancia, me inspiran duda. ¿Vienen ellos para nuestro beneficio o para el de sus dueños? ¿Vienen como savia generosa para fecundar nuestros campos y talleres y procurarnos riqueza, o vienen como la esponja que absorbe los sudores del trabajo por sólo el pan para la vida?" (Ramírez, 1960. 262.)

Luis Aldunate, escribiendo en 1894, no dudaba: el capital extranjero, "lejos de ser útil y reproductivo para nosotros, nos postra, nos debilita, nos arranca a pura pérdida, sin darnos nada ni enseñarnos nada. La savia y la fuerza que pudieran levantarnos del actual abatimiento económico... no es prudente y es, por el contrario, muy peligroso, que dejemos crecer y crecer hasta las nubes el interés de un monopolio extranjero... [podría] consolidar una dominación industrial por otra dominación política, y entonces sería acaso tarde para reparar las lógicas consecuencias de nuestra imprevisión... nos estamos dejando colonizar... sin darnos cuenta de que somos víctimas de ideas añejas, de falsos mirajes". (Ramírez, 1960: 254.) El ex ministro no necesitaba bola alguna de cristal para prever la dominación económica, política, ideológica y cultural que la metrópoli ejercería sobre el satélite, una dominación como la que Chile ha conocido desde los días de Aldunate hasta los nuestros. El futuro estaba ya contenido en la estructura metrópoli-satélite de su tiempo.

La apropiación metropolitana del excedente económico de los satélites no se limitaba a las relaciones económicas internacionales de Chile; ocurría también a nivel nacional, especialmente entre los grandes terratenientes y comerciantes y sus expoliados satélites provinciales. Los grandes terratenientes, a quienes no se debería confundir con la "agricultura", ocupaban una posición particularmente favorable dentro de la estructura metrópoli-satélite nacional. Se apropiaban el excedente económico de los trabajadores de sus propias tierras y de las fincas contiguas de pequeños propietarios, quienes se veían forzados a depender crecientemente de los grandes. Pero los latifundistas, que ejercían un importante control político sobre el Congreso, aunque su

94

predominio político y económico sobre la economía en general era mucho menos independiente de lo que a menudo se supone, se servían de ese control político como todavía se sirven hoy: para apropiarse también una parte del excedente económico de los sectores no agrícolas. No pagaban impuestos virtualmente, aunque, eso sí, se beneficiaban de los gastos públicos.

Rengifo, el ministro de Hacienda que inició las medidas con que se quiso proteger y desarrollar el comercio y la industria chilenos, había advertido ya en 1835 que "si la agricultura chilena pagase… sólo un 10 por ciento efectivo sobre el producto que rinden las tierras, esta única renta estaría para atender todos los gastos del servicio público". (Pinto, 1962: 23.) Pero los señores de la tierra chilenos no han pagado nunca tal impuesto, ni entonces ni ahora. Por otra parte, se beneficiaron con las obras de regadío realizadas en los años finales del siglo xix, las que se financiaron mediante el pequeño ingreso que Chile retenía de sus exportaciones de nitratos. Se beneficiaron asimismo con las consecuencias inflacionarias de la polarización de la estructura metrópoli-satélite en los niveles internacional y nacional, puesto que eran poseedores de tierras y de otras propiedades cuyo precio y valor aumentaban más que el costo del trabajo y de las cosas que compraban. De modo más espectacular, los terratenientes se apropiaban el excedente de la economía nacional por medio de generosos créditos públicos que, gracias a la inflación, podían saldar con dineros tan devaluados que en realidad nunca pagaban intereses además de que a menudo sólo liquidaban una pequeña parte del préstamo. Borde y Góngora estudian con minuciosidad esta forma de apropiación del excedente:

En la segunda mitad del siglo xix, el crédito, que hasta entonces había sido confiado a la buena voluntad de los prestamistas más o menos usureros, se organizó y amplificó. En adelante, los terratenientes, deseosos de obtener créditos, pudieron escoger entre dos posibilidades: ya sea haciendo uso de su prestigio personal ante los bancos… con el fin de obtener anticipos sin garantía de prenda, o bien hipotecando sus predios… Mas, es curioso constatar que los préstamos sobre hipoteca fueron prácticamente canalizados hacia los mismos beneficios; la Caja de Crédito Hipotecario, que fue fundada en 1860 y que muy pronto llegará a ser uno de los más poderosos organismos de crédito de todo el continente sudamericano fue, durante varias décadas, dócil instrumento en manos de los terratenientes… En numerosos casos este recurso contribuyó a impedir o limitar la subdivisión de las propiedades... Pero, más que nada, el crédito permitió a los grandes propietarios extender sus dominios o constituir otros sin desembolso de dinero... Si el crédito fue utilizado por los terratenientes y si llegó a ser, de esta manera, uno de los principales factores de conservación de las estructuras agrarias, ello se debió a la continua desvalorización de la moneda chilena, que tendía a transformar en verdaderas donaciones los préstamos a largo plazo... Nada parece autorizarnos a escribir, como lo hicieran algunos autores, que esos agricultores, para quienes la deuda había llegado a ser una técnica de enriquecimiento, fueran los principales instigadores de la caída del peso; pero fueron ellos, sin lugar a dudas, sus principales beneficiarios.

Los préstamos sobre hipoteca no siempre fueron, o más bien dicho, no fueron muy a menudo, invertidos de nuevo en la agricultura, de modo que sirven a la vez para dar una explicación del enriquecimiento de los propietarios y de la descapitalización de la tierra. Sin mencionar gastos suntuarios, las tentaciones de una economía local ya más diversificada y, más todavía, la de los dividendos repartidos por las grandes sociedades capitalistas del extranjero, orientaron hacia nuevas inversiones el dinero obtenido gracias a los bienes raíces... el préstamo hipotecario reinvertido en otros campos que el de la agricultura, hacía que la tierra se fuera incorporando a una economía de especulación que no podía dejar de perjudicar a la estabilidad (Borde, 1956: 126-129.)

¡Difícilmente puede verse aquí a terratenientes feudales sentados en sus aisladas posesiones rurales! Si nos preguntamos entonces, como el *Times* de Londres, por qué "casi todas las familias terratenientes... los elementos extranjeros y eclesiásticos adinerados... los grandes capitalistas nacionales y extranjeros, los dueños de minas" prestan su apoyo político y económico para mantener y continuar el desarrollo-subdesarrollo de la estructura capitalista de metrópoli-satélite, la respuesta no hay que buscarla lejos. Aníbal Pinto la analizó en su libro sobre el desarrollo económico frustrado de Chile; Max Nolff la repasa en su historia de la industria chilena —aunque ninguno de los dos intenta situar su respuesta en el contexto de las inevitables contradicciones del capitalismo que han determinado la suerte de Chile—, y Claudio Véliz la examina en detalle:

Durante los años transcurridos entre la independencia de España y la Gran Crisis de 1929, la economía chilena estuvo dominada por tres grupos de presión de importancia fundamental: las tres patas de la mesa económica nacional. En primer lugar estaban los exportadores mineros del norte del país; luego estaban los exportadores agropecuarios del sur, y finalmente las grandes firmas importadoras, generalmente localizadas en el centro en Santiago y Valparaíso, aunque operaban en todo el territorio. Entre estos tres grupos de presión existía absoluto acuerdo respecto a la política económica que debía tener el país. No había ningún otro grupo que pudiera desafiar su poder económico político y social, y entre los tres dominaban totalmente la vida nacional, desde los afanes muncipales hasta las representaciones diplomáticas, la legislación económica y las carreras de caballos.

Los exportadores mineros del norte del país eran librecambistas. Esta posición no se debía fundamentalmente a razones de tipo doctrinario —aunque también las hubo—, sino al hecho sencillo de que estos señores estaban dotados de sentido común. Ellos exportaban cobre, plata, salitre y otros minerales de menor importancia a Europa y los Estados Unidos, donde recibían su pago en libras esterlinas o dólares. Con este dinero adquirían equipos, maquinarias, manufacturas o productos de consumo de buena calidad a precios muy bajos. Es difícil concebir altruismo, elevación de miras o visión profética que hicieran que estos exportadores aceptaran pagar derecho de exportación e importación en aras de una posible industrialización del país. Apegados al ideario liberal de la época, hubieran argumentado que si realmente valía la pena fomentar la industria chilena, ésta debía ser por lo menos lo bastante eficiente como para competir con la europea, que debía pagar un flete elevado antes de llegar a nuestras playas.

Los exportadores agropecuarios del sur del país también eran decididamente librecambistas. Colocaban su trigo y harina en Europa, California y Australia. Vestían a sus huasos con ponchos de bayeta inglesa; montaban en sillas fabricadas por los mejores talabarteros de Londres; consumían champaña de verdad e iluminaban sus mansiones con lámparas florentinas. Por la noche se acostaban en camas hechas por excelentes ebanistas ingleses, entre sábanas de hilo irlandés y abrigados con frazadas de lana inglesa. Sus camisas de seda venían de Italia, y las joyas y adornos de sus mujeres de Londres, París y Roma. Para estos hacendados pagados en libras esterlinas, la idea de gravar la exportación de trigo o de imponer derechos proteccionistas sobre las importaciones, era sencillamente digno de un manicomio. Si Chile quería industria propia para producir bayeta, muy bien, que la tuviera; pero que produjera paño de tan buena calidad y a tan bajo precio como el inglés. De otra manera el proyecto era una estafa. Por estas sencillas razones de solidez intachables, el ex-

97

portador minero del norte y el exportador agropecuario del sur, presionaban sobre el gobierno para que Chile mantuviera una política económica de carácter librecambista.

Las grandes firmas importadoras —con sede en Valparaíso y Santiago— también eran librecambistas. ¡Se imaginaría alguien a una firma importadora defendiendo el establecimiento de fuertes derechos de importación para proteger a una industria nacional!

He ahí la poderosa coalición de fuertes intereses que dominó la política económica de Chile durante el siglo pasado y parte del actual. Ninguno de estos tres grupos de presión, tenía razones de peso para abogar por una política proteccionista. Ninguno de los tres tenía el más mínimo interés en que Chile se industrializara. Ellos monopolizaban los tres poderes de cualquier escala social; poder económico, poder político y prestigio social y sólo en contadas ocasiones vieron peligrar el control absoluto que ejercían sobre la nación.

Los grupos de presión que controlaban la política económica del país, eran decididamente librecambistas; eran más librecambistas que Courcelle-Seneuil, famoso y respetado líder del librecambismo doctrinario; eran definitivamente más papistas que el papa. Existían razones de tipo doctrinario que explican, en parte, esta actitud; pero éstas se sumaron a la elocuente coincidencia entre los postulados de la escuela económica y los intereses económicos de estos grupos de presión.

Las actitudes económicas de esta vasta clase tradicional que tenía en sus manos el poder económico y político y, además, el prestigio social, se ordenaron alrededor de la defensa de su posición tradicional; el librecambismo del exportador minero y agropecuario no chocaba con las estructuras heredadas de la colonia; al contrario, los reforzaba y financiaba. Los incentivos de esta falsa burguesía capitalista chilena no estaban relacionados con motivaciones morales —como aquellas engendradas por la actitud calvinista— ni reivindicaciones políticas o económicas, como aquellas de la burguesía capitalista de Inglaterra y los Estados Unidos, ni siquiera con la prosecución de una política externa militarista y expansionista, como ocurrió en el Japón; sino exclusivamente con el mantenimiento de altos ingresos que permitieran acceso libre a los más elevados niveles de consumo civilizado, compatibles con la posición social y las responsabilidades políticas que consideraban como suyas. (Véliz, 1963: 237-242.)

Max Nolff ofrece en forma resumida, como sigue, su muy similar interpretación:

En suma, se inicia en forma más espontánea la gestión de una poderosa coalición de intereses, basados en las actividades de exportación de productos primarios y en las actividades de importación y distribución de productos manufacturados de procedencia extranjera. A esta "coalición exportadora-importadora" le preocupaba, fundamentalmente, que el desarrollo de la economía chilena se orientara hacia afuera y, por lo tanto, no le interesaba o no le convenía, el desarrollo industrial. La mencionada correlación de intereses fue afirmando su posición con el correr del tiempo, y se puede decir que ella dominó, casi sin contrapeso, en la sociedad chilena en la segunda mitad del siglo pasado y hasta la crisis de 1930. La doctrina liberal importada de Europa, encontró entonces un fértil surco en nuestro país y prendió con vigor. Ella constituía el marco teórico para un reforzamiento de los intereses de las fuerzas dominantes, por cuanto representaba y expresaba sus anhelos. Pero es posible que los argumentos en favor del intercambio comercial sin restricciones y de la división internacional del trabajo, no se hubieran arraigado con la misma fuerza si las condiciones económicas y sociales de nuestro país hubieran sido diferentes, si el desarrollo económico de los primeros cincuenta años de nuestra vida independiente no hubiera sido sólo "hacia afuera". El caso del desarrollo de los Estados Unidos durante el siglo pasado, hecho "hacia adentro", y en base a una decidida protección industrial y una inteligente distribución de la tierra y del ingreso, es decisivo al respecto.

A la situación anteriormente señalada, hay que agregar otro factor que contribuyó a que el proceso industrial no fructificara con anterioridad a 1930: la elevada propensión al consumo suntuario, demostrada por las clases de altos ingresos. (Nolff, 1962: 162-163.)

Con todo, en vista de los debates similares acerca del papel de los diferentes grupos capitalistas en nuestro tiempo, vale la pena observar que la estructura capitalista metrópoli-satélite de Chile no se apoyaba exclusivamente en las tres patas antes mencionadas. Después de señalar los obvios intereses de la "burguesía comercial", Ramírez advierte: "Sectores de la burguesía industrial habían mantenido un franco antagonismo con el imperialismo al luchar por la industrialización del país; pero al establecerse y desarrollarse la industria liviana [...], este sector depuso gran parte de sus puntos de vista y muchos de sus componentes se plegaron, con algunas reservas, al bando proimperialista". (Ramírez, 1960: 286.)

Un análisis más específico de los acontecimientos relacionados con la contrarrevolución hecha a Balmaceda y el sacrificio del programa de fomento nacional de éste frente a la reacción externa o interna, revela que el Agustín Edwards del Banco A. Edwards y Cía., quien, como antes vimos, financió la susodicha contrarrevolución en 1890, fue el mismo Agustín Edwards que en 1883, como primer presidente de la Sociedad de Fomento Fabril, firmó el prospecto inaugural de la misma, que empezaba: "Chile debe y puede ser industrial". En 1964, la familia Edwards, su banco A. Edwards y Cía., sus industrias ligeras y su periódico *El Mercurio* fueron, indiscutiblemente, los más influyentes socios chilenos del imperialismo norteamericano en la derrota del candidato popular que aún quería nacionalizar el salitre "chileno" —y ahora el cobre también— y que bien pudo haber usado el prospecto inaugural de la Sociedad como plataforma económica para 1964.

Los siguientes comentarios sitúan esos hechos, y otros más recientes en mejor perspectiva. En 1891 se dijo: "Hay en Chile un gobierno comunista, un déspota o varios que, bajo el falso nombre de Poder Ejecutivo, han trastornado toda la paz, toda la prosperidad y toda la enseñanza de los ochenta años precedentes". (*Times* de Londres, 28 de abril de 1891, citado en *Vistazo*, 1964.) Y en 1964: "En todas partes... han acabado sistematizando el abuso, suprimiendo los derechos más elementales, e imponiendo el hambre, la violencia y la miseria. Los partidos que apoyan al candidato del Frente de Acción Popular han consagrado su existencia a luchar por el marxismo y, por consiguiente, a promover la dictadura del proletariado, la abolición de la propiedad, la persecución de la religión y la supresión del estado de derecho". (*El Mercurio*, 19 de julio de 1964, citado en *Vistazo*, 1964.)

Volviendo ahora a 1892, Eduardo Matte, miembro de la familia bancaria que ya encontramos dos años antes, cuando, con Agustín Edwards, financiaba el comienzo de la contrarrevolución para derrocar a Balmaceda, pudo decir con satisfacción: "Los dueños de Chile somos nosotros, los dueños del capital y del suelo: lo demás es masa influenciable y vendible; ella no pesa ni como opinión ni como prestigio". (*El Pueblo*, 19 de mrzo de 1892, citdo por Ramírez, 1958: 221.) Para aquellos lectores que puedan haber sido llevados a creer otra cosa acerca de nuestra época de mercurios y bancos Edwards y Cía. en la América Latina, o de los días de los señores Eduardo Matte y Agustín Edwards en el siglo XIX, o de cualesquiera tiempos de los siglos XVIII, XVII y XVI, Eduardo Matte, como el clarividente virrey del Perú en 1736 cuyo análisis hemos adoptado como epígrafe de este ensayo, puso correctamente el acento donde correspondía: el capital antes que la tierra.

Convengo con Véliz y los otros en que los tres —y con los industriales cuatro— grupos de intereses chilenos impidieron, en efecto, el desarrollo económico de Chile y obraron como obraron por las razones o intereses apuntados. Sin embargo, para ampliar nuestra comprensión del desarrollo y el subdesarrollo económico debemos hacer también las dos preguntas siguientes: primera, ¿por qué los intereses y actos combinados de terratenientes, dueños de minas, comerciantes o industriales no produjeron el mismo subdesarrollo en los casos de Inglaterra, los Estados Unidos y el Japón? Y segunda: ¿qué habría tenido que existir o hacerse para que estos grupos de Chile y de otros países subdesarrollados se sintieran inducidos a *desarrollar* y no a subdesarrollar sus países? Véliz, Pinto y Nolff no contestan la primera pregunta; a la segunda dan una respuesta inadecuada e imprecisa. Espero que mi tesis responda ambas preguntas de modo más aceptable o que, al menos, ofrezca una solución más fecunda del problema analítico que aquéllas plantean.

Mi tesis afirma que los intereses que llevaron al continuo subdesarrollo de Chile y al desarrollo económico de varios otros países fueron creados por la misma estructura económica que involucró a todos esos grupos; esto es, el sistema capitalista mundial. Este sistema se dividió en metrópolis centrales y satélites periféricos. Por su misma naturaleza, la estructura de este sistema debía producir intereses que subdesarrollaran a los países de la periferia, como Chile, una vez incorporados al sistema como satélites. Los grupos capitalistas más influyentes de la metrópoli chilena estaban comprometidos con las políticas que producían subdesarrollo en el país, porque su metrópoli era a la vez un satélite. Los grupos capitalistas análogos de la metrópoli mundial no se interesaban en políticas que produjeran el mismo subdesarrollo en su país (aunque lo produjera fuera de él), porque su metrópoli no era un satélite. Incluso el grupo predominante en el Japón, que llevó a ese país del no desarrollo en el período de Tokugawa al desarrollo después de la restauración de Meiji en 1868, no se enfrentó a presiones subdesarrollantes igualmente irresistibles, porque el Japón no había sido antes un país satélite.

La estructura metrópoli-satélite del capitalismo mundial, y la análoga conformación que produjo dentro de Chile, llevaron a los intereses capitalistas más influyentes de la metrópoli chilena a dar su apoyo a una estructura económica y a unos políticos que mantenían la explotación a que ellos mismos estaban sujetos por la metrópoli mundial. La razón por la cual aceptaron y defendieron su propia explotación es que

101

así podían continuar explotando al pueblo de la periferia chilena, a la que la misma metrópoli chilena expoliaba. De haber los grupos predominantes en Chile adoptado políticas que produjeran el desarrollo y no el subdesarrollo del país, habrían exportado, como los ingleses sabían, menos excedente económico a la metrópoli mundial; pero, como los periódicos de la metrópoli chilena señalaron, también habrían expropiado para sí mismos una menor proporción del excedente chileno. Después de todo, el excedente que tenían que dejar apropiar por la metrópoli mundial y el que ellos mismos podían apropiarse mediante la exportación de materias primas y la importación de manufacturas, era el mismo excedente económico que los grupos privilegiados de la metrópoli chilena y la metrópoli mundial expropiaban a la inmensa mayoría del pueblo chileno, que producía las materias primas pero no consumía las manufacturas importadas... y consumía cada vez menos de las primeras materias y los víveres que él mismo producía. La misma estructura y las mismas fuerzas operan en todas partes y se analizan en cuanto a los siglos XIX y XX, en el capítulo III: "Desarrollo del subdesarrollo capitalista en el Brasil".

Otra cosa ocurría en la metrópoli mundial. Allí los grupos gobernantes no tenían oportunidad, y mucho menos costumbre, de vivir bien gracias a políticas económicas que, como la importación de productos industriales, servirían para subdesarrollar a su país a la vez que desarrollaban a otro. Incluso en países como el Japón, donde eran mayores las susodichas oportunidades, el poder y los privilegios del grupo predominante no se apoyaban en una relación metrópoli-satélite (aunque después de la segunda guerra mundial eso habría de ocurrir también allí cada vez más). Al contrario, en la metrópoli mundial los intereses de ciertos grupos al menos —y en Inglaterra, los Estados Unidos, etc., de los grupos más decisivos— se apoyaban en relaciones económicas con el resto del mundo, particularmente con los satélites, que servían para desarrollar la metrópoli y generar subdesarrollo estructural en los satélites.

Cualquiera que haya sido el papel que la moralidad calvinista o católica, la mentalidad "burguesa", "seudo burguesa" o "feudal" y el "impulso" expansionista o no expansionista desempeñaran en la producción del desarrollo y del subdesarrollo, tales factores no fueron determinantes o decisivos sino, cuando más, derivativos y secundarios. Véliz, correctamente rechaza la mentalidad "feudal", o cualquier otra, como factor determinante de la producción o el mantenimiento de las posiciones económicas de la "seudo burguesía" terrateniente, minera y comercial del siglo XIX en Chile. Las políticas que seguían e imponían al país eran, como Véliz anota, el producto más bien de las circunstancias económicas de los tiempos y de la estructura económica que las producía. Es curioso, por tanto, que Véliz se refiera a la moral, la mentalidad y el impulso de la "verdadera burguesía" de Inglaterra y los Estados Unidos, puesto que estos factores no tuvieron en las metrópolis otro papel que el secundario o insignificante que él les asigna en el satélite chileno. Tanto en las metrópolis como en los satélites, la línea económica perseguida y el desarrollo y el subdesarrollo resultantes eran producidos por la estructura económica subyacente y a ella deben ser atribuidos. ¿Podemos sostener que, desde el punto de vista de Chile, los elementos esenciales de esa estructura del sistema capitalista han cambiado desde finales del siglo? No. Opino que Chile continúa siendo parte del mismo sistema capitalista, con sus mismas contradicciones fundamentales de la polarización y la apropiación del excedente. Lo nuevo en el siglo XX es que Chile está hoy más subdesarrollado y más dependiente que antes, y que cada vez se subdesarrolla más.

Aníbal Pinto, Max Nolff y, por inferencia, Claudio Véliz, proponen una respuesta para la segunda pregunta, o sea: ¿qué tendría que cambiar para que Chile cese de subdesarrollarse y en su lugar empiece a desarrollarse? Los mencionados autores asocian los intereses que la burguesía chilena y la metrópoli tienen en conjunto al hecho de que, una vez independiente, Chile optó por el desarrollo "hacia afuera", y proponen que ahora intente desarrollarse "hacia adentro". Pinto llega ahora hasta a sugerir, contradiciendo su libro, antes citado, que el subdesarrollo chileno no se debe ya tanto a las relaciones de Chile con el mundo exterior como a su estructura interna (Pinto, 1964).

No será posible examinar aquí en detalle ese razonamiento. Baste señalar que tanto el desarrollo hacia afuera como el desarrollo hacia adentro no son, como se reconoce, otra cosa que desarrollo capitalista. Nolff sugiere, por ejemplo, que lo que los Estados Unidos realizaron en el siglo XIX fue el desarrollo hacia adentro. Así, pues, tanto implícita como explícitamente estos autores sostienen que basta reformar la estructura capitalista para que Chile proceda a desarrollarse hacia adentro y, por ende, a eliminar el subdesarrollo, y se refieren a reformas como las que propuso Salvador Allende, el derrotado candidato presidencial del Frente de Acción Popular en 1964, cuyo programa económico para Chile fue preparado bajo la dirección del mismo Max Nolff. Mi tesis sostiene que esta solución del problema del desarrollo y del subdesarrollo es inadecuada e inaceptable. Evidentemente tales reformas no pueden o no se proponen eliminar la posición satélite de Chile respecto del sistema capitalista mundial o convertirlo en miembro metropolitano de ese sistema; ni la orientación del desarrollo hacia adentro está calculada, en realidad, para eliminar la condición satélite de Chile sacándolo del sistema capitalista sin convertirlo en metrópoli ni en satélite. El desarrollo hacia adentro apunta únicamente al mantenimiento de la posición satélite de Chile dentro del sistema capitalista mundial, aunque reduciendo la cantidad y proporción del excedente económico que se envía al exterior y canalizando una mayor porción de ese excedente hacia el desarrollo industrial y económico interno, mediante vías que en lo esencial no se diferencian de aquellas en que confió Balmaceda. Estos autores sugieren que es posible conseguirlo por medio de reformas gubernamentales bajo un régimen de elección popular.

Mi tesis sostiene que la propia condición de satélite de Chile y de otros países, como el Brasil (en torno a la cual se analizan este problema y la evidencia contemporánea con más detalle en otra parte de este libro) y por supuesto la estructura metrópoli-satélite del sistema capitalista mundial, no permiten el éxito o siquiera la adopción de las medidas propuestas por Pinto, Nolff y Véliz. Antes bien, mi tesis sugiere —y lo confirma la experiencia de Balmaceda y de otros que lo imitaron en el siglo xx, así como también la evidencia contemporánea disponible, incluyendo la de las elecciones de 1964, que ese camino lleva a una mayor dependencia satélite de la metrópoli y a un subdesarrollo más profundo del satélite chileno. Como veremos en mi breve estudio del siglo xx, Chile, subdesarrollado en tiempos de Balmaceda, estaba aún más subdesarrollado hacia el segundo período del primer presidente Alessandri, en los años 30, y todavía más subdesarrollado y más pobre en el primer gobierno del segundo presidente Alessandri, terminado en 1964. ¿Qué razón puede hacernos creer que la estructura metrópoli-satélite del capitalismo internacional y nacional, de mantenerse intacta, no hará a Chile aún más subdesarrollado y a la gran mayoría de su pueblo más pobre en los años venideros? Si mi tesis es correcta, no existe tal esperanza.

H. El siglo xx: amarga cosecha de subdesarrollo

Las contradicciones del desarrollo y del subdesarrollo capitalista continuaron agudizándose en el siglo xx en Chile, al igual que en los años anteriores, y engendrando desarrollo en la metrópoli y subdesarrollo en la periferia. Como en el pasado, el excedente económico de Chile fue expropiado y apropiado por la metrópoli mundial, ahora centrada en los Estados Unidos, y la estructura metrópoli-satélite capitalista se polarizó aún más, ensanchando la brecha entre la metrópoli y Chile en cuanto a poderío e ingresos y aumentando el grado de dependencia de éste respecto de aquélla. Al mismo tiempo, la polarización aumentó dentro de Chile, y la continua apropiación del excedente económico por los grupos favorecidos de la metrópoli nacional y ciertas metrópolis menores disminuyó los ingresos *absolutos*, y no digamos los relativos, de la mayoría del pueblo. Estas tendencias y resultados en el siglo XX se examinan aquí sucintamente, sin intención de duplicar los análisis más completos de la experiencia chilena reciente hechos por las Naciones Unidas y por otros autores, entre ellos algunos chilenos. Muchos problemas contemporáneos que son similares, se desarrollarán con mayor extensión para el caso de Brasil.

1. El sector "externo"

Se estima que del excedente económico producido por y en Chile, alrededor de 9.000 millones de dólares han sido expropiados-apropiados por la metrópoli capitalista mundial en el presente siglo; la suma es igual al valor de todo el capital fijo de Chile en 1964. No debe suponerse, claro está, que en ausencia de esta apropiación exterior del excedente el capital fijo de Chile sería sólo el doble del que es hoy, porque si el excedente económico producido por Chile hubiera podido ser invertido y reinvertido en la economía chilena a lo largo del siglo XX, el capital y los ingresos chilenos serían muchísimos más altos en la actualidad.

Desde que el cobre ocupó el lugar del salitre como principal producto de las exportaciones chilenas, las minas de cobre, hoy propiedad de intereses norteamericanos en un 90 por ciento, constituyen en nuestros días la fuente principal del excedente económico chileno de que se apropia la metrópoli capitalista. Según la OCEPLAN (Organización Central de Planificación, la oficina de planes económicos de la candidatura de Allende en la campaña electoral de 1964), la "gran minería" de propiedad norteamericana gana actualmente alrededor de 750 millones de escudos al año y remite al exterior unos 355 millones. Esto equivale, respectivamente, a unos 250 millones y 120 millones de dólares norteamericanos. Del total de las ganancias producidas por el cobre, el 47 por ciento va a ciudadános de los Estados Unidos, el 35 por ciento al gobierno chileno, el 13 por ciento a los mineros que lo producen, y el 5 por ciento a unos cuantos empleados de altos salarios. Al tratar de calcular esta y otras apropiaciones metropolitanas directas del excedente económico de Chile, y al medir la correspondiente pérdida chilena de cambio exterior, Novik y Farba, en *La potencialidad de crecimiento de la economía chilena. Un ensayo de medición del excedente económico potencial*, estiman que esta pérdida fue en 1960 de unos 108 o unos 190 millones de dólares, según la base de medición que se empleó (Novik, 1963: 16-24). Estas sumas representan, respectivamente, el 20 y el 34 por ciento de la importación total de Chile en ese año. En el momento de escribir esto, la prensa informa que la diferencia por libra entre el precio del cobre controlado en forma monopolista por el ficticio mercado de Nueva York, que las compañías norteamericanas utilizan para calcular las regalías del cobre pagaderas a Chile, y el precio en la bolsa del cobre de Londres, asciende a $ 0.20. A las tasas actuales de producción y *regalías*, cada centavo de esta diferencia representa 9 millones de dólares que Chile deja de recibir.

La magnitud de lo que Chile pierde por la apropiación extranjera directa de su excedente económico puede apreciarse también en los siguientes términos: las actuales remesas al exterior suman 150.000.000 de dólares, y los pagos por la deuda exterior una cantidad igual, o sea un total de 300 millones de dólares al año; compárese esta cifra con los 350 millones del déficit de la balanza de pagos chilena, o con los 450 millones de ganancias en divisas que le producen sus bienes de exportación. La deuda de Chile en divisas (la deuda exterior más esa parte de la deuda interior que debe ser pagada en dólares), contraída por las razones que se indican abajo, totaliza 2.430 millones de dólares de Estados Unidos. Suponiendo un interés anual del 4 % y una amortización en 20 años sin incurrir en nuevos débitos, para financiar esta deuda se requerirían pagos anuales por valor de 300 millones, o sea el doble de los pagos actuales, ya prohibitivamente altos. Es inevitable, sin embargo, que Chile contraiga nuevas obligaciones exteriores para llevar a cabo sus programas económicos reales y propuestos dentro de la estructura capitalista contemporánea. (OCEPLAN, 1964: 31-33.)

La apropiación metropolitana del excedente económico chileno, que es a la vez causa y efecto de la relación metrópoli-satélite, no es sino un aspecto de la preponderancia metropolitana y la dependencia chilena. En cuanto a lo que se refiere a la generación de subdesarrollo estructural, la creciente incapacidad de Chile para producir todo el excedente económico invertible que su potencial le permite, es, en esencia, más importante que su pérdida real de excedente en beneficio de la metrópoli, a causa de su estructura metrópoli-satélite capitalista y su creciente dependencia dentro de ella. La posición de Chile respecto de la metrópoli quedó en creciente desventaja con la desaparición, después de 1926, de sus exportaciones de trigo (sector de su economía en que Chile, al menos, era dueño de los medios de producción, aunque no controlase el mercado o gran parte de la comercialización) y la drástica reducción de sus exportaciones de nitrato (sector en que, aunque no poseía muchos de los medios de producción, monopolizaba en cierto grado al mercado mundial). En el siglo XX, estos productos de su exportación han sido progresivamente reemplazados por el cobre, producto o renglón en que Chile no posee los medios de produccción ni controla el mercado, y su parte de la producción mundial no sólo no es preponderante, sino que es cada vez más pequeña. Al mismo tiempo excepto durante los breves períodos de guerra, Chile, como casi todos los países subdesarrollados, ha adolecido de una continua y marcada declinación en los términos de intercambio.

La economía chilena depende crecientemente de los intereses y veleidades de la economía metropolitana, y cada vez es más sensible a ellos. Los intereses de la metrópoli extranjera, mediante su posesión y control del sector de la exportación cobrífera chilena, ejercen hoy sobre Chile un grado de influencia económica, y no digamos política, mayor que el que tuvieron sus precesores. La economía chilena y su desarrollo potencial padecen cada vez más por el desarrollo contradictorio de la economía capitalista, entremezclada y dependiente de la economía capitalista mundial que dirige la metrópoli. Habiendo sido productor de equipo esencial en el siglo XIX, Chile tiene que importar hoy el 90 por ciento de lo que invierte en instalaciones y equipos. Físicamente dotado de vastos recursos en carbón mineral, petróleo e hidráulicos, Chile, no obstante, tiene que importar combustibles. Habiendo sido en otro tiempo uno de los mayores exportadores de trigo y productos pecuarios, hoy depende en sumo grado de la importación de víveres de la metrópoli. En 1950-54, Chile tuvo que importar de los Estados Unidos un promedio anual de $ 90 millones en comestibles, principalmente trigo, carne y derivados lácteos, que una vez fueron y todavía podrían ser producidos en Chile. Hacia

107

1960-1963 el promedio anual de la importación de víveres había subido a 120 millones (OCEPLAN, 1964: 54). Esta suma debería compararse con los 450 millones de ganancias en divisas que Chile obtiene de todas sus exportaciones de mercancías. Las necesidades chilenas de alimentos importados subirán a unos 200 millones de dólares anuales en 1970, ritmo de crecimiento que, como en el pasado, es considerablemente mayor que el de los ingresos por las exportaciones. Esto significa que una proporción cada vez más grande de la ya insuficiente disponibilidad de divisas de Chile tendrá que ser destinada a la importación de víveres.

La experiencia de Chile en el siglo XX revela de modo dramático las consecuencias contrarias al desarrollo y generadoras del subdesarrollo que resultan de su participación en la estructura metrópoli-satélite del sistema capitalista mundial. Chile fue uno de los países más fuertemente golpeados por la depresión de los años 30, y su capacidad para importar cayó de un índice de 138,5 en 1928 a 26,5 en 1932. A despecho de su posterior recuperación parcial y de todos los serios esfuerzos hechos desde entonces en el campo de la producción industrial, la disponibilidad per cápita de mercancías continuaba en 1950 por debajo del nivel de 1925 (Johnson, 1964). Desde entonces ha declinado todavía más, y los ingresos reales de la gran masa de personas de bajas entradas han disminuido.

Estas no son consecuencias chilenas de una recuperación inadecuada de la economía capitalista en el nivel mundial. Por lo contrario, como lo indica nuestro examen de la historia económica chilena, la recuperación misma de la metrópoli ha sido siempre la que ha detenido el desarrollo de Chile y de otros satélites. Estimulada por la depresión y por la menor importación de productos industriales a causa de la guerra, la producción industrial chilena aumentó un 80 por ciento entre 1940 y 1948, pero sólo un 50 por ciento entre 1948 y 1960. Esto es, en el anterior período de ocho años la tasa de crecimiento anual no acumulativa de producción industrial fue del 10 por ciento, y en los doce años posteriores a la recuperación metropolitana, dicha tasa descendió al 4 por cento. Desde 1960 la tasa ha bajado a cerca de cero, y a veces ha sido negativa.

Tanto el sector público como el privado revelan creciente incapacidad para generar desarrollo económico o siquiera para detener la profundización del subdesarrollo. La gran dependencia de los ingresos fiscales de las recaudaciones por la exportación del cobre hace que el presupuesto y la capacidad del gobierno para financiar inversiones de capital y desembolsos corrientes sean muy sensibles a la producción de cobre en Chile, a la venta del mineral en el exterior y a la manipulación monopolística controladas desde la metrópoli. Toda declinación cíclica o permanente de las ganancias que Chile deriva del cobre pone en serio aprieto al presupuesto oficial y obliga al gobierno a depender de empréstitos externos o internos, todos inflacionarios, en un vano empeño de mantener sus inversiones de capital o sus desembolsos corrientes. Este recurso inflacionario, especialmente a través de la deuda externa, pone a Chile en una dependencia aún mayor de la metrópoli. Como precio político de esta dependencia, la metrópoli obliga a Chile a continuar —e incluso a iniciar otros nuevos— programas políticos y económicos nacionales que entorpecen aún más la capacidad del país para desarrollarse y profundizan más todavía su subdesarrollo estructural y su dependencia. La creciente incapacidad de Chile, debida a la contradicción capitalista metrópoli-satélite, para producir y satisfacer sus propias necesidades, ha conducido ya a la total dependencia chilena del financiamiento externo de su presupuesto de gastos de capital, y está conduciendo rápidamente también a su dependencia externa para financiar una parte cada vez mayor del presupuesto de gastos corrientes. Esta circunstancia y tendencia alarmantes aumenta la significación de la pérdida anual chilena, a manos de la metrópoli, de 300 millones de dólares (la mitad a cuenta del cobre), siendo de 350 millones el actual déficit de la balanza de pagos.

El sector privado industrial, el comercial y, en ciertos renglones, también el agrícola, son igualmente víctimas de la posición satélite de Chile, cada vez en mayor medida; por lo menos, la dependencia y el subdesarrollo de estos sectores están asumiendo formas modernas crecientemente alarmantes. Hoy día la industria de Chile es "arruinada por lo que hace a otros prosperar", en cuanto a la tasa de crecimiento de su producción. El 90 por ciento de las inversiones chilenas en fábricas y equipos consiste hoy en importaciones. Máquinas, combustibles y alimentos componen casi el total de las actuales importaciones chilenas de bienes. Esto sugiere que, a excepción de los comestibles, los bienes de consumo de Chile son casi totalmente producidos en el país, y así es en realidad. La observación superficial podría hacer pensar que esto refleja un saludable desarrollo de la sustitución de las importaciones, al menos, el sector de los bienes de consumo producidos por las industrias ligera y mediana. Pero la realidad es que la producción y, en muchos sentidos, hasta el financiamiento y la comercialización de los bienes de consumo industriales de Chile y otros países subdesarrollados son crecientemente dominados por la metrópoli y dependen cada vez más de ella. La mecánica y la organización de esta tendencia reciben particular atención, con respecto al Brasil, en el capítulo V y en Frank, 1963 a. y 1964 b.

Baste sugerir aquí que, a través de filiales de corporaciones metropolitanas, de empresas conjuntas metropolitano-chilenas, de concesiones de licencias, de marcas comerciales y patentes, de agencias publicitarias pertenecientes a la metrópoli o controladas por ella, y de multitud de otros arreglos institucionales, buena parte de la industria chilena de bienes de consumo está llegando a tener una dependencia de carácter satélite de la metrópoli cada vez mayor. Esta satelización directa de la industria de bienes de consumo aumenta a su vez, la dependencia satélite de la economía chilena en su conjunto, porque la hace depender de la metrópoli no sólo en cuanto al suministro de mercancías esenciales y otros elementos de su producción industrial, sino también hasta en la selección de aquellas importaciones cuya especificación ha sido impuesta ya a la economía chilena por el diseño metropolitano del producto final y su proceso de fabricación. Al mismo tiempo, la metrópoli se apropia el excedente económico producido por la industria chilena, mediante regalías, servicios, etcétera. Para toda la América Latina, el desembolso por estos "servicios" extranjeros constituye el 61 por ciento de todos sus ingresos en divisas (Frank, 1965 a.). El OCEPLAN concluye a este respecto:

El crecimiento de la industria no ha sido suficiente para jugar un papel verdaderamente activo en la sustitución de importaciones... Entre 1954 y 1963, por ejemplo, las importaciones industriales aumentaron desde 226,2 a 477,1 millones de dólares, es decir, más del doble (un aumento de 110 %), en tanto que la producción industrial interna aumentó en menos de 50 %. No puede, pues, atribuirse el lento crecimiento industrial exclusivamente a limitaciones del mercado nacional, puesto que hubo en ese período una expansión de la demanda interna que tuvo que atenderse con mayores importaciones... Aún más, esa falta de repuesta no sólo se dio en el abastecimiento de medios de producción —cuyas importaciones crecieron en más de 120 %—, sino también en el de bienes de consumo, en que el aumento de importaciones fue del orden del 85 %. Con tales tendencias, la economía chilena no ha disminuido, sino que ha aumentado su vulnerabilidad respecto del sector externo (dice interno, seguramente por un error tipográfico). De las importaciones depende hoy día no sólo el abastecimiento de una serie de productos de consumo esencial, sino también de materias primas y productos intermedios que son fundamentales para mantener la actividad de la propia industria, así como la mayor parte de los bienes de capital necesarios para acrecentar nuestra capacidad productiva en todos los sectores de la economía (OCEPLAN, 1964: 73).

2. El sector "interno"

Las contradicciones capitalistas de la estructura metrópoli-satélite y de la expropiación apropiación del excedente han dominado y determinado también la experiencia nacional e interna de Chile en el siglo XX. La polarización aumenta, el desarrollo económico de la metrópoli nacional es más estructuralmente limitado o subdesarrollado, y la estructura de la periferia interna se subdesarrolla cada vez más desesperadamente. La apropiación capitalista del excedente y la estructura metrópoli-satélite en general caracterizan las relaciones económicas internas de Chile no menos que las externas. En consecuencia, la distribución del ingreso es cada vez más desigual y el ingreso absoluto de la mayoría del pueblo chileno disminuye.

La distribución funcional, personal y regional del ingreso atestigua la creciente polarización de la economía y la sociedad chilenas. Alrededor de 400.000 propietarios, gerentes, socios y familiares, o sea menos del 5 por ciento de la población total, reciben los siguientes porcentajes de ganancias en los sectores de la economía que se citan: agricultura latifundista (unas 2.000 familias), 66 por ciento; bienes raíces urbanos, 66 por ciento; industrias grandes monopolizadas (correspondientes al 25 por ciento de la producción industrial), 80 por ciento; industrias pequeñas, 67 por ciento; construcción, 75 por ciento; gran comercio y finanzas, 75 por ciento; pequeño comercio, al por menor en su mayoría, 33 por ciento. En proporción a su número, la mayor parte del resto pasa a los empleados, y lo que queda es el ingreso de los trabajadores que producen este excedente económico (OCEPLAN, 1964; II, 6-9).

Como resultado de la apropiación del excedente en éstos y otros sectores de la economía chilena, la distribución personal de los ingresos, en porcentajes redondos, es como sigue: el cinco por ciento de la población, constituido principalmente por capitalistas urbanos, recibe el 40 por ciento del ingreso nacional; el veinte por ciento de la población, empleados urbanos en su mayoría, recibe el 40 por ciento; el cincuenta por ciento de la población, fundamentalmente trabajadores urbanos de la industria y el comercio, el 20 por ciento; el treinta por ciento de la población, principalmente trabajadores agrícolas, el 5 por ciento. Esto es, la cuarta parte relativamente improductiva de la población recibe tres cuartas partes del ingreso nacional. (Las cifras exactas, sin redondear, son como sigue: 4,7 por ciento de la población, 39,3 por ciento del ingreso; 18,6 por ciento de la población, 37,7 por ciento del ingreso; 47,7 por ciento de la población, 18,9 por ciento del ingreso, y 29 por ciento, 4,1 por ciento del ingreso (OCEPLAN, 1964: II, 10).

No se dispone de datos en cuanto a Chile, de la distribución regional (metrópoli-satélite) de los ingresos, pero el OCEPLAN comenta:

> A la enorme desigualdad en la distribución del ingreso por sectores económicosociales se añade otro aspecto que hasta ahora las informaciones estadísticas oficiales han silenciado cuidadosamente: el de la distribución del ingreso entre las distintas regiones del país. Pese a la falta de información concreta, no cabe duda que las disparidades son también muy grandes en este sentido. La excesiva concentración del desarrollo industrial es uno de los factores determinantes de la disparidad, pero no es el único, ya que operan al mismo tiempo una serie de canales a través de los cuales se transfiere el ingreso generado en las provincias merced al esfuerzo de sus habitantes. Del producto generado en la zona norte, una parte importante se transfiere al exterior en forma de utilidades de las grandes empresas extranjeras, y otra al gobierno central por medio de la tributación directa, de la que sólo una proporción muy pequeña queda a beneficio regional. De igual manera, del esfuerzo desplegado en las provincias agrícolas aprovecha menos el productor local —que recibe apenas una fracción del precio a que en definitiva se venden sus productos al consumidor final— que el gran intermediario que opera desde los principales centros urbanos; además, el ingreso del propietario latifundista no queda en la región, sino que se gasta en su mayor parte en la metrópoli o en el extranjero. Toda la tributación directa e indirecta significa un flujo de ingresos desde las provincias al poder central, del que sólo parte vuelve a la región en forma de servicios e inversiones públicas. (OCEPLAN, 1964: 13).

La expropiación-apropiación del excedente económico de los satélites periféricos por la metrópoli nacional chilena y algunas metrópolis provinciales está fuera de duda. Sobre la base de un ingreso nacional chileno, en el año de 1960-1961, de unos 3700 millones de escudos, equivalentes entonces a unos 3700 millones de dólares, Novik y Farba calculan la pérdida del excedente en concepto de la distribución de ingreso, del desempleo, de la producción industrial y agrícola, y la pérdida del excedente en divisas, como sigue: la apropiación "distribucional" del excedente económico, estimada sobre la base de las ganancias recibidas en exceso del ingreso anual de receptores medios, fue de 1380 millones de escudos de 1961; estimada sobre la base del exceso sobre las entradas de receptores bajos, fue de 1870 millones de escudos de 1961. Esta pérdida de excedente económico potencialmente invertible representa el 37 y el 50 % del ingreso nacional total, respectivamente. La pérdida de excedente económico potencial debida al desempleo se estima en 510 millones de escudos de 1961; la pérdida debida a la producción industrial por debajo de la capacidad se calcula en 295 millones o 238 millones de escudos de 1960, dependiendo del procedimiento de computación que se utilice, o sea el 6 y el 5 % de la producción industrial respectivamente, lo que le parece a quien esto escribe una estimación muy baja. La pérdida de excedente económico potencial debida a la producción agrícola inferior a la potencial es de 94 millones de scudos de 1960. El excedente de 108 ó 190 millones de dólares de Estados Unidos en divisas se citó anteriormente. (Novik, 1964: 16-24.)

Dado que estas estimaciones sobre el excedente económico potencial perdido por la economía chilena necesariamente se superponen en alguna medida (especialmente la primera con las otras tres), no sería legítimo limitarse a sumarlas para calcular el total del excedente económico invertible que Chile pierde a causa del monopolio y la expropiación. No obstante, para tener una idea del orden de magnitudes implicado conviene observar que, si bien el primer excedente fluctúa entre el 37 y el 50 por ciento del ingreso nacional, a causa de la mala distribución de las ganancias la suma de excedentes que se pierden en desempleo, producción y divisas monta aproximadamente a otro 30 por ciento de todo el ingreso nacional de Chile.

Aún más grave y notable que esta apropiación y pérdida contemporáneas del excedente económico en razón del monopolio capitalista y el consumo excesivos es, quizás, la inconfundible tendencia que a lo largo del siglo XX agrava esta concentración de ganancias y polariza aún más la estructura metrópoli-satélite interior. Aunque no se dispone (y ello no es sorprendente) de datos precisos, los investigadores chilenos serios apenas dudan que el consumo de alimentos entre los grupos rurales y urbanos de bajos ingresos ha disminuido desde el siglo XIX. Entre 1940 y 1952 los ingresos de los asalariados parecen haber disminuido en vista del hecho de que la reducción en 28 por ciento de su parte del ingreso nacional excede con mucho la declinación de 10 por ciento en su número en cuanto a fuerza de trabajo (Johnson, 1964: 55). A su vez, entre 1953 y 1959, aunque la parte del ingreso nacional que los patronos recibieron subió del 45 por ciento al 49, la de quienes perciben ingresos medios bajó del 26 al 25 por ciento, y la parte de los obreros continuó descendiendo, ahora del 30 al 25 por ciento (Pinto, 1964: 18). Además, el poder adquisitivo del salario mínimo legal, en pesos de 1950 (que iguala o excede el salario de aproximadamente la mitad de los asalariados de Chile) cayó de 3.958 pesos en 1954 a 3.098 pesos en 1961. Mientras tanto, el salario real medio de los empleados públicos bajó de un índice de 122 en 1955 a 82 en 1961 (Pinto, 1964: 16-17).

Apenas puede dudarse que la inflación y otras políticas que sacrifican los intereses de los trabajadores y asalariados a los de los propietarios que expropian una parte cada vez mayor de la plusvalía de los productores (para no mencionar los impuestos crecientemente regresivos, cuyo impacto no se incluye en las medidas antedichas), producen la continua declinación del ingreso absoluto de los receptores de bajos ingresos o sea de la mayoría de la población. Este real descenso de las ganancias de los pobres no debería confundirse con el muy citado pero ficticio incremento resultante del promedio estadístico de los ingresos *per capita*. Ello es evidente si observamos que aunque el tan citado ingreso *per capita* subió de un índice de 100 a uno de 118, la relación entre el salario mínimo legal y el ingreso *per capita* (la cual refleja mucho más exactamente las entradas de la mayoría pobre, aunque también las exagera) declinó de un índice de 100 a uno de 69 (Pinto, 1964: 17).

La muy alarmante polarización del ingreso y de la expropiación-apropiación del excedente arriba estudiado es al mismo tiempo efecto y causa de la estructura capitalista metrópoli-satélite y de sus contradicciones en Chile. Rebasando la más obvia polarización ciudad-campo, esta estructura de metrópoli-satélite caracteriza también por entero a los sectores urbanos y rurales tomados separadamente. Me limitaré aquí a unas breves observaciones.

Un rasgo particularmente notable de la economía chilena contemporánea, en especial de su sector urbano, es su distribución del trabajo entre los distintos sectores. Todas las actividades agrícolas, mineras e industriales (los sectores primario y secundario), en conjunto, representan sólo el 40 por ciento de la fuerza de trabajo empleada. El 60 por ciento restante de las personas empleadas en la economía en general, y probablemente un porcentaje aún mayor de su sector urbano, deben atribuirse al sector terciario, el de los servicios. Lejos de ser una señal de desarrollo, como la lectura de Sir William Petty y Colin Clark pudo habernos llevado a creer alguna vez, esta estructura y distribución reflejan el subdesarrollo estructural de Chile: el 60 por ciento de los empleados, sin hablar de los cesantes y los subempleados, "trabajan" en actividades que no producen bienes... en una sociedad que obviamente carece en alto grado de tales bienes.

Una gran proporción del empleo (aunque no, claro está, del ingreso) en la parte no gubernamental del sector terciario puede ser atribuida a los ocasionalmente empleados y semi-auto-empleados "capitalistas de centavos" de las ciudades (quienes trabajan con menos capital del que disponen los campesinos de Guatemala, a quienes Sol Tax designó así por primera vez). Son ellos, así como también una parte de los trabajadores del sector secundario, particularmente los de la construcción, los que componen el grueso de la flotante población urbana de las *callampas* (barrios de indigentes) y los menos notorios pero no necesariamente menos inadecuados *conventillos* (casas de vecindad). De esta población urbana flotante y de su contraparte rural, que también suministra su porción de emigrantes, se dice a menudo que no están integradas en, o que están al margen de la economía o de la sociedad. Lejos de no estar integradas, empero, están plenamente incorporadas y constituyen el producto necesario de una economía capitalista metrópoli-satélite subdesarrollada cuya extremada estructura monopolista caracteriza a su mercado del trabajo no menos que al de productos. La existencia de estas funciones económicas en una economía como la de Chile es resultado de las contradicciones y de la estructura expoliadora del sistema capitalista. Como consumidores, estos pobres son más explotados que nadie por las metrópolis mercantiles grandes y pequeñas de las que son satélites: por ejemplo, la vivienda, los comestibles de baja calidad y otros bienes de consumo cuestan más en los lugares a que aquéllos tienen acceso que las correspondientes mercancías de alta calidad que adquieren los compradores de ingresos medios y altos en otras áreas. Cuando se las ingenian para conseguir empleos que les permiten producir algo, son también explotados, como productores, en grado más alto que cualesquiera otros miembros de la población. Como consumidores y como presuntos productores, estas partes supuestamente "marginales" o "no integradas" de la población sufren en grado máximo la explotación monopolista, y al tener menos elasticidad de demanda como compradores, y de oferta como vendedores, son los más explotados. (El tema se discute con más detalle en Frank, 1966 b).

La otra cara de esta misma estructura capitalista de metrópoli-satélite es la organización sumamente monopolista del comercio y la industria. Una parte desmesuradamente grande del producto expropiado al productor y al consumidor se la apropia el intermediario. "Por cada 1000 pesos gastados en comida, 400 se pagan por gastos de comercialización que no benefician al productor, sino que van a los intermediarios, de quienes reciben la mitad los comerciantes de altos ingresos. Esta situación es particularmente seria para las personas de ingresos moderados que viven en las grandes áreas urbanas: los costos de la comercialización de los alimentos que compra la familia de un obrero absorbe el 26 por ciento de sus entradas" (OCE-PLAN, 1964: II, 17). O sea, la relación metrópoli-satélite caracteriza a todo el sector comercial: los muchos comerciantes pequeños explotan al consumidor y son explotados a su vez por los menos numerosos comerciantes medianos, quienes son explotados a su vez por las pocas grandes firmas comerciales que se quedan con la mitad del excedente apropiado a lo largo de la pirámide explotadora.

La industria manufacturera adolece, en esencia, de la misma estructura y de las mismas contradicciones. La producción (así como la importación) de artículos industriales se limita, esencialmente, a abastecer al mercado de altos ingresos. A causa de esta restricción del mercado, entre otras, la industria se limita principalmente a producir bienes de consumo. Los equipos de capital sólo representan el 2,7 por ciento de la producción industrial chilena. Es típica la subutilización de la capacidad productiva, como se demostró en los períodos de guerra y durante la depresión de los años 30, cuando las instalaciones existentes aumentaron aguda y rápidamente la producción de manufacturas. Nuestra familiar constelación metrópoli-satélite se reproduce constantemente en el sector industrial por la existencia o el establecimiento de algunas plantas o empresas grandes, modernas y eficientes rodeadas de una hueste de talleres pequeños, anticuados e ineficientes, o de firmas cuya dependencia de las grandes para obtener mercados, materiales, créditos, comercialización, etc., las convierte en satélites de éstas.

Pudiera pensarse que esta pauta refleja el crecimiento "natural" de las empresas o fábricas grandes y modernas, cuya competencia derrota y reemplaza gradualmente, pero todavía no por completo, a los pequeños talleres anticuados. La realidad, empero, es que el crecimiento de la producción fabril, cuando ocurre, se explica mucho más por el establecimiento de *nuevos* talleres pequeños y "anticuados", de incierta supervivencia, que por el de nuevas empresas y fábricas "modernas". (A este respecto véase, por ejemplo, *El desarrollo social de América Latina en la postguerra*, Comisión Económica para la América Latina. Naciones Unidas, 1962, 59-60). Estas grandes empresas, en especial las extranjeras, que gozan de mayores ventajas financieras, técnicas, comerciales, políticas y otras, se apropian del excedente económico producido en los talleres y empresas satélites pequeñas, como otras metrópolis hacen con sus satélites.

La misma estructura y las mismas contradicciones aparecen en el sector agrícola y comercial rural. La bien conocida impotencia de la agricultura para suministrar los alimentos necesarios, dramatizada en el caso de Chile por el paso de la exportación a la importación de comestibles básicos, no se debe tanto a la falta de penetración capitalista o mercantil de un campo supuestamente arcaico o feudal, como a la incorporación de la agricultura en la estructura monopolista metrópoli-satélite del sistema capitalista nacional y mundial. Esta integración de la agricultura en la economía general es, y ha sido desde el siglo XVI, no solamente comercial, por la vía de la venta y de la compra, sino que también toma la forma de vínculos de propiedad y control con los restantes sectores de la economía. A falta de similares datos específicos para Chile (aunque *La concentración del poder económico en Chile*, de Ricardo Lagos, ofrece una idea general), me refiero a algunos datos impresionantes del Perú, al que a menudo se considera aún más "feudal" que Chile. De las 45 familias y corporaciones representadas en la Junta de Directores de la Sociedad Nacional de Agricultura de ese país, el 56 por ciento son accionistas importantes de bancos y compañías financieras, el 53 por ciento poseen acciones en compañías de seguros el 75 por ciento son propietarios de compañías dedicadas a la construcción urbana o a los bienes raíces, el 56 por ciento tienen inversiones en empresas comerciales y el 64 por ciento son accionistas importantes de una o más compañías petroleras (Malpica, 1963: 224).

Creo que un examen detallado de la estructura monopolista metrópoli-satélite de la economía (y de la agricultura dentro de ella), demostraría, como sugiero en mi estudio de la agricultura brasileña, que la escasez de alimentos, en términos de necesidades, si no de demanda efectiva, puede y debe atribuirse en lo esencial a la reacción productiva y comercial ante esta misma estructura monopolista del mercado. Las observaciones de Borde y Góngora sobre el valle del Puangue sugieren que la expansión y contracción de la producción agrícola y el abandono de un cultivo o producto pecuario por otro a través del tiempo fueron, en verdad, notablemente sensibles a los incentivos del mercado (Borde, 1956). Si la producción agrícola no crece como quisiéramos, ello se debe al hecho de que los que controlan los recursos potencialmente utilizables para una mayor producción agrícola, los canalizan hacia otros usos. No proceden así porque residan fuera del mercado capitalista o porque éste les tenga sin cuidado, sino, al contrario, porque así les lleva a hacerlo su integración en el mercado. Si el 40 por ciento del excedente económico que produce la agricultura puede expropiarse mediante la comercialización monopolizada; si la tenencia de tierra es útil para especular, para obtener créditos, para evadir los impuestos, para tener acceso a la oferta de productos agrícolas o a la limitación de ésta para beneficiarse de la comercialización de tales productos a través de canales de venta monopolizados; si el capital obtiene considerablemente mayores ganancias en los bienes raíces urbanos, el comercio, las finanzas e incluso en la industria, no nos debería sorprender entonces que quienes pueden aumentar o disminuir la producción agrícola no la incrementen con rapidez. Antes bien, que los terratenientes de Chile, como los de la junta de directores de la Sociedad Nacional de Agricultura del Perú, trasladan sus capitales de donde ganan menos a donde ganan más o donde pueden consumirlos con más facilidad. Como a lo largo de la historia ha ocurrido desde el siglo XVI, cuando la agricultura es relativamente un mal negocio, como ocurre ahora, estos capitalistas, hasta donde les es posible, no utilizan su tierra para ayudar a los hambrientos produciendo más alimentos, sino para ayudarse a sí mismos haciendo mejores negocios en otros sectores transitoriamente más lucrativos de la economía.

Aunque los testimonios no abundan ni han sido estudiados adecuadamente todavía, parece que el *inquilino* empresarial que fue un pequeño satélite en el siglo XVII y que fue convertido en peón arrendatario o trabajador asalariado en el XVIII y el XIX por el ímpetu de la expansión agrícola, vuelve a reaparecer en el siglo XX en algunos lugares. Reaparece dirigiendo una pequeña empresa agrícola a la sombra de la hacienda cuya tierra utiliza y cumple sus obligaciones laborales para con el terrateniente poniendo otro hombre cuyo trabajo alquila por un jornal. (Véase al respecto a Baraona, 1960). Mi hipótesis es que este fenómeno debe atribuirse al renovado decaimiento de la rentabilidad relativa de la producción agrícola después de dos siglos de tiempos relativamente mejores. Esta hipótesis parece confirmarse en parte por la mayor frecuencia de la aparición del inquilinaje en aquellas tierras que, por razones geográficas, topográficas o económicas, son menos rentables que otras sobre cuyo uso mantienen sus poseedores un control más directo. La aparición en este nivel de una micrometrópoli apretadamente introducida entre los terratenientes y los trabajadores agrícolas, así como también la proliferación de vendedores ambulantes y otros capitalistas de centavos de las ciudades, no debería tomarse como indicio de un crecimiento económico portador de mejores perspectivas de negocios. Antes bien, parecería ser el resultado de un decrecimiento económico. Además, el "auge" de estos pequeños empresarios tampoco significa que el grado de polarización económico-social de la sociedad esté disminuyendo hoy. Al contrario, tanto la oportunidad como la necesidad económica reflejadas por la inserción de esta micrometrópoli-satélite en la estructura metrópoli-satélite de la economía en general, reflejan, a su vez, la pobreza aún más grande de la masa de trabajadores sin tierras, que sirve a su vez como fuente de mano de obra a los pequeños empresarios, y la decadente fortuna de los terratenientes y comerciantes medianos, así como también del pequeño pueblo rural. Reflejan, pues, la creciente polarización de la economía y sociedad capitalistas, chilena y mundial, en el siglo XX.

I. Conclusiones e implicaciones

Nuestro examen de la historia chilena demuestra que fue el capitalismo, con sus contradicciones internas, el que generó el subdesarrollo de Chile y determinó sus formas; que esto es hoy tan cierto como ayer; que el subdesarrollo de Chile no puede atribuirse a la supuesta supervivencia parcial de una estructura feudal que nunca existió en todo, ni en parte. A nivel nacional, el poder ha estado siempre en las manos de una burguesía que estaba y está íntimamente ligada a los intereses extranjeros, que era y es principalmente comercial y que se apropiaba y se apropia del excedente económico de todos los sectores importantes de la economía. En Chile este poder nunca se ha sustentado, directa y principalmente en la propiedad de la tierra, aunque su posesión o control monopolista y sus nexos con otros sectores de la economía han hecho, por supuesto, contribuciones importantes a la apropiación burguesa del excedente económico y a su posesión del poder político. El Estado chileno y sus instituciones, democráticos o no, han sido siempre uña y carne del sistema capitalista chileno y mundial y un instrumento de la burguesía. Hemos observado —y esto es importante para comprender a Chile y a otros países subdesarrollados— que tanto la "burguesía nacional" como su "Estado nacional" han sido siempre, y son cada vez más, partes integrantes de un sistema capitalista mundial en el que constituyen, fundamentalmente, un satélite o una burguesía y un Estado "subdesarrollados". Es así como la burguesía y el Estado satélite "nacional" se turnaron y siguen siendo dependientes de la metrópoli capitalista mundial, cuyo instrumento han sido y siguen siendo para la explotación de la periferia.

Esta realidad del capitalismo —de sus contradicciones, del desarrollo y del subdesarrollo— nos impone importantes tareas en el campo de la teoría y la investigación científicas y en el de la estrategia y la táctica política. Debemos formular una teoría científica que sea capaz de englobar y explicar la naturaleza, las contradicciones y el desarrollo y subdesarrollo históricos de este proceso y este sistema mundial en su conjunto, y debemos realizar investigaciones con vistas a formular tal teoría. Ha sido mi intención en este ensayo y los siguientes contribuir en lo posible al logro de ese objetivo. Los cambios institucionales y demás transformaciones importantes de que ha sido testigo la historia chilena han ocurrido, todos, *dentro* de esta estructura capitalista que impera en Chile y en la mayor parte del mundo, y han servido para exagerar y fortalecer las contradicciones estructurales del capitalismo. Si he acentuado estos cambios institucionales en el presente ensayo, ha sido para llamar la atención sobre la continuidad estructural del capitalismo y sus efectos en la historia de Chile. Las transformaciones históricas de las instituciones y la realidad de Chile y otros países subdesarrollados, así como también su impotencia para cambiar en las formas y direcciones más deseables, sólo pueden ser adecuadamente comprendidas en el marco de esta continuidad, dentro del contexto de esta contradicción capitalista del cambio continuo. (Sin negar esta continuidad, he prestado más atención a la trasformación del sistema capitalista en el ensayo sobre Brasil.)

El curso de la historia, en Chile y en el mundo, se ha caracterizado por una secular tendencia a la polarización, tanto internacional como nacionalmente, y el grado de interdependencia —la medida de la dependencia del satélite— ha aumentado conjuntamente. La brecha entre la metrópoli y Chile, en poder, riqueza e ingreso y, lo que es más importante, quizás, en capacidad política, económica y tecnológica para el desarrollo de la economía, se ha ensanchado notablemente con el tiempo y continúa ensanchándose. Al mismo tiempo, Chile, su metrópoli y su burguesía se han hecho cada vez más dependientes de la metrópoli exterior en lo político, lo económico y lo tecnológico. No sólo su comercio, agricultura y minería ayer, sino también hoy su industria están siendo económica, tecnológica e institucionalmente integrados en la metrópoli capitalista mundial, de la que aquéllos se convierten cada vez más en sectores satélites dependientes. Si en otro tiempo pudo haber surgido una burguesía "nacional" industrial relativamente independiente y con miras nacionalistas (aunque es difícil sostener que, en efecto, surgió), tal eventualidad es cada vez más improbable e imposible mientras la industria y los industriales chilenos continúan dependiendo cada vez más de la metrópoli en materia de financiamiento, comercialización, bienes de producción, tecnología, diseño, patentes, marcas comerciales, licencias... todo, cuanto se relaciona con la producción "industrial" ligera o ensambladora de piezas importadas.

Pudiera parecer que el subdesarrollo y la polarización de Chile serían mitigados o incluso anuladas por el ascenso de la clase media. Lejos de eso, la "nueva" clase media y el sector terciario de servicios que principalmente la sustenta, constituyen una expresión y una causa más del subdesarrollo estructural y la polarización de Chile. La urbanización y la transformación estructural de la economía, la sociedad y la forma de gobierno que la clase media, o la movilidad social, o la "democratización" representan, están vinculadas al incremento de la polarización entre las metrópolis urbanas de Santiago, Valparaíso y Concepción y sus respectivos satélites periféricos rurales y locales, así como también a la polarización de la economía y el ingreso en la ciudad y en el campo. El número relativo y absoluto de chilenos esencialmente improductivos está creciendo, y el ingreso relativo y absoluto de los miembros más pobres de la sociedad, así los productivos como los improductivos, está decreciendo con el tiempo. El ascenso de las clases

121

medias puede significar el aumento del *número* de los que se apropian del excedente económico, pero el ingreso residual de los productores expropiados está disminuyendo, y la capacidad y aptitud de la estructura económica capitalista para generar desarrollo industrial y económico en Chile está decayendo: Chile se subdesarrolla estructuralmente cada vez más.

Las tareas políticas que aguardan a quienes librarían del subdesarrollo a Chile y a sus países hermanos no son menos urgentes y profundas que las científicas, ni están desvinculadas de éstas. En Chile y los países de estructura similar no puede esperarse que una burguesía emancipe del subdesarrollo a la economía y al pueblo. No debería hablarse de una "burguesía nacional progresista" que trata de salvar al Estado de una oligarquía atrasada, terrateniente y feudal. Porque la capacidad y aptitud para progresar de la burguesía chilena y su estado están severamente limitadas, no por las instituciones o la estructura "no capitalistas" o "precapitalistas" que puedan existir en sus entrañas provinciales, sino por la misma estructura capitalista que les impone la metrópoli capitalista mundial y por su propio interés en mantener esta estructura capitalista, en alianza con otros intereses creados burgueses, a nivel mundial, nacional, provincial y local. La expropiación de su excedente económco y las otras limitaciones del desarrollo que la metrópoli imperialista impone a la burguesía chilena, crean contradicciones entre ellas y su metrópoli, al igual que la burguesía metropolitana chilena crea contradicciones entre ella y los grupos burgueses provinciales a los que a su vez explota. Estas contradicciones pueden hacer que los grupos más explotados y débiles de la burguesía chilena adopten cursos de acción que, en uno u otro momento y hasta cierto punto, choquen con los intereses de quienes los explotan a ellos y al pueblo. Pero estas contradicciones menores reflejan la necesidad y el deseo de cada una de las partes de quedarse con una mayor porción del botín generado por las contradicciones mayores del causante de subdesarrollo expoliador y sistema capitalista. La solución de estas contradicciones menores y la acción de estos grupos burgueses no pueden constituir, por ende, un paso económica o políticamente decisivo hacia la eliminación del subdesarrollo y la estructura que lo produce. La burguesía y todas sus partes "prosperaron con lo que arruina a otros" y deben esforzarse por mantener esta "paradoja del trato" y esta "contradicción de la riqueza".

El contradictorio desarrollo del capitalismo y el consiguiente subdesarrollo de Chile impone al pueblo la necesidad y la posibilidad de liberar su economía del subdesarrollo y de impulsar el desarrollo de su país. Esta necesidad surge de la estructura y del desarrollo del sistema capitalista mundial y nacional, que hace más profundo cada vez el subdesarrollo de Chile; hunde a la mayoría de su pueblo en la miseria, y a la vez, incapacita más y más a su burguesía para revertir el multisecular desarrollo del subdesarrollo. El proceso trasciende a Chile y afecta a todo el mundo. Las contradicciones se ahondan. La posibilidad brota de la misma estructura y proceso.

Padeciendo la misma necesidad y gozando de la misma posibilidad, creadas ambas por el mismo desarrollo capitalista mundial en otros países subdesarrollados, el pueblo de Chile, en alianza con estos otros pueblos, debe tomar y tomará la iniciativa y la primacía en la destrucción del sistema cuyo desarrollo generó y genera el subdesarrollo de unos y otros. Un tercio del mundo ha tomado ya la iniciativa. La salida de los países socialistas del sistema capitalista y su mercado explotador profundizó las contradicciones dentro de ese sistema y se hizo sentir en Chile como en otras partes. El abandono de la ideología y la teoría burguesas, de la política revisionista y el oportunismo, y la adopción de la estrategia y las tácticas marxistas revolucionarias por la vanguardia popular de Chile y de los países subdesarrollados, por los estados socialistas y los pueblos colonizados y explotados en el corazón de la metrópoli imperialista misma, continuarán ahondando las contradicciones del sistema capitalista y, mediante la solución de éstas, liberarán al pueblo de Chile y al mundo. Al costo del subdesarrollo de estos pueblos se desarrolló el sistema capitalista y al precio del desarrollo de aquéllos será destruido.

El proceso del desarrollo capitalista es discontinuo, pero permanente, como lo es el proceso de su decadencia por la vía revolucionaria. En nuestro tiempo las contradicciones se ahondan y el proceso se acelera; la discontinuidad destruye al sistema; la oportunidad de liberar a los pueblos y desarrollar su civilización está a la mano, y los pueblos la hacen. Sepan sus líderes seguirlo.

CAPITULO II

EL "PROBLEMA INDIGENA" EN AMERICA LATINA

A. El problema

En esencia, el "problema indígena" latinoamericano deriva de la estructura económica del sistema capitalista nacional e internacional. Al contrario de lo que frecuentemente se alega, no se relaciona con el aislamiento cultural de los indígenas, ni mucho menos con el aislamiento económico o la insuficiente integración. El problema de los indígenas, como el del subdesarrollo en general, se funda en la estructura metrópoli-satélite del capitalismo de que se habla en este libro, y sus manifestaciones son partes integrantes de esa estructura. Sin referirnos a los conocidos estudios sobre la base económica de este problema que hace siglos hicieron Bartolomé de las Casas en su *Historia de las Indias* y Jorge Juan y Antonio Ulloa en sus *Noticias secretas de América*, podemos tomar en cuenta la opinión del más renombrado investigador del Perú en nuestro siglo, José Carlos Mariátegui:

> "Todas las tesis sobre el problema indígena, que ignoran o eluden éste como problema económico-social, son otros tantos estériles ejercicios teóricos —y a veces sólo verbales— condenados a un absoluto descrédito. No [las] salva a algunas su buena fe... La cuestión indígena arranca de nuestra economía. Tiene sus raíces en el régimen de propiedad de la tierra. Cualquier intento de resolverla con medidas de administración o policía, con métodos de enseñanza o con obras [de vialidad], constituye un trabajo superficial o adjetivo". (Mariátegui, 1934: 27).

Este juicio es secundado por el antropólogo norteamericano Eric Wolf, quien dice que el etnicismo y la comunidad corporativa del

127

indígena latinoamericano son más una cuestión de estructura que de cultura. y también por su colega mexicano Rodolfo Stavenhagen, cuando dice que "las relaciones coloniales y las relaciones de clase constituían la base de las relaciones étnicas", y que "la ciudad regional fue un instrumento de conquista y es aún hoy un instrumento de dominio". (Wolf, 1955: 456-457; Stavenhagen, 1963: 91, 81).

B. La historia

El problema del indígena deriva de su relación económica con los otros miembros de la sociedad, relación que a su vez ha sido determinada por la estructura metrópoli-satélite y el desarrollo de la sociedad capitalista desde que la colonización lo incorporó a ella, Stavenhagen sugiere que "...el sistema colonial funcionó de hecho, en dos niveles. Las restricciones y prohibiciones económicas que España impuso a sus colonias (y que habrían de fomentar los movimientos de independencia) se repetían, agravadas múltiples veces, en las relaciones entre la sociedad colonial y las comunidades indígenas. Los mismos monopolios comerciales, las mismas restricciones a la producción, los mismos controles políticos que España ejercía sobre la Colonia, ésta los ejercía sobre las comunidades indígenas. Lo que España representaba para la Colonia, ésta lo representaba para las comunidades indígenas: una metrópoli colonial. El mercantilismo penetró desde entonces en los pueblos más aislados de Nueva España. (Stavenhagen, 1963: 91).

Así, pues, la supuestamente aislada sociedad o, mejor, comunidad folk que popularizó Redfield (1941, 1960), la comunidad corporativa de los indígenas, lejos de ser originales de la América Latina o tradicionales en ella se desarrollaron o, mejor, se subdesarrollaron como resultado del desarrollo del capitalismo en el período colonial, y también en el nacional. Eric Wolf describe cómo el aislamiento dependiente y su puesto, en realidad la condición de satélite, de la comunidad indígena fue generado históricamente por el proceso de crecimiento del capitalismo que se inició con la Conquista. Como dijo Hernán Cortés a un mexicano: "Los españoles padecen una enfermedad del corazón que sólo se cura con oro". Después de esta cita, Wolf continúa:

El conquistador español se convirtió en empresario de minas, en productor de cultivos comerciales, en ganadero, en negociante... Quería convertir los recursos y el trabajo en bienes negociables: en oro y plata, en cueros y lana, en trigo y caña de azúcar... El motor de este capitalismo fue la minería... Toda referencia a la Utopía —económica, religiosa y política— se apoyaba, en última instancia, en el gobierno y control de un solo recurso: la población indígena de la colonia. Los conquistadores querían peones indios... A los ojos del colono, lo que daba prestigio a la institución [de la encomienda] no era su origen medieval, sino la oportunidad que traía aparejada de organizar una fuerza de trabajo capitalista sobre la que él y sólo él ejercía un poder sin contapisas. (Wolf, 1959: 176, 189).

El juicio de Wolf es confirmado por quienes indiscutiblemente son los tres más autorizados investigadores de la materia: José M. Ots Capdequi, José Miranda y Silvio Zavala. Ots Capdequi escribe:

No puede penetrarse en la entraña del verdadero significado histórico de las instituciones sociales, económicas, jurídicas que se encuadran dentro del llamado Derecho Indiano si no se tiene a la vista este hecho histórico que yo he anotado ampliamente en algunas de mis publicaciones: que la obra del descubrimiento, conquista y colonización de América no fue en su sentido estricto, en sus orígenes, una empresa de Estado... Si analizamos el conjunto de las capitulaciones que en gran parte se conservan en el Archivo General de Indias, de Sevilla, advertimos claramente el predominio acusado, absorbente, del interés privado, de la iniciativa privada en la organización y el sostenimiento de las expediciones descubridoras. Fue lo corriente que esas expediciones las costearen los grandes mercaderes...

Después de la esclavitud pura y simple, fue la encomienda la principal institución mediante la cual los empresarios españoles se resarcieron de sus inversiones, pues les permitía exigir tributos y trabajos a la población indígena. José Miranda resume así la "función económica" de los encomenderos:

Aunque el encomendero continental tuviera mucho de señor feudal, a la europea, por lo que retiene del feudalismo medieval... no parecen interesarle vivamente su posición y función como tal.

No; el encomendero es, ante todo, un hombre de su tiempo,

movido por el afán de lucro y proponiéndose como meta la riqueza. Entre sus contemporáneos, es el encomendero el hombre de acción en que prenden más fuertemente las ideas y los anhelos de un mundo nuevo. Dista mucho del hombre medieval; es el resultado de una manera radicalmente distinta de entender el mundo y la vida. Ávido de riqueza, la perseguirá febrilmente; no se conformará después con la encomienda, pero lo hará pensando alumbrar en ella manantiales de riqueza. Por eso no se limita, como el señor feudal, al mero goce de tributos y servicios, sino que convierte unos y otros en base principal de varias empresas, en la médula económica de múltiples granjerías. Hará lo que cualquier empresario desde entonces acá: emplear los recursos propios o ajenos y el trabajo ajeno en la consecución de la riqueza o el bienestar propios. Así, pues, el encomendero otorgará primacía al elemento reparto capitalista de la encomienda, que es el único que puede conducirle a lo que él persigue con ahinco: la riqueza.

Por eso, en un primer momento, se dedica de lleno, antes que nada, a la explotación de las minas de oro y al logro de lo que era anexo a ellas (ciertas herramientas y mantenimientos), sin descuidar la producción de lo que era indispensable para cubrir sus necesidades materiales más apremiantes (ganados y trigo). Las empresas que el encomendero establece para el aprovechamiento económico de la encomienda serán, por lo tanto, de un triple orden: mineras (para la extracción del oro, en un principio), ganaderas, y agrícolas (limitadas las agrícolas, en los primeros tiempos, casi exclusivamente a la producción de trigo)... En el primer concepto, extraerá de la encomienda, para sus empresas, oro, mantenimiento, esclavos, ropas, etc. Estos elementos serán empleados por él: el oro en las inversiones más imprescindibles, como la adquisición de herramientas y, en caso preciso, el pago de los servidores españoles (mineros y mozos) y la compra de víveres; los mantenimientos, en el sostenimiento de sus esclavos, indios de servicios y otros trabajadores, y la cría de sus ganados; los esclavos, en las labores mineras, donde fueron la principal mano de obra, y en las agrícolas y ganaderas.

Como resultado de la utilización de los diferentes elementos económicos de que dispone —procedentes de la encomienda, o con otro origen, según vivimos—, y de los medios jurídicos con que reúne esos elementos y los enlaza con los medios personales en el complicado mecanismo de sus empresas, vemos frecuentemente al encomendero cogido en una red verdaderamente tupida de dispositivos económicos y de relaciones jurídicas: participa en varias compañías mineras, concluídas ante un escribano público; propietario de una piara de cerdos o de un rebaño de ovejas, que trae pastando en tierras de otro encomendero —con el cual ha concertado instrumentalmente contrato de compañía—, y al cuidado de un mozo español —cuyo servicio se ha asegurado mediante escritura de partido o de soldada—, y todo esto después de haber dado poder general a un familiar, amigo o criado para que administre sus pueblos y de haber conferido poderes particulares a otras personas para que gobiernen sus haciendas de labor o ganaderas, sus ingenios o sus molinos, o para la gestión de sus intereses allí donde éstos lo exijan. (Miranda, 1947: 423-424, 427, 446).

Así, pues, la expansión y el desarrollo del capitalismo incorporaron a la población indígena en su expoliadora estructura monopolista inmediatamente después de la llegada de los españoles, y el capitalista y sus crecientes manadas de ganado y ovejas se apropiaron de la tierra del indígena. El nuevo capitalismo penetró tan rápida y profundamente en la organización económica aborigen que diez años después de la conquista de México se escribía:

> Después, debido sin duda al aumento del numerario y la gran demanda de abastecimiento, algunos pueblos indios, principalmente de los próximos a la capital y a las ciudades más importantes, prefirieron dar dinero y solicitaron la conmutación de las especies y servicios por oro o plata. Ramírez de Fuenleal dio cuenta al Rey del cambio operado, y le pidió que removiera el obstáculo legal a las tasaciones en dinero... "ahora parece que en algunos pueblos quieren más el maíz y mantas para contratar, y dan de mejor gana el oro, porque con sus tratos ganan para el tributo y para su mantenimiento..." (Miranda, 1952: 204).

Como todo aquel que en una economía capitalista debe pagar, el indígena, en tiempos de inflación, prefería pagar con dinero desvalorado.

Las consecuencias inmediatas de la penetración capitalista en la colectividad indígena fueron la muerte de multitud de sus componentes y la transformación de su sociedad y su cultura. En México, la población indígena, que en los días de la Conquista, en 1519, era de 11 millones, descendió a 1,5 millones en 1650 (Borah, 1951: 3). Al mismo tiempo, como anota Miranda:

La fuerte presión tributaria determinó cambios importantes en la distribución de la población: de un lado, la disminución por muertes o ausencia; y de otro, la diseminación de muchos indios por las zonas rurales más deshabitadas, el rancheamiento en lugares abruptos o de difícil acceso, y el cambio de resistencia o traslado de domicilio de un pueblo a otro. Perecían o decaían algunos pueblos, nacían rancherías, algunas de las cuales se convertían con el tiempo en pueblos pequeños, y crecían algunos lugares. Una gran parte de los indios no quiso soportar los excesivos gravámenes tributarios y recurrió al único procedimiento que tenían para eludirlos, abandonar el lugar de residencia, bien para ir a habitar allí donde los españoles no podían molestarles, bien para irse a vivir a otro pueblo donde los tributos no fuesen tan pesados. (Miranda, 1952: 216-217).

Los establecimientos indígenas de tiempos posteriores y, mucho menos , su estructura y relación con la sociedad mayor, no son, pues, supervivencias de los tiempos anteriores a la Conquista, sino, al contrario, productos subdesarrollados de la expansión capitalista. Desde entonces, y aún en nuestros días, hasta donde la corporación indígena se haya aislado, esta circunstancia refleja el espontáneo retiro, que es el único medio de que dispone el indígena para protegerse contra el pillaje y la explotación del sistema capitalista.

En México, la encomienda fundada en el pago de un tributo en trabajo y el uso legal de indígenas encomendados duraron hasta 1549. Silvio Zavala escribe:

El 22 de febrero de ese año, la Corona dirigió una importante cédula al presidente y los magistrados de la Audiencia de Nueva España... ordenando la cancelación de todas las conmutaciones del tributo en especie y en metálico por servicios personales. La puesta en vigor de esta prohibición significaba el fin de la encomienda como institución laboral, porque en lo adelante todos los tributos tenían que pagarse en dinero, en productos agrícolas u objetos de artesanía. Se tiene prueba de que el decreto fue puesto en vigor...

¿A través de qué canales podría obtenerse ahora la mano de obra necesaria para continuar los trabajos de la colonia? El propósito, por tanto, era establecer un sistema de trabajo asalariado voluntario, con tareas moderadas; pero en previsión de que los indígenas no quisieran ofrecer sus servicios voluntariamente... Nueva España, instituyó el *cuatéquil,* o sea el sistema de trabajo pagado forzoso. Este sistema, en conjunción con las anteriores prácticas indígenas, iba a desarrollarse en mayor escala en Perú bajo el nombre de *mita,* institución diferente de la esclavitud y del servicio personal de la encomienda, a las cuales se dio de lado durante el proceso que estamos describiendo... Los indígenas... recibían un estipendio diario... Las diferencias principales entre el *cuatéquil* de Nueva España y la *mita* del Perú residen en el hecho de que el primero afectaba, por lo general, a indígenas residentes en lugares próximos al de trabajo, mientras que en el Perú los jornaleros tenían que recorrer distancias mucho más grandes. En Nueva España, el período de trabajo era casi siempre de una semana, y cada indígena se presentaba para trabajar tres o cuatro semanas en el año. Los períodos peruanos de trabajo duraban meses. La cuota de trabajadores con que contribuían las aldeas de Nueva España era, por lo común, de un 4 %, en Perú de una séptima parte, o sea alrededor de un 14 %. En Tucumán, se tomaba un indígena de cada doce... El sistema de trabajo pagado compulsorio... vino a ser al cabo la principal fuente de brazos de la colonia. Ni siquiera los encomenderos quedaron fuera de la institución del *cuatéquil.* Si necesitaban peones, no podían tomarlos ya directamente de sus aldeas encomendadas a modo de tributo. Como otros colonos privados, estaban obligados a pedir a un *juez repartidor* los indígenas que necesitaran, y los peones así provistos no trabajaban ya gratuitamente, sino que tenían derecho a recibir del encomendero el jornal de costumbre... En el capítulo precedente apuntamos que la encomienda no acarreaba el derecho a la tierra, y ahora vemos que el encomendero perdió el dominio sobre el trabajo de sus aborígenes, puesto que éste era independientemente regulado por las autoridades reales... En 1601 y 1609 se emitieron nuevas cédulas con el propósito de establecer el trabajo pagado voluntario, poniéndose fin así a la obligatoriedad...

Desde hacía años, los agricultores españoles habían empezado a atraer a sus fincas a los indígenas de las aldeas vecinas, a los que se llamaba *gañanes* o *laboríos.* Así, en vez de aguardar por la periódica asignación de indígenas a cargo de las autoridades públicas, tenían familias indígenas residiendo continuamente en sus tierras como mano de obra... Además, los terratenientes habían empezado a hacer todo lo que les era dable para reforzar su posesión de gañanes, privándoles a su placer de la libertad para abandonar la finca. El medio legal por el que se consiguió esta retención consistió en adelantos de dinero y mercancías, lo que, al endeudar al gañán, lo ataba a la tierra. Este método, y no la antigua encomienda del siglo XVI, es el verdadero precursor de la hacienda mexicana de tiempos recientes. Por este último sistema, el amo posee la tierra por merced, compra u otro título legal, o quizás sólo por haberse apoderado de ella, y atrae gañanes a su finca y los mantiene en ella haciéndoles contraer deudas con él. El pensador liberal del período de la colonización no dejó de ver con desconfianza a este sistema de servidumbre agraria por deudas, y lo criticó, como antes había criticado a la esclavitud, la encomienda y el cuatéquil. El gobierno español dictó ordenanzas significativas limitando el monto del endeudamiento legal... A pesar de estas restricciones jurídicas... los hacendados habían extendido ya el sistema de gañanía y lo habían consolidado mediante deudas... El creciente número de peones y el aislamiento de las haciendas originaron gradualmente la costumbre del castigo de los peones por el amo o quienes lo representaban, pero esto no quiere decir que el amo poseyera autoridad judicial, porque la justicia del rey interviene siempre que se cometía un delito grave. El sistema de peonaje tenía, pues, raíces coloniales, pero en ese período la vigilancia de las autoridades públicas proporcionaba una cierta protección a los trabajadores. Cuando, posteriormente, el dejar hacer y otras teorías abstencionistas del derecho público dejaron solos e indefensos a los peones contra el poder económico de sus amos, la rudeza del régimen de las haciendas aumentó y la población e importancia de las aldeas indígenas disminuyeron continuamente en relación a las haciendas que empleaban peones. Ya hemos dicho que el laboreo obligatorio de las minas de mantuvo hasta pasado el año 1633, pero en ese tiempo aumentó el número de obreros libres atraídos por los salarios relativamente altos de los mineros... El recurso del endeudamiento tramposo funcionó en las minas al igual que en las haciendas. (Zavala, 1943: 85-101).

Por ende, en su incorporación del indígena, no menos que la de todos los otros, el desarrollo del capitalismo generó, en diferentes épocas y lugares, las formas institucionales que convenían a sus cambiantes necesidades. Este crecimiento capitalista y sus instituciones transformaron toda la urdimbre de la sociedad aborigen desde el principio y han continuado determinando el estilo y calidad de la vida indígena desde entonces. Wolf comenta al respecto:

La Conquista no sólo destruyó a las personas físicamente,

sino que también despedazó la trama usual de sus vidas y los motivos que las animaban... .La sociedad nacida de la conquista española... sacrificó a los hombres por la producción de objetos que no tenían otro fin que el de aumentar lo más posible las ganancias y la gloria del conquistador individual... El indígena explotado no podía hallar sentido universal alguno a sus padecimientos... Así, pues, los indígenas no sólo fueron víctimas de la explotación y el derrumbe biológico, sino que también sufrieron una deculturación —"pérdida de cultura"—, y en el curso de tales maltratos vinieron a sentirse ajenos a un orden social que tan mal empleaba sus recursos humanos. Eran extraños a él, y un abismo de desconfianza los separaba de los fines y los gestores del mismo. La nueva sociedad podía disponer del trabajo de ellos, pero no de su lealtad. Esta sima no se ha cerrado con el paso del tiempo. (Wolf, 1959: 199).

No obstante, no todos los indígenas sufrieron el mismo destino económico, social y cultural. La diferencia entre el peón indígena de la hacienda y el indígena que en su comunidad producía por su propio derecho es puesta en relieve, entre otros, por Antonio Quintanilla, hasta donde concierne a las manifestaciones socio-culturales:

"... el indio de las comunidades... tiene la conciencia de ser libre. Lo que más valora es la tierra y posee tierra. En esta posesión de la tierra se fincan una serie de virtudes cívicas que el otro indio (de las haciendas) no posee"... "La organización comunal y su protección legal, han permitido a centenares de miles de indios de llevar una vida relativamente aceptable, pues como se apuntó más arriba, los niveles de vida, los valores cívicos, la libertad de acción y de opinión y, en una palabra, la felicidad de los indios comuneros no admite comparación con las condiciones infrahumanas de los indios de las haciendas o los que deambulan en las ciudades de la sierra en busca de trabajo"... "El indio siervo de las haciendas es huraño, hosco y silencioso, frecuentemente servil, mentiroso y traicionero. Estas notas esencialmente negativas constituyen la expresión de... un estado de inferioridad, y una larga experiencia de explotación e injusticia." (Quintanilla, sin fecha: 12, 18).

Aunque sin duda importante, esta diferencia entre el indígena de la hacienda y el de las comunidades —especialmente cuando el último, por carecer de bastante tierra, se ve forzado a trabajar en las condiciones del otro— es anulada por la explotación común a que el mismo sistema capitalista somete a ambos. Podemos volver, entonces, a examinar el papel de los indígenas en la estructura y el desarrollo de este sistema.

Como ya observamos en nuestro ensayo acerca de Chile, el siglo XVII presenció la decadencia de la producción minera de las colonias, deprimió la economía de la metrópoli y separó a ambas más de lo que habían estado en el siglo anterior o de lo que estarían en los siguientes. La polarización urbano-rural de las colonias parece haber aumentado. La población urbana, la manufactura y la demanda de productos del campo crecieron a despecho del continuo descenso de la población (Borah, 1951: 30). En respuesta a este crecimiento urbano y a la decadencia de la producción y rentabilidad de la minería, la producción agrícola creció también en importancia y se concentró paulatinamente en la hacienda española más que en el poblado indígena. Los investigadores de este proceso en México lo interpretan como la involución de una economía que se concentraba en sí misma a causa de una depresión económica. (Chevalier, 1956; Borah, 1951; Wolf, 1959). He sostenido en otros estudios que esta interpretación no es correcta. (Frank, 1965 a.) El crecimiento y consolidación de la hacienda de México, y el consecuente menoscabo de la producción agrícola en pequeña escala (indígena en este caso), fueron ocasionados entonces, y han sido originados siempre, por el aumento de la demanda y de los precios de los productos agrícolas, al igual que en los casos de Chile y el Brasil que se estudian en este libro, y en los evidentes ejemplos de la Argentina y las Antillas. (Frank, 1965 b). Así, pues, el siglo XVII presenció el desarrollo de las principales formas institucionales cmpaesinas que, en la hacienda y la comunidad indígena han persistido en la mayor parte de Indoamérica hasta hoy. Pero estas mismas instituciones han sido desde entonces lo bastante flexibles para adaptarse a las fluctuaciones y transformaciones de la economía mundial y nacional.

América Latina ha estado envuelta en los cambios y fluctuaciones importantes del mercado desde el período de la primera conquista europea. Parecería, por ejemplo, que a la rápida expansión del comercio en Nueva España durante el siglo XVI siguió un "siglo de depresión" en el XVII. La inactividad se repitió en el siglo XVIII, renovándose la contracción y desintegración del mercado en la primera parte del XIX. Durante el resto de este siglo y comienzos del XX, muchos países latinoamericanos se vieron repetidamente envueltos en súbitas actividades especulati-

vas de producción para mercados extranjeros, a menudo con resultados desastrosos en el caso de quiebra del mercado. Comunidades enteras podían encontrar perdido su mercado de la noche
a la mañana y retornar a la producción de subsistencias para su
propio consumo [1] ... Redfield ha reconocido algunas facetas de
este problema en su categoría de los "pueblos rehechos" ... pueblos que una vez bogaban en la corriente del desarrollo comercial,
sólo para ser arrojados a sus empobrecidas orillas.

En este ciclo de cosechas para subsistir y cosechas para vender, las primeras aseguran un nivel de subsistencia mínimo pero
estable, mientras que las segundas prometen más recompensa en
dinero, pero envuelven a la familia en los riesgos del oscilante
mercado. El campesino lucha siempre con el problema de hallar
algún equilibrio entre la producción para subsistir y la producción para vender. Los anteriores ciclos de producción por dinero
le han permitido comprar bienes y servicios que no puede tener
si sólo produce para su propia subsistencia. Sin embargo, una
tentativa a fondo de aumentar su capacidad para comprar más
bienes y servicios de esta clase, puede significar su desaparición
como productor agrícola independiente. Tiende, pues, a confor-
marse con un mínimo básico de producción para subsistir y una
ampliación lenta de sus compras al contado. (Wolf, 1955: 462-
464.)

Siendo, como es, carne y hueso del accidentado desarrollo capitalista, este proceso continúa aún. Cuando los precios mundiales y locales (estos últimos manipulado de una forma monopolista), bajan tanto
que los indios del sur de México reciben una libra de maíz por libra
de café (que cultivan para los mercados nacional y mundial), dejan de
producir café para aumentar la producción de maíz y *se convierten* entonces en "agricultores aislados de productos de subsistencia".

Dos cosas parecen inferirse de este examen. Primera, al estudiar la América Latina del presente, parecería aconsejable no
tratar la producción para la subsistencia y la producción para el
mercado como si fueran dos etapas de un desarrollo progresivo.
Antes bien, debemos tener en cuenta la cíclica alternancia de los
dos tipos de producción dentro de la misma comunidad y com-

---

[1] Véase ejemplos de particular importancia y sus consiguientes análisis
en el capítulo III.

prender que, desde el punto de vista de ésta, ambas clases pueden ser respuestas alternas a cambios de las condiciones del mercado exterior. Esta quiere decir que no basta el estudio sincrónico del mercado... Segunda, debemos buscar los mecanismos por los cuales son posibles tales variaciones. (Wolf, 1955: 464.)

C. LA ESTRUCTURA

En cuanto al presente, el Instituto Nacional Indigenista de México resume la estructura y los mecanismos en términos similares a los míos:

Los indígenas, en realidad, rara vez viven aislados de la población mestiza o nacional; entre ambos grupos de población existe una simbiosis que es indispensable tomar en cuenta. Entre los mestizos, residentes en la ciudad núcleo de la región, y los indígenas, habitantes del *hinterland* campesino, hay, en verdad, una interdependencia económica y social más estrecha de lo que a primera vista pudiera parecer... La población mestiza, en efecto, radica casi siempre en una ciudad, centro de una región intercultural, que actúa como metrópoli de una zona indígena y mantiene, con las comunidades subdesarrolladas, una íntima conexión que liga el centro con las comunidades satélites. La comunidad indígena o folk era parte interdependiente de un todo que funcionaba como una unidad, en tal forma que las acciones ejercidas sobre una parte repercutían inevitablemente sobre las restantes y, en consecuencia, sobre el conjunto. No era posible considerar a la comunidad separadamente; había que tomar en cuenta, en su totalidad, al sistema intercultural del cual formaba parte... La permanencia de la gran masa india en su situación de ancestral subordinación, con el goce de una cultura folk fuertemente estabilizada, no sólo fue deseada por la ciudad, sino aún impuesta en forma coercitiva... Es en Ciudad de Las Casas, donde la cultura ladina de tipo europeo presenta avances mayores... se ve con mayor énfasis el dominio que ejercen los ladinos [1] sobre los medios económicos, políticos y de la propiedad en general. (Instituto Nacional, 1962: 33-34, 27, 60.)

[1] Los ladinos son ex-indios y a veces, también, descendientes de criollos que difieren económica y étnicamente, de los indios y que ocupan los estratos sociales intermedios en los países latinoamericanos de poblaciones indígenas significativas. En otras partes de México se les llama "mestizos"; en los países andinos, "cholos",

Esta es, pues, la situación contemporánea en México, después de los "cincuenta años de revolución" de que este país se enorgullece tanto, porque liberó a la población rural del dominio de la hacienda supuestamente feudal. En *La Democracia en México*, el director de la Escuela de Ciencias Políticas y Sociales de la Universidad de México llama "colonialismo interno" a este estado de cosas y observa que afecta a un *creciente* número de un 10 a un 25 % de la población mexicana (González Casanova, 1965: 52-89.) Dejo a la imaginación del lector cómo serán las cosas en el Perú y el Ecuador, donde la mitad de la población es indígena y no ha ocurrido revolución alguna, o en Guatemala y Bolivia, donde la contrarrevolución ha triunfado ya.

Como observa Wolf: "Privada de tierra y agua por la conquista y el subsiguiente acoso (particularmente las reformas liberales del siglo XIX, que sustituyeron la propiedad comunal por la privada), la comunidad indígena rara vez puede ser autosuficiente. No sólo debe exportar personas, sino también artesanía y trabajo... Sin el mundo exterior, además, el indígena no puede cerrar nunca la creciente brecha entre su producción y sus necesidades." (Wolf, 159: 230.) Stavenhagen a su vez dice:

"El mundo económico indígena no es un mundo cerrado. Las comunidades indígenas sólo están aisladas en apariencia. Por el contrario, participan en sistemas regionales y en la economía nacional. Los mercados y las relaciones comerciales representan el eslabón principal entre la comunidad indígena y el mundo de los ladinos, entre la economía de subsistencia y la economía nacional. Es cierto que la mayor parte de la producción agrícola de los indígenas es consumida por ellos. También es cierto que el ingreso generado por los indígenas sólo representa una proporción mínima en el producto nacional (incluso en Guatemala en donde la población indígena es más que la mitad de la población total). Pero la importancia de estas relaciones no se encuentra en la cantidad de producto comercializado, o en el valor de los productos comprados; se hallan más bien en la calidad de las relaciones comerciales. Estas son las relaciones que han transformado a los indígenas en una 'minoría' y que los ha colocado en el estado de dependencia en que se encuentran actualmente". (Stavenhagen, 1963: 78).

---

o, en estratos algo más altos, "mistis". Véase una clasificación de los estratos sociales latinoamericanos, en términos culturales, en Wagley, 1955.

Así, pues, las relaciones entre los indígenas y otros ciudadanos son muchas, pero todos los autores aquí citados concuerdan en que nunca son relaciones de igualdad. El indígena es siempre explotado.

Alejandro Marroquín apunta que "tradicionalmente el indígena en la región Tzeltal-Tzotzil es explotado desde dos puntos de vista: se le explota como trabajador al servicio de los terratenientes y hacendados que utilizan la mano de obra indígena pagando precios bajos por cada jornada de trabajo; y se lo explota en su carácter de pequeño productor; el indígena produce artículos que algunas veces son solicitados vehementemente en el mercado nacional..." (Marroquín, 1956: 200).

D. El trabajador

Es difícil encontrar muchos indígenas, incluso en México después de su reforma agraria, que posean bastante tierra para llevar una vida que justifique su integración en la sociedad humana. Generalmente se admite que los indígenas, en el transcurso de la historia, han sido despojados de sus tierras por medios legales e ilegales, a menudo no tanto porque otros codiciaran la tierra en sí, sino porque se quería llevarles a la dependencia, negándoles la posesión de los recursos necesarios para su vida independiente.

Los estudios contemporáneos acerca de la tenencia de la tierra en varios países de la América Latina indican que los indígenas continúan perdiendo sus predios; y no hablemos de la fertilidad de éstos. Esta carencia de tierra es la clase, sin duda, del estado de inferioridad, explotación, pobreza, incultura, en una palabra, del subdesarrollo de los indígenas, y de muchos otros que participan de lleno en el proceso social del desarrollo capitalista. Por esta razón Stavenhagen puede afirmar que, "desde el punto de vista de la estructura económica global, la comunidad de autosubsistencia tiene la función de ser una reserva de mano de obra": que... "la propiedad privada de la tierra beneficia a los ladinos y perjudica a los indios", y que, "la acumulación de tierras por parte de los ladinos les sirve para obtener y controlar una mano de obra barata" de indígenas y otros y que "el indio siempre es el empleado y el ladino siempre el patrón". (Stavenhagen, 1963: 71, 75, 77). No es extraño que los indígenas valoren la forma corporativa de su comunidad, la que, mediante la propiedad en común y la rigurosa sanción social de la venta a ex-

140

traños de parcelas personales, les proporciona alguna protección contra el robo de sus tierras.

Obviamente, es la falta de tierra la que obliga a los indígenas y ex indígenas desposeídos a alquilar su trabajo por estipendios muy bajos (y a veces, por ninguno) a los terratenientes y otros propietarios, a fin de obtener un pedazo de tierra casi estéril, un techo que gotea sobre sus cabezas, algo de maíz, trigo o cerveza, o unos pocos pesos. Pero es también la insuficiencia de tierra, entre los que tienen alguna, la que fuerza a los indígenas comunales y a otros pequeños propietarios a someterse, por pan para sus hijos y pasto para sus animales, a la explotación de los ladinos y otros individuos que tienen la suerte de haber robado, extorsionado o heredado bastante tierra y capital de los indígenas y de otros, para vivir hoy de la explotación de ellos. En este sentido Melvin Tumin informa que en Jilotepeque "un jornalero ladino gana 50 por ciento más que un jornalero indígena, pero el costo de mantenimiento de una mula es aún superior al jornal de un ladino" (Citado por Stavenhagen, 1963: 71).

La organización de este sistema expoliador asume toda clase de formas, como la de nacer, trabajar como peón y morir en la misma hacienda, o la de trabajar por la mitad de la cosecha en tal hacienda, si se tiene la suerte de poder quedarse siquiera con la mitad de lo que uno produce; o la de dejar la parcela propia en manos de la familia para ir a trabajar en la hacienda vecina; o la de bajar cientos de kilómetros desde las montañas, todos los años, para recoger el café de otros, especialmente si estos otros son los dueños de "su" tierra en las montañas; o la de emigrar como bracero a miles de kilómetros, a California, por ejemplo, para servir como mano de obra barata; o la de combinar estas actividades con alguna clase de comercio menor y algún empleo ocasional, cuando éste se presenta en los pequeños pueblos provincianos; o la de emigrar a la capital de la provincia o la nación, para convertirse allí en indigente ocasionalmente empleado; en todos los casos, integrándose de lleno en una estructura económica, política y social de metrópoli-satélite capitalista que obtiene todos los provechos posibles de la corta y lamentable vida de uno, sin hacer que uno participe nunca de las ventajas que esa misma estructura social genera.

E. El mercado

Los indígenas y los demás, aparte ser explotados como trabajadores, como observa Alejandro Marroquín, son explotados también como pequeños productores, vendedores y como compradores en el mercado local, regional y nacional... Sus escasos conocimientos de las leyes de la oferta y la demanda le impiden valorar adecuadamente los productos que lleva a vender al mercado citadino; es así como el indígena se convierte en un instrumento en manos de los acaparadores que le arrebatan sus productos pagando por ellos precios irrisorios, para venderlos posteriormente a precios relativamente elevados. (Marroquín, 1956: 200.) Stavenhagen sostiene que de los diversos tipos de relaciones que se establecen entre indios y ladinos, las relaciones comerciales son las más importantes. El indio participa en esas relaciones como productor y consumidor; el ladino siempre es el comerciante, el intermediario, el acreedor... Son justamente las relaciones comerciales las que ligan al mundo indígena con la región socioeconómica a la que está integrado, y con la sociedad nacional, así como con la economía mundial... Es evidente que las relaciones comerciales entre indios y ladinos no son relaciones de igualdad. (Stavenhagen, 1963: 80.)

Estas relaciones comerciales asumen multitud de formas. Marroquín resume algunas de ellas en su estudio de *La Ciudad Mercado* (*Tlaxiaco*). La función distribuidora se realiza en el mercado semanal de Tlaxiaco, en el que se reparte la multitud de objetos traídos de Puebla, Oaxaca, Atlixco, o de México... La función concentradora es la inversa: el mercado semanal concentra una serie de mercancías regionales en Tlaxiaco, para su envío a los principales centros de consumo; por otra parte, las dos antedichas funciones se efectúan principalmente a través del intercambio comercial, o sea a través de la creciente actividad de compradores y vendedores, la que deja un excedente de ganancia a los negociantes profesionales. La función monopolizadora es una etapa superior de la función concentradora y consiste en la monopolización que llevan a cabo los agentes de compra de los grandes comerciantes, de Puebla y México principalmente, quienes tratan de controlar la producción de aquellos productos indígenas más en demanda en los centros de consumo más importantes del país. Marroquín agrega:

Los indígenas que producen sombreros de palma pertene-

142

cen a los pueblos más atrasados en su economía... a esa actividad se dedican tanto los padres como los hijos, en jornadas larguísimas que consumen más de 18 horas diarias. El atraso cultural de estos indígenas los deja completamente a merced de los compradores los cuales, basados en su poderío económico, fijan los precios de los sombreros a su entero arbitrio, sin otros límites que los que entre sí se fijan por efecto de la competencia.

En el mercado de sombreros son frecuentes los intermediarios; ya en los mismos pueblos de los indígenas existen uno o dos acaparadores que compran muchos sombreros para traerlos a vender a Tlaxiaco el día sábado; ellos aseguran su ganancia comprando a muy bajos precios los sombreros producidos por el indígena y que éste vende en su pueblo obligado tal vez por algún apremio económico.

Los agentes de compras, por el contrario, tienen por objeto acaparar determinados productos indígenas para enviarlos a los centros urbanos en donde existen gran demanda de tales productos. Los agentes de compras dependen de importantes centros expendedores tales como México, Puebla, Oaxaca, etc., y tienen un perfecto conocimiento de las fluctuaciones del mercado en esos lugares, y de acuerdo con tales fluctuaciones determinan los precios de los productos indígenas.

Los productos indígenas más codiciados por los agentes de compras son los huevos, las gallinas y los pavos, el aguacate y el café.

El trabajo de las agencias compradoras se facilita por una tupida red de intermediarios que mediante pequeñas compras van acumulando los productos indígenas y los entregan posteriormente en grandes cantidades a los agentes respectivos. Estos intermediarios son todos nativos de Tlaxiaco... Entre el productor y el consumidor se han interpuesto siete pares de manos que han provocado la elevación del precio de $ 0.16 a $ 0.50, o sea en más del 300 %. Los productos indígenas llegan a Tlaxiaco para regarse después por los grandes centros urbanos del país; pero en su breve tránsito por Tlaxiaco han contribuido a fortalecer al sector comerciante de la ciudad; la ganancia, arrancada parasitariamente del hambre y la miseria del indígena, consolida el poderío y la fuerza concéntrica de Tlaxiaco, como núcleo fundamental de la economía de la región mixteca.

Resumiendo podemos señalar como características generales del mercado citadino de Tlaxiaco: 1º el predominio completo del sistema capitalista mercantil; 2º lucha competitiva intensa, como corresponde a todo sistema económico capitalista; 3º poderosa influencia de los monopolios de distribución; 4º espesa red de intermediarios que constituye un pesado lastre sobre la economía indígena; 5º aspecto parasitario de la economía de Tlaxiaco que se basa en la explotación del trabajo desvalorizado del indígena. (Marroquín, 1957: 156-163.)

Debería observarse especialmente que la falta de recursos y de información para negociar que coloca a los indígenas en posición desventajosa en el mercado, es agravada por las frecuentes y grandes oscilaciones de la demanda, la oferta y los precios, que a menudo provocan de una forma monopolista con fines especulativos los comerciantes mismos. Eric Wolf describe la situación:

> (A los) compradores de productos agropecuarios les interesa mantener el "atraso" del campesino. Para reorganizar el aparato productivo de éste se requerirían capitales y créditos que pueden emplearse mejor en la expansión del mercado, adquiriendo medios de transporte contratando intermediarios, etc. Además dejando intacto el aparato productivo el comprador puede reducir el riesgo de la paralización de su capital en medios de producción en poder del campesino, cuando el mercado afloje. Los compradores de productos campesinos canjean así la productividad creciente por hombre-hora por una mayor seguridad para sus inversiones. Se puede decir que la esterilidad de la tierra y la pobreza de la tecnología son factores del mercado especulativo. En caso de necesidad, el inversionista se limita a retirar el crédito al campesino, mientras que éste, por su parte, regresa a la producción de subsistencias confiando en su tecnología tradicional. (Wolf, 1955: 464.)

F. El capitalismo

La estructura y el desarrollo del sistema de capitalismo monopolista se manifiestan, pues, en el "problema indígena" en particular y en la generación de subdesarrollo en nivel provincial en general, como Marroquín infiere en las conclusiones a que llega después de su estudio de Tlaxiaco:

Así, pues, el desarrollo del capitalismo engendra más subdesarrollo en la comunidad indígena que en la mayoría de las otras. Por ende, el "problema" del indígena y su comunidad, desde su punto de vista, consiste en una lucha constante por la supervivencia en un sistema en que él, como la inmensa mayoría de los demás, es víctima de la forma desigual en que el capitalismo se desarrolla dentro de la estructura metrópoli-satélite capitalista. Es una batalla perdida la que el indígena ha librado a lo largo de cuatro siglos. Aún la sigue perdiendo y, como millones de otros, continuará perdiéndola hasta que derribe el sistema, tarea que nadie puede hacer por él. Porque el abandono de su comunidad tampoco ofrece al indígena solución alguna. Escribiendo en nombre de la Comisión de Reforma Agraria y Vivienda del Perú, Antonio Quintanilla describe el continuo proceso de transformación de la comunidad indígena y su abandono por el indio:

> Desde el punto de vista económico, el indio que sale de su comunidad adopta, obligado por las circunstancias y también por su propio deseo, una actitud económica individualista en vez de colectiva. Con esto queremos decir que el indio, fuera de la comunidad y como individuo, entra en actitud de competencia frente de todo otro individuo que está en condiciones análogas a las suyas. Esta competencia se manifiesta en todas las circunstancias, pero es muy grave en el mercado de trabajo dada la abundancia de oferta y las condiciones de gran inferiordad del grupo indio en conjunto. Para los indios que continuaban como agricultores la desaparición de la organización comunal traería como consecuencia no sólo su fácil explotación por parte de elementos inescrupulosos —que la experiencia ha demostrado son la mayoría— sino también los propios agricultores indios entrarían en una competencia ruinosa para ellos, dada su escasa capacidad monetaria, pobre técnica agraria y tamaño antieconómico de sus parcelas. Pretender que los indios, con su escasez de recursos, se incorporen en competencia activa dentro de un sistema individualista equivaldría a hundirlos en una miseria aún mayor, Se hace, pues, necesario encontrar nuevas formas organizadoras que reemplacen a la comunidad que inevitablemente va a desaparecer... Este proceso librado a su propia espontaneidad, puede finalmente lograr la incorporación del indio a los patronos occidentales y la desaparición de la economía de subsistencia, pero pagando un terrible precio de miseria, tuberculización masiva, pavorosa mortalidad infantil, desocupación, criminalidad, etc. El problema, pues, está cambiando de escenario, pero no de actores. Las mismas masas humanas que dejan de ser objeto del 'problema del indio' pasan a ser el 'problema de las barriadas' que es el problema de un subproletariado urbano, en extrema miseria y que crece cada vez más (Quintanilla, sin fecha: 19-20.)

Rodolfo Stavenhagen cree también que "la ladinización... signi-

145

fica sólo la proletarización del indio... o, en su caso, una *lumpenproletarización rural* (valga el término). (Stavenhagen, 1963: 99, 103.)

El "problema indígena", por ende, no reside en ninguna *falta* de integración cultural o económica del indígena en la sociedad. Su problema, como el de la mayoría del pueblo, reside, por lo contrario, en su misma integración expoliadora en la estructura metrópoli-satélite y en el desarrollo del sistema capitalista generador de subdesarrollo general.

CAPITULO III

EL DESARROLLO DEL SUBDESARROLLO
CAPITALISTA EN BRASIL

A. El modelo, las hipótesis

El subdesarrollo en el Brasil, como en todas partes, resulta del desarrollo del capitalismo. El golpe militar de abril de 1964 y los sucesos políticos y económicos que lo siguieron son consecuencias lógicas de esa evolución capitalista [1]. Mi propósito aquí es rastrear y explicar el desarrollo capitalista del subdesarrollo en el Brasil desde su colonización por Portugal en el siglo XVI, y mostrar cómo y por qué, dentro de la estructura metrópoli-satélite del capitalismo colonialista e imperialista, hasta el desarrollo económico e industrial de que Brasil es capaz, queda necesariamente reducido a un desarrollo subdesarrollado. Mi objeto no es un estudio exhaustivo del Brasil *per se*; antes bien, intento valerme del caso del Brasil para estudiar la naturaleza del sudesarrollo y las limitaciones del desarrollo capitalista.

Para explicar el subdesarrollo y el crecimiento limitado del Brasil y áreas similares, se suele recurrir al modelo de una sociedad dualista. Por ejemplo, el geógrafo francés Jacques Lambert dice en su libro *Os Dois Brasís* (Los dos Brasiles):

[1] Este ensayo es la revisión de una conferencia en un *simposium* sobre el "Tercer Mundo" que tuvo lugar en la Escuela de Ciencias Políticas y Sociales de la Universidad Nacional Autónoma de México, el 26-28 de febrero de 1965. Mi objeto era interpretar el golpe militar y sus consecuencias económicas en el contexto de los antecedentes históricos y en función de un modelo teórico capaz de explicar el desarrollo del subdesarrollo en todo Brasil. Como observará el lector, este interés en los acontecimientos de 1964 matiza mi tratamiento de toda la historia brasileña . No subscribo por supuesto, el concepto del "Tercer Mundo", porque este mundo es parte integrante del mundo capitalista.

149

Los brasileños están divididos en dos sistemas de organización económicosocial (...). Estas dos sociedades no evolucionan al mismo paso (...). Los dos Brasiles son igualmente brasileños, pero varios siglos los separan (...). En el curso del largo período de aislamiento colonial se formó una cultura brasileña arcaica, cultura que en su aislamiento conserva la misma estabilidad que aún retienen las culturas indígenas de Asia y el Cercano Oriente (...). La economía dual y la estructura social dual que la acompaña no son nuevas ni característicamente brasileñas, pues existen en todos los países desigualmente desarrollados. (Lambert, sin fecha, 105-112.)

Del mismo criterio participan Arnold Toynbee (1962) y muchos otros. Celso Furtado (1962), ministro de Planeación de Brasil hasta el golpe de 1964, llama sociedad abierta al Brasil capitalista moderno, industrialmente más adelantado, y sociedad cerrada al Brasil campesino arcaico.

La tesis esencial de todos estos investigadores sostiene que el Brasil moderno está más desarrollado porque se funda en una sociedad capitalista abierta, y que el Brasil arcaico permanece subdesarrollado porque no es un conjunto abierto a la industria y al mundo en general, y, particularmente, porque no es lo bastante capitalista, sino, al contrario, precapitalista, feudal o semifeudal. Por ende, el desarrollo se considera a menudo como una difusión: "En Brasil, el motor de la evolución está en todas partes de las ciudades de donde irradia hacia el campo." (Lambert, s. f., 108.) El Brasil subdesarrollado florecería si se abriera, y el Brasil desarrollado se desarrollaría aún más si aquél cesara de obstaculizarlo y abriera su mercado a los productos industriales. Mi análisis de la experiencia histórica y contemporánea de Brasil sostiene que este patrón dualista es erróneo en la práctica e inadecuado y engañoso en la teoría. (El modelo dualista y su tesis se examinan y critican con más detalle en el capítulo IV.)

En su lugar puede proponerse un modelo alternativo. Como una fotografía del mundo tomada desde un punto en el tiempo, este modelo se compone de una metrópoli mundial (hoy los Estados Unidos) con su clase gobernante, y de satélites nacionales e internacionales con sus dirigentes: satélites nacionales como los estados del Sur norteamericano y satélites internacionales como Sao Paulo. Siendo Sao Paulo también una metrópoli nacional por su propio derecho, el prototipo incluye los satélites paulistas: las metrópolis provinciales como Recife o Belo Horizonte y sus satélites regionales y locales. Esto es, tomando una fotografía de una parte del mundo, obtenemos toda una cadena de metrópolis y satélites que abarca desde la metrópoli mundial hasta la hacienda o el comerciante rural, siendo estos satélites del centro metropolitano comercial de la localidad y metrópolis, a su vez, de sus respectivos campesinos. Si tomamos una fotografía del globo entero, obtenemos toda una serie de tales constelaciones de metrópolis y satélites .

Varias características importantes distinguen a nuestro modelo: 1) Estrechos lazos económicos, políticos, sociales y culturales entre cada metrópoli y sus satélites, de los que resulta la integración al sistema incluso de los grupos de avanzada y los campesinos más remotos. Este aserto contrasta con las supuestas reclusiones y la no incorporación de grandes partes de la sociedad que propone el modelo dualista. 2) Estructura monopolista de todo el sistema, en la que cada metópoli monopoliza a sus satélites; la fuente o la forma de este monopolio varía de un caso a otro, pero el monopolio está presente en todo el sistema. 3) Como ocurre en cualquier sistema monopolista, despilfarro y mala canalización de los recursos disponibles en todo el sistema y cadena de metrópolis y satélites. 4) Como parte de este mal empleo de recursos, expropiación y apropiación de gran parte o de todo el excedente económico o plusvalía del satélite por su metrópoli local, regional, nacional o internacional.

En vez de una fotografía de un momento histórico, el modelo puede ser visto como una película cinematográfica del curso de la historia. En este caso muestra las siguientes características: 1) Expansión del sistema desde Europa, hasta que incorpora a todo el planeta en un solo sistema y estructura mundial. (Si los países socialistas han podido escapar de este sistema, actualmente existen dos mundos, pero en ningún caso tres.) 2) Desarrollo del capitalismo, primero mercantil, después industrial también, como un solo sistema en escala mundial. 3) Tendencias polarizantes, propias de la estructura del sistema, en los niveles mundial, nacional, provincial, local y sectorial, las cuales fomentan el desarrollo de la metrópoli y el subdesarrollo del satélite. 4) Fluctuaciones dentro del sistema, como auges y depresiones, que se transmiten de la metrópoli al satélite, y como la sustitución de una metrópoli por otra: de Venecia a la Península Ibérica, a Holanda, a Inglaterra, a los Estados Unidos. 5) Transformaciones dentro del sistema, como la llamada Revolución Industrial. Entre estas transformaciones subrayamos especialmente, más adelante, ciertos cambios históricos importantes de la fuente o del mecanismo del monopolio que la metrópoli capitalista mundial ejerce sobre sus satélites.

De esta pauta en que la condición metropoliatna "genera desarrollo y la condición satélite", subdesarrollo, podemos derivar varias hipótesis acerca de las relaciones metrópoli-satélite y sus consecuencias. Estas hipótesis difieren en importantes aspectos de ciertas tesis generalmente aceptadas, en particular las referencias al modelo dualista:

1) Una metrópoli (por ejemplo, una metrópoli nacional) que es al mismo tiempo satélite (de la metrópoli mundial) encontrará que su desarrollo no es autónomo, que por sí mismo no genera ni mantiene su desarrollo, que éste está limitado o mal orientado, que experimenta, en dos palabras, un desarrollo subdesarrollado.

2) El aflojamiento, debilitamiento o ausencia de vínculos entre metrópoli y satélite llevará a este último a una vuelta hacia sí mismo, a una involución que puede tomar una de dos formas:

a) Una involución capitalista pasiva hacia una economía de subsistencia, al parecer aislada y de extremo subdesarrollo, como la del Norte y el Nordeste del Brasil. Aquí pueden surgir los rasgos en apariencia feudales o arcaicos del "otro sector" del modelo dualista. Pero estos rasgos no son originales de la región ni se deben a la falta de incorporación de la zona o el país en el sistema, como ocurre en el modelo dualista. Antes bien, se deben a, y reflejan exactamente, la ultraincorporación de la zona, sus fuertes lazos (por lo general, de comercio exterior), a lo que sigue el abandono temporario o permanente de la región por su metrópoli y el aflojamiento de tales vínculos.

b) Un debilitamiento de los lazos, unido a una involución capitalista activa, que pueden conducir a un desarrollo o industrialización más o menos autónomos del satélite y que se fundamentan en las relaciones metrópoli-satélite del colonialismo o imperialismo interno. Como ejemplos de tal involución capitalista activa pueden citarse los anhelos de industrialización de Brasil, México, Argentina, India y otras naciones durante la gran depresión de la década del 30 y la segunda guerra mundial, mientras la metrópoli se ocupaba en otras cosas. Así, pues, el desarrollo de los satélites no se produce como resultado de vínculos más fuertes con la metrópoli, tal como lo sugiere el modelo dualista, sino, al contrario, a causa del aflojamiento de tales lazos. En la historia del Brasil encontramos muchos casos del primer tipo de involución (en Amazonia, el Nordeste, Minas Gerais y el país en general) y un importante ejemplo del segundo tipo en el caso de Sao Paulo.

3) La restitución de los fuertes lazos metrópoli-satélite puede, por ende, producir en el satélite las siguientes consecuencias:

a) La renovación del desarrollo limitado a consecuencia de la reapertura del mercado de exportación de la zona invulnerada, como ha ocurrido periódicamente en el Nordeste del Brasil. Este desarrollo aparente es tan desventajoso a la larga como la economía exportadora inicial del satélite auspiciada por la metrópoli: el subdesarrollo continúa profundizándose.

b) La estrangulación y desviación del desarrollo autónomo emprendido por el satélite durante el período de aflojamiento, a causa de la restitución de los fuertes lazos metrópoli-satélite como resultado de la recuperación de la metrópoli después de una depresión, una guerra u otra clase de altibajos. La consecuencia inevitable en el satélite es la reanudación del subdesarrollo, tal como ocurrió en los países antes mencionados después de la guerra en Corea.

4) Es íntima la interconexión de la economía y la estructura sociopolítica del satélite con las de la metrópoli. Cuanto más fuertes son los lazos del satélite y su dependencia de la metrópoli, tanto más se enlaza y depende de la metrópoli la burguesía del satélite, incluyendo la llamada "burguesía nacional". A la larga, y prescindiendo de los altibajos a corto plazo, una transformación histórica importante del sistema es el crecimiento de la interconexión estructural de metrópolis y satélites dentro de él, a causa del ascenso del imperialismo, el monopolio metropolitano de la tecnología y otros cambios. Por consiguiente, debemos esperar una mayor vinculación e interpendencia entre las burguesías de metrópoli y satélite.

5) Estos nexos, esta creciente interconexión, están acompañados, o mejor dicho, produce, una creciente polarización entre los dos extremos de la cadena metrópoli-satélite del sistema capitalista mundial. Síntoma de esta polarización es la progresiva desigualdad internacional de ingresos y la disminución absoluta del ingreso real de quienes perciben los recipientes de bajos ingresos. Se da, empero, una polarización aún más aguda en el extremo inferior de la cadena, entre la metrópoli nacional o local y sus satélites rurales y urbanos más pobres, cuyo ingreso real absoluto disminuye continuamente. Esta polarización creciente agudiza la tensión política, no tanto entre la metrópoli internacional y su burguesía imperialista con las metrópolis nacionales y sus burguesías nacionales, como entre unas y otras con sus satélites rurales y urbanos. Esta tirantez entre los polos se agudiza gradualmente hasta que la iniciativa y génesis de la transformación del sistema pasa del polo

metropolitano, donde por siglos ha estado, al polo satélite. Este patrón y sus hipótesis se examinaron más en el capítulo I con relación a Chile.

B. El desarrollo del subdesarrollo

Volviendo a la experiencia del Brasil, este modelo puede ayudar al estudio y comprensión de su descubrimiento y colonización por los portugueses, mientras que el modelo dualista no los explica. En el siglo XV y aun antes, Europa ya experimentó la expansión mercantilista que emanaba de varias metrópolis e incorporaba como satélites a otras áreas y pueblos. Los instrumentos eran entonces, como lo han sido siempre, la conquista, el saqueo, las plantaciones, la esclavitud, las inversiones, el comercio desigual, la fuerza armada y la presión política. El ascenso de Portugal en el siglo XV al *status* de metrópoli se fundó en su quebranto del monopolio que Venecia ejercía sobre el comercio con el Oriente al descubrir la ruta al Este bordeando las costas de África y creando sobre la marcha a sus propios satélites.

El descubrimiento de América y la colonización del Brasil derivaron de esta misma rivalidad intraeuropea por convertirse en metrópolis exclusivas. Cuando fue descubierto, el Brasil, a diferencia de México y el Perú, no poseía una alta civilización de cuyos descendientes pudiera decirse hoy, aun cuando erróneamente, que constituyen "otra parte" aislada y arcaica de la sociedad. Fueron la colonización europea y el desarrollo capitalista del país los que formaron la sociedad y la economía que actualmente encontramos allí. De existir en Brasil hoy un rezago, arcaico, separado de nosotros por varias centurias, serían los restos de algo que la metrópoli europea implantó allí en el curso de su expansión capitalista. Pero lo que la metrópoli capitalista introdujo en Brasil no fue una estructura económica microsocial arcaica, sino, al contrario, la aún viva y creciente estructura metrópoli-satélite del capitalismo.

En Brasil, a diferencia de Nueva España y Perú, no se encontró oro ni plata. Pero la rivalidad entre los expansivos centros europeos forzó a Portugal a ocupar lo más posible del territorio brasileño, antes de que se apoderaran de él sus competidores. Por otra parte, el norte del país era rico en palo brasil, madera muy codiciada para la producción de tintes, al igual que el índigo de Guatemala. Así, pues, esta parte norteña y ahora subdesarrollada de Brasil no tardó en ser incorporada al expansivo sistema capitalista mercantil como fuente de exportación de una materia prima. Las concesiones de tierra —*capitanías y sesmarias*—, hechas por el rey a algunos de sus súbditos para que colonizaran el Nuevo Mundo, parecen feudales y, en efecto, tienen antecedentes feudales. Mas su esencia no era feudal, sino capitalista. Se las concibió y funcionaron como mecanismos de la expansión del sistema capitalista mercantil. Sus recipientes las aceptaron pensando en la ganancia comercial, y las financiaron con préstamos comerciales que recibieron y liquidaron —cuando pudieron— del producto de la explotación de otros. (Simonsen, 1962: 80-83.)

1. *El azúcar y el subdesarrollo del Nordeste*

Es más importante el hecho de que, en 1500, Portugal era ya, con sus islas Madeira, el productor de azúcar más grande del mundo; pero el mercado europeo no absorbía toda la producción. Después de 1530, la corriente de oro, y más tarde de plata, de las colonias a España, y a través de ésta a la Europa noroccidental, se combinó con el comercio oriental de estos países y entre ambos produjeron, como se sabe, inflación y concentración de la riqueza en todo el oeste de Europa. La demanda de azúcar y su precio subieron también rápidamente, llegando a sextuplicarse en el transcurso del siglo XVI. (Simonsen, 1962: 112.) Portugal pudo ampliar su comercio azucarero sembrando caña en Pernambuco, al nordeste del Brasil, zona que no tardó en superar a las islas portuguesas en el Atlántico como el productor más importante. Al comienzo, para su acumulación primaria de capital, Portugal se sirvió de esclavos indígenas (así como también de capital extranjero, holandés en su mayor parte). Pero los indígenas no eran buenos trabajadores; no estaban bien organizados, como los aztecas. Empero, las ganancias fueron grandes. Portugal tenía una población de no más de un millón de habitantes, mientras que Europa contaba cincuenta millones. (Simonsen, 1962: 126.) Era, por tanto, posible y necesario importar esclavos negros. Además, Portugal poseía las costas del África occidental, fuente de exportación de esclavos. Así, pues, la producción de azúcar y esclavitud significaron un buen negocio.

La estructura socioeconómica del Nordeste brasileño en su edad de oro merece ser examinada. Los negocios estaban en manos de unos pocos propietarios de tierra e ingenios de azúcar y también de los comerciantes, la mayoría de los cuales no resdía en Brasil y a me-

155

nudo no eran siquiera lusitanos, sino holandeses. Todos estaban enteramente vinculados a la metrópoli y dependían de ella. La concentración de la riqueza en sus manos, el traspaso de buena parte de ella a la metrópoli, y la estructura de la producción, cuyos mayores beneficios derivaban de un solo producto exportable, condujeron a una escasa inversión en el país y a la importación de la metrópoli de máquinas para los ingenios y objetos de lujo para sus propietarios. Se fue impregnando así al satélite, a través de su incorporación al sistema capitalista mundial durante la prosperidad del siglo XVI, la estructura de subdesarrollo que en esencia es evidente aún en la América Latina de nuestro tiempo.

Después de 1600 decayó el poderío de Portugal, alcanzado y superado por sus rivales. La unión de las coronas de Portugal y España llevó a los enemigos de esta última a atacar también a la primera. Entre 1629 y 1654, Holanda ocupó la mitad de las tierras azucareras del Brasil. En 1642, 1654 y 1661, Portugal firmó tratados comerciales que hacían concesiones económicas a Inglaterra a cambio de protección política, y en 1703, con el Tratado de Methuen, abrió todo su mercado al comercio inglés.

A finales del siglo XVII, los holandeses, después de su expulsión del Brasil, y más tarde otros, establecieron plantaciones de caña de azúcar en las Antillas. La oferta de azúcar al mercado mundial aumentó rápidamente y el precio se redujo a la mitad. El ingreso *per capita* en el Nordeste declinó en la misma proporción. (Furtado, 1959: 68, 78-79, y Simonsen, 1962: 112-114.) Después de 1680, el Nordeste del Brasil inició su decadencia, y la distensión relativa de sus nexos con la metrópoli lo forzó a recogerse en sí mismo. El desarrollo del sistema en conjunto produjo la involución de su satélite nordeste brasileño.

La estructura de subdesarrollo implantada en los pretendidos buenos tiempos no permitía otro curso en los malos por venir. Celso Furtado dice a este respecto: "... ocurrió un proceso de involución económica. ... El Nordeste se transformó gradualmente en una economía en la que gran parte de la población sólo producía lo necesario para subsistir ... El desenvolvimiento de la población del Nordeste y su precaria economía de subsistencia —elemento básico del problema económico brasileño en épocas posteriores— están así vinculados a esta lenta decadencia de la gran empresa azucarera, que en sus mejores años fue, posiblemente, el más lucrativo negocio de la agricultura colonial de todos los tiempos" (Furtado, 1959: 80-81). He aquí un ejemplo importante de cómo el desarrollo capitalista engendra subdesarrollo.

Otros dos aspectos de la experiencia brasileña en los siglos XVI y XVII pueden ser esclarecidos por nuestro modelo y, al mismo tiempo, ayudar a confirmar éste. La economía azucarera —el satélite que es también metrópoli nacional— generó de por sí una economía satélite: la cría de ganado. Las reses eran útiles por su carne y su cuero, como animales de tiro para mover los trapiches de los ingenios y como proveedores de sebo para engrasarlos, como bestias de carga para transportar las grandes cantidades de leña que consumían las calderas. La economía ganadera era mucho menos rentable que la producción y exportación de azúcar y los ganaderos eran explotados por los ingenios de los que eran satélites. El apacentamiento de ganado se extendió a Bahía y hacia el norte y la ganadería vino a ser la base económica de la región interior del *sertao.*

El satélite ganadero formó a su vez una metrópoli con respecto a las zonas indígenas y la expansión de éstas obligó a los aborígenes a retirarse o a servir como fuente de mano de obra explotada. La metrópoli europea perturbó así la vida del interior del país mediante una larga cadena de metrópolis y satélites. Con la involución de la economía azucarera del nordeste, su creciente sector satélite ganadero absorbió la población, que pasó de la declinante economía de exportación a esta relativa economía de subsistencia (Simonsen, 1962: 145-148; Furtado, 1959: 70-76). En esta región nordeste del Brasil rige hoy día el *coronelismo* (*gamonalismo* lo llaman en el Perú, y *caciquismo* en México), la clase de predominio local todopoderoso en lo económico, lo político, lo social y lo represivo que el terrateniente llamado "feudal" representa (Núñez Leal, 1946).

El segundo caso que merece atención es el de São Paulo y sus famosos *bandeirantes* o pioneros. São Paulo no contenía en un principio nada de gran interés, o sea nada adecuado para la exportación. Por ende, recibió poca población inmigrante; no tenía empresas capitalistas grandes, y las propiedades de tierras (al igual que en otras regiones no exportadoras, como el interior de la Argentina) no eran extensas y se destinaban principalmente al autoconsumo: no había latifundios. Los *bandeirantes* se ocupaban en dos actividades económicas complementarias, ninguna de ellas muy lucrativa. Una era la prospección de yacimientos de oro y plata, que no encontraron, sino unos pocos lavaderos de áureo metal. La otra era cazar indígenas para venderlos como esclavos a la economía azucarera, pero los aborígenes eran peones renuentes. Al São Paulo del período colonial siempre se le ha calificado de "pobre". Sus habitantes, a no dudarlo, eran pobres —como los pobladores de la frontera sin latifundios de la América del Norte—, pero no tanto como los esclavos del "rico" nordeste (o el sur de Estados Unidos), cuyo promedio de vida "útil" era de siete años. Como sugiere mi modelo, pero no el modelo dualista, São Paulo, por estar menos atado a la metrópoli, no mostraba entonces tan marcada estructura del subdesarrollo (Simonsen, 1962: 203-246; Ellis, 1937).

2. Inglaterra y el subdesarrollo de Portugal

Entre 1600 y 1750 también Portugal se subdesarrolló y no pudo expropiar ya tanto a su satélite brasileño. A su vez se convirtió cada vez más en un satélite. Los tratados del siglo XVII, y especialmente el de Methuen en 1703, trajeron la desaparición de las industrias textiles portuguesas, el paso a manos de Inglaterra del comercio exterior, e incluso el interior, ambos lusitanos, y la conversión de Portugal en un mero *entrepôt* entre la Gran Bretaña y el Brasil y otras colonias portuguesas. Portugal se convirtió también en exportador de vino, a cambio de los tejidos que ya no podía producir frente a la competencia de los productos ingleses que inundaron su mercado, lo que David Ricardo, en 1817, tuvo la temeridad de interpretar como una ley de "ventajas comparativas". Portugal vino a ser un satélite-metrópoli que toma una parte cada vez menor del excedente económico de su satélite brasileño, y eso por el monopolio político que aún ejercía sobre el mismo, mientras Inglaterra se adueñaba del monopolio económico y sus frutos.

Dicen mucho a este respecto las observaciones del marqués de Pombal, primer ministro de Portugal y su segundo Colbert, quien esclareció la situación y, con ello, las raíces del subdesarrollo del país en 1755, años antes de que Adam Smith investigara las causas y la esencia de la riqueza de las naciones, y medio siglo antes de que Ricardo asegurara al mundo que la producción de Portugal y su intercambio de vino por tejidos de Inglaterra, era una ley universal para el bien de todos. Pombal escribió:

La monarquía portuguesa daba sus últimas boqueadas. Los ingleses habían sujetado firmemente a la nación a un estado de dependencia; la habían sometido sin los inconvenientes de conquistarla... Impotente y sin voluntad propia, todos los movimientos de Portugal eran regulados por los deseos de Inglaterra... En 1754, Portugal apenas produjo nada para su propio sustento; dos tercios de sus necesidades físicas vinieron de Inglaterra... Inglaterra se había convertido en la dueña de todo el comercio portugués, a través de sus agentes. Los ingleses eran al mismo tiempo los proveedores y los revendedores de todas las necesidades de la vida. Poseyendo el monopolio de todo, no se realizaba negocio alguno que no pasara por sus manos... Los ingleses vinieron a Lisboa a monopolizar hasta el comercio del Brasil. Todo el cargamento de los buques que eran enviados allí y, por consiguiente, todas las riquezas que traían de vuelta, les pertenecían... Estos extranjeros, después de haberse hecho de inmensas fortunas, desaparecieron repentinamente, llevándose consigo todas las riquezas del país (citado por Manchester, 1933: 39-40).

3. El oro y el subdesarrollo de la Región Central

Por este tiempo, con el precio y las utilidades del azúcar ya en ínfimos niveles y con Portugal en la situación que describe Pombal, se descubrieron oro y diamantes en gran cantidad en el interior del Brasil: en Minas Gerais y Goiás. Lo que vino después ha dejado su marca en los niveles internacional y nacional del desarrollo capitalistas hasta nuestros días. El oro fluyó vía Portugal a Inglaterra. En el Brasil, sin prisa después de 1720 y con su máximo impulso entre 1740 y 1760, hubo una verdadera fiebre de oro hacia la Región Central. Se fundaron ciudades y se importaron esclavos, tanto de la estancada economía azucarera del nordeste como del extranjero. El oro atrajo inmigrantes de Europa y emigrantes de São Paulo y el Sur. La economía satélite de reses y mulos gozó de favor, particularmente en las provincias sureñas, pues la nueva población, geográficamente aislada y casi por entero dedicada a la minería, necesitaba grandes cantidades de carne. El transporte de oro y diamantes a la costa, y de otras mercancías al regreso, demandaba millares de mulos. Así, pues, la economía ganadera y sus pastizales volvieron a ser satélites de la economía exportadora de la metrópoli nacional.

Esta vez la expansión de la cría de ganado sirvió para enlazar en mayor grado que antes a las diversas regiones del Brasil. Estos territorios, con excepción del comercio de cabotaje, eran antes casi independientes unos de otros y ninguno estaba sujeto a otra dependencia que la de la metrópoli. Ahora la actividad económica creció a tal punto en la Región Central que, en 1749, por ejemplo, aunque las exportaciones desde Pernambuco, en el nordeste, sólo alcanzaron medio millón de libras esterlinas, las de Río de Janeiro, el puerto de la Región Central, subieron a £ 1.800.000, con lo que se convirtió a Río en la capital del Brasil (Simonsen, 1962: 362). El nivel de ingresos de la región y del país aumentó de consiguiente. Esta vez, empero, como el oro aparecía en lavaderos superficiales y no en grandes minas como en México y el Perú, y como la proporción de esclavos era menor que la de la economía azucarera del Nordeste —los esclavos nunca llegaron a ser siquiera la mitad de la población de la región minera—, el grado de concentración de los ingresos fue mucho menor que en los tiempos de auge azucarero del Nordeste. Las consecuencias de estas diferentes estructuras socioeconómicas habrían de manifestarse al sobrevenir la decadencia de la economía minera.

La edad del oro, en efecto, desapareció tan pronto como había llegado. A partir de 1760, al cabo de sólo cuarenta años —de los cuales solamente la mitad fue de producción en gran escala—, la economía minera del centro decayó rápidamente. Oliveira Martins, un historiador del siglo pasado, resume: "La provincia de Minas [Gerais] parecía despoblada, con sus caseríos separados unos de otros por leguas y leguas... La decadencia y desolación era general. Brasil entró en una crisis que duró un cuarto de siglo." (Simonsen, 1962: 292.) Y Simonsen añade: "Pero aún hoy viven en Minas y otras regiones del Brasil central, millones de brasileños, descendientes de los primeros pobladores, cuyo nivel de subsistencia es bajo, pues laboran en tierras pobres, en presencia de complejos problemas económicos." (Simonsen, 1962: 295.) Y Celso Furtado observa: "[Con] el descenso de la producción de oro vino una vertiginosa decadencia general... Toda la economía minera se desintegró, viniendo a menos los centros urbanos y lanzando a gran parte de sus habitantes a una economía de subsistencia en una inmensa región, donde el transporte era difícil. Esta población relativamente numerosa vendría a ser uno de los mayores centros demográficos del país. En este caso, como en el Nordeste, la economía monetaria se atrofió y la población vino a trabajar en una agricultura de subsistencia con un bajo nivel de productividad." (Furtado, 1959: 102-104.) Aquí tenemos hoy la otra región importante en que el *coronelismo* impera, y a la que se llama "feudal", pero que es sólo el resultado del desarrollo del capitalismo y de sus contradicciones internas.

El oro del Brasil reanimó a la inflación metropolitana y contribuyó de modo importante, al igual que las riquezas extraídas de la

India por Clive, a la acumulación inglesa de capitales, inmediatamente antes de su guerra con Napoleón y su desarrollo industrial. El desigual desarrollo del sistema capitalista mundial creó así, una vez más, la estructura de subdesarrollo en otra populosa región de Brasil, la misma en que, en nuestros días, se inició el golpe militar.

Durante la segunda mitad del siglo XVIII, estimulado en parte por el oro quizás, Pombal intentó detener la caída de Portugal hacia el subdesarrollo y estimular el crecimiento económico del país con una política mercantil nacionalista. Sus esfuerzos, como ya sabemos, fueron en vano: era ya demasiado tarde. El subdesarrollo estaba profundamente arraigado en Portugal y, al menos hasta hoy, ningún país del mundo ha conseguido salir de semejante subdesarrollo con una política capitalista, mercantil o de otro tipo.

4. La guerra y el subdesarrollo del norte

Pero los afanes de Pombal ejercieron sobre el Brasil otros efectos que también perduran hasta hoy. El lusitano expulsó a los jesuitas de Maranhao y Pará, en el norte y, mediante el establecimiento de un monopolio mercantil creó allí otra metrópoli nacional exportadora, esto es, otro satélite de la metrópoli mundial. A finales del siglo XVIII y principios del XIX, cuando la revolución norteamericana retiraba del mercado al arroz de Carolina, cuando las guerras napoleónicas y el consiguiente bloqueo de Europa reducían el comercio y comenzaba a desarrollarse la industria inglesa del algodón, hubo un nuevo aumento de la demanda y los precios del arroz, el cacao y, sobre todo, el algodón. Gracias a esta serie de circunstancias, el norte del Brasil se convirtió en exportador de tales productos. Hacia el inicio del siglo XIX São Luiz —hasta su nombre es caso desconocido hoy fuera de Brasil— superaba a todos los demás puertos brasileños en volumen de exportación; era visitado por 150 buques al año, enviaba al extranjero mercancías por valor de un millón de libras esterlinas y, por razón de su florecimiento cultural, se le llamaba la Atenas de Brasil. (Simonsen, 1962: 346.) Después de la paz de 1815, la renovada competencia del arroz y el algodón de Estados Unidos suprimió una vez más el mercado del norte brasileño, aunque la guerra de secesión norteamericana estimuló por breve tiempo las exportaciones (pero no el desarrollo) en la década del 60. El norte del Brasil continuó subdesarrollándose hasta que, justo al acabar el siglo XIX, lo reanimó de nuevo el caucho del Amazonas. Rápidamente se importó medio millón de habitantes, en su mayoría del Nordeste; pero, con no menor rapidez, el caucho silvestre de Brasil cedió su lugar al caucho cultivado del sudeste de Asia. La población, cuyo traslado al norte había sido costeado por los intereses exportadores, se encontró abandonada allí, dejada a merced del subdesarrollo en que aún subsiste hoy. Y aquí tenemos el tercer reino del *coronelismo*.

Volviendo a la época colonial, el Nordeste y Bahía estuvieron también envueltos en la prosperidad de la era de Napoleón. Esta prosperidad, unida a la rebelión de los esclavos y a la independencia de Haití, en 1789, produjo un nuevo aumento de los precios del azúcar y el cacao y de las ventas brasileñas. En respuesta también a la nueva demanda, se cultivó algodón en el Nordeste, cuya economía se reanimaba así, mientras la de la región central se deterioraba. Esto no representó un verdadero desarrollo económico, sino una bonanza del comercio de exportación, similar a la del siglo XVI, aunque en escala mucho menor. Efímera, además. La paz de Versalles estabilizó la escena internacional, el precio del azúcar y el algodón volvieron a caer, mientras el de los productos manufacturados subía, y la economía brasileña, esta vez en todas las regiones del país, caía de nuevo en una depresión económica, en una involución capitalista pasiva que duró medio siglo o más. (Simonsen, 1962: 351-381.)

5. El monopolio y el subdesarrollo de la industria

La época colonial del Brasil produjo también industrias manufactureras. Las primeras fundiciones de hierro del Nuevo Mundo (del norte o del sur) se construyeron en el Brasil. Hubo mucha construcción de buques, especialmente para la importante navegación de cabotaje, asociada al transporte y distribución de mercancías de exportación e importación. Y, a semejanza de los obrajes de Hispanoamérica, también Brasil tuvo su producción textil. Esta se encontraba en los ingenios de azúcar, para uso de los esclavos y otros, y se desarrolló especialmente en São Paulo y Minas Gerais; también en Maranhao, en el norte (Lima, 1961: 114, 152-156, 166). Este hecho se relaciona significativamente con nuestro modelo y nuestras hipótesis. Fueron precisamente São Paulo y Minas Gerais —el primero sin producción alguna de materias primas para la exportación, y el segundo situado en el interior, lejos de las mercancías del extranjero, y ya pasada su edad de oro— los principales centros textiles del Brasil; llegaron incluso a exportar telas a otras regiones. Como mi hipótesis sugiere, son las regiones satélites menos atadas a la metrópoli las que tienen mayores oportunidades de desarrollo autónomo, especialmente industrial. La minería, como ya observamos, no produjo en Minas Gerais una estructura de subdesarrollo tan profunda ni una distribución del ingreso tan desigual como las que originó el azúcar en el nordeste. El mercado interior y la estructura productora de Minas Gerais, después de agotado el oro y debilitados los lazos con la metrópoli, favorecían, por tanto, y más de lo que habían hecho en el nordeste, la involución capitalista activa hacia la producción industrial.

No obstante el Centro del Brasil, al igual que otras regiones, continuó siendo satélite. En 1786 (al mismo tiempo que Portugal trataba de cerrar sus puertas a los tejidos ingleses, durante los conatos de fomento de Pombal, y sólo unos años después de haber adoptado España medidas similares en sus colonias, en 1778), la reina de Portugal tomó medidas:

> Yo la Reina... teniendo conocimiento del gran número de fábricas y manufacturas que en años recientes se han propagado por las diversas capitanías de Brasil, con grave perjuicio para el cultivo y trabajo de la tierra y de la explotación mineral de este vasto continente; siendo obvio que cuanto más se multiplica el número de manufactureros, tanto más disminuye el número de cultivadores... como ha disminuido ya la extracción de oro y diamantes; que cuando debieran ocuparse en este útil y provechoso trabajo (agrícola), lo dejan y abandonan para ocuparse en otro muy diferente, como es el de las dichas fábricas y manufacturas, y que la verdadera y sólida riqueza está en los frutos y productos de la tierra... que forman todo el fundamento y base de las relaciones y de la navegación y el tráfico entre mis leales vasallos de estos reinos y esos dominios, que debo estimular y mantener en beneficio de los unos y los otros...; a consecuencia de todo lo antedicho, tengo a bien ordenar que todas las fábricas, manufacturas o construcciones de barcos, de tejidos, de oro y orfebrería... o de cualquier clase de seda... o de cualquier clase de algodón o lino, y ropa... o cualquier otra clase de confecciones de lana... serán extinguidas y abolidas en cualquier lugar de mis dominios de Brasil en que puedan encontrarse (citado por Lima, 1961: 311-313).

Obsérvese lo que dice la reina. El auge de las manufacturas ocurre cuando la producción y exportación de oro decae, o sea, como predice mi hipótesis, cuando los lazos con la metrópoli, lejos de reforzarse, se debilitan. Pero como los nexos del satélite con la metrópoli continuaron —como continúan todavía hoy—, muchos establecimientos manufactureros e industriales se cerraron y el país se subdesarrolló aún más.

6. El librecambio y la consolidación del subdesarrollo del Brasil

Después de las guerras napoleónicas la economía brasileña pasó por un período de depresión hasta que el café, en el mismo siglo XIX, le dio nuevo impulso. La invasión de Portugal por Napoleón obligó al regente Don Juan VI, en 1808, a trasladar su corte al Brasil, con la protección y a expensas de los ingleses, y a buscar allí aún más protección de Inglaterra. Para esta protección naturalmente, Portugal tenía que pagar un precio, del que el Brasil, satélite colonial, tenía que contribuir con una parte considerable. En 1808, el regente abrió los puertos brasileños a los buques de todas las naciones amigas, y en 1810 firmó un tratado comercial con la Gran Bretaña que puso fin a casi todas las restantes restricciones mercantilistas del comercio y franqueó los puertos de Portugal y el Brasil al liberalismo económico. Durante el bloqueo de Europa, esto significó Inglaterra, y en el siglo XIX significó la industria inglesa.

Don Juan VI razonó y·habló a sus súbditos como sigue:

> Me he servido adoptar los principios de política económica saludable más claramente demostrados: libertad y franquicia del comercio y reducción de los derechos de aduana, juntamente con los principios más liberales; de modo que los agricultores del Brasil, al fomentar el comercio, obtengan el consumo más grande de sus productos y el mayor progreso de la cultura en general... [Este es] el mejor modo de hacer que [el Brasil] prospere, mucho mejor que el sistema restrictivo y mercantilista que tan mal se adapta a un país en que al mismo tiempo no pueden producirse manufacturas, excepto las más rudimentarias... Corrobora estos mismos principios el sistema de librecambio que, por acuerdo con mi viejo, leal y grande aliado, Su Majestad Británica, he adoptado en los tratados de alianza y comercio que acabo de contraer... No temáis que la introducción de mercancías inglesas perjudique a vuestra industria... Porque ahora vuestros capitales estarán mejor aplicados al cultivo de vuestras tierras... más tarde avanzaréis a la manufactura... La reducción de los derechos de importación debe producir, necesariamente, una grande afluencia de manufacturas extranjeras; pero quien vende mucho, mucho compra también necesariamente... La experiencia os enseñará que la expansión de vuestra agricultura no necesita destruir totalmente vuestras manufacturas, y si algunas de ellas son de necesidad abandonadas, podéis estar seguros de que eso será una prueba de que tal manufactura no

se fundaba en una base sólida y no era de verdadera conveniencia para el estado. Al final, el resultado será una grande prosperidad nacional, mucho mayor que aquélla a la que podíais aspirar antes (citado por Simonsen, 1962: 405-406).

En 1821, el regente regresó a Portugal, y en 1822 Brasil declaró su independencia, proclamando emperador al hijo del regente, Pedro I. No obstante, en 1827, Brasil firmó otro tratado por el que dio a Gran Bretaña pleno acceso al mercado brasileño en mejores condiciones que las otorgadas a otros países y, sobre todo, en mejores condiciones que las accesibles a la industria nacional brasileña. Con este liberalismo económico, Inglaterra desarrolló su industria, mientras sus satélites subdesarrollaban sus manufacturas y su agricultura.

La estructura monopolista metrópoli-satélite del capitalismo no cambió, en realidad; no hizo más que variar de forma y de mecanismo. Durante la época mercantil, la metrópoli mantuvo su monopolio por medio de la fuerza militar y el acaparamiento comercial, y fue así como aquélla desarrolló su industria mientras los satélites subdesarrollaban su agricultura. Durante la época liberal la metrópoli, ya más fuerte industrialmente, mantuvo y extendió el mismo monopolio por medio del librecambio y la fuerza militar. Como reconocieron Alexander Hamilton y Friedrich List, fueron el liberalismo y el librecambio los que garantizaron a Inglaterra, en el siglo XIX, su monopolio industrial de los satélites. Cuando esta política dejó de excluir del mercado mundial a sus rivales metropolitanos, el liberalismo fue revisado, a finales del siglo XIX, en favor de la política colonial imperialista, y con la depresión de 1930, Inglaterra —y John Maynard Keynes— abandonaron por completo el librecambio. El cual ha sido exhumado y reexportado, "made in USA", durante la posguerra de nuestros tiempos. Friedrich List, padre del *Zollverein*, dijo de la protección mercantilista que fue la escalera de que se sirvió Inglaterra para subir y luego la echó a un lado para que otros no pudieran seguirla, y llamó al librecambio principal producto de la exportación inglesa. Quizá, puede ensanchar nuestra perspectiva la observación del contemporáneo norteamericano de List, presidente Ulyses S. Grant, quien anotó que "Inglaterra, durante siglos, ha confiado en la protección, la ha llevado al extremo y ha obtenido resultados satisfactorios. No cabe duda de que a este sistema debe su presente poderío. Al cabo de dos centurias, Inglaterra ha encontrado conveniente la adopción del librecambio, porque cree que la protección no tiene ya nada que ofrecerle. Pues bien, caballeros, el conocimiento que tengo de mi país me lleva a creer que dentro de doscientos años, cuando Estados Unidos haya obtenido de la protección todo lo que puede ofrecer, adoptará también el librecambio" (citado por Santos, 1959: 25).

La depresión económica del Brasil en el siglo XIX y la penetración del mismo por el avance del imperialismo británico dejaron a Brasil por completo fuera de la carrera por el crecimiento económico, y también del desarrollo capitalista en general. Pero fueron las circunstancias de los tiempos coloniales las que hicieron· posible y necesario este subdesarrollo, mientras la metrópoli se desarrollaba, a la vez que otros países no satélites o poco satelizados, como Alemania, los Estados Unidos y el Japón, lograban su crecimiento. (Japón es el elemento clásico de un país que no estaba ya satelizado y, por tanto, subdesarrollado en el siglo XIX). Fue, pues, en los tiempos coloniales cuando se formó la metrópoli nacional y su burguesía, si así podemos llamarla. La metrópoli nacional se convirtió en exportador satélite de productos primarios a la metrópoli mundial y, a la inversa, en dependiente de ella en cuanto a importación de manufacturas y artículos suntuarios. La oligarquía nacional, sea agraria, minera o comercial, quiere, naturalmente, importar estas mercancías al precio más bajo posible (esto es, sin aranceles proteccionistas), mientras las paga con el excedente económico que a su vez expropia a sus satélites nacionales y provinciales. Tal es la estructura del subdesarrollo capitalista, que, como antes vimos, se implantó en el nordeste del Brasil con la primera plantación de caña de azúcar en 1530 y que en esencia ha persistido hasta nuestros días. Esta estructura económica satélite y la línea política que de ella resulta se estudian con más detalle en el capítulo I con respecto a Chile.

El Brasil, pues, se subdesarrolló aún más durante la expansión industrial de Inglaterra. En el Brasil "independiente", el poder político se confirió, por supuesto, a los grandes terratenientes y comerciantes, tanto nacionales como extranjeros, todos ellos, claro está, librecambistas. Los precios de venta brasileños se deprimieron en un 40 por ciento entre 1820 y 1850 (Furtado 1959: 127). La tasa de cambio bajó; el milréis valía, en libras esterlinas, 70 peniques en 1808 (Prado, 1962: 137); gracias a la guerra napoleónica había subido a 85 peniques hacia 1814; después comenzó a bajar de veras: a 49 peniques en los días de la Independencia, en 1822, y a 25 en 1860. La guerra civil norteamericana le trajo una nueva y breve mejoría, descendiendo luego a 18 peniques, su más baja cotización antes del fin de la esclavitud y el Imperio, en 1888 y 1889 (Normano, 1845: 253-254). La balanza de pagos estuvo en constante déficit entre 1821 y

1860; después, la guerra civil norteamericana primero y luego las exportaciones de café invirtieron la tendencia (Prado, 1962: 136). Tanto el déficit de la balanza de pagos como otras actividades económicas se financiaban mediate empréstitos extranjeros; hacia mediados del siglo, la atención de la deuda exterior consumía el 40 por ciento de los ingresos brasileños (Prado, 1962: 142). Concurrentemente, el comercio mayorista brasileño, así el exterior como el interior, caía casi por entero en manos de los ingleses.

7. Resumen: involución pasiva y subdesarrollo

Podemos sacar, por tanto, algunas conclusiones preliminares:

a) La era colonial del Brasil no tuvo la menor conexión con el feudalismo, pero sí la tuvo con el desarrollo capitalista. Además, la realidad brasileña no es la supervivencia de una región "aislada" del capitalismo; al contrario, es el producto del desarrollo del sistema capitalista mismo.

b) Lo que ocurría en la colonia estaba determinado por los nexos de ésta con la metrópoli y por la intrínseca naturaleza del sistema capitalista. No fue el aislamiento, sino la integración la que trajo la realidad del subdesarrollo brasileño. La vida del interior se definía mediante toda una cadena de metrópolis y satélites que se extendía desde Inglaterra, a través de Portugal y Salvador de Bahía o Río de Janeiro, hasta la más remota avanzada de ese interior.

c) El desarrollo económico logrado ocurrió en épocas y lugares en que los lazos con la metrópoli eran menos estrechos en contra del patrón dualista, que ve el progreso como una difusión centrífuga de la metrópoli hacia el interior. Así lo vimos ya en São Paulo, Minas Gerais y el norte. El desarrollo de Brasil fue posible, hasta cierto punto, por el hecho de que Portugal *era* una metrópoli débil, demasiado débil para ejercer sobre sus colonias el mismo control que otras metrópolis ejercían.

d) La flojedad temporal de los nexos con la metrópoli o la aminoración de la dependencia del mercado exportador y el desarrollo desigual del capitalismo produjeron una involución capitalista pasiva en el satélite brasileño, con la excepción parcial de Minas Gerais, donde la estructura de la producción y el ingreso estaba menos subdesarrollados que en otras partes. Fue la involución capitalista pasiva del interior —Minas Gerais, Goiás, el norte y el nordeste— la que condujo al más alto grado de subdesarrollo, no sólo del ingreso relativo, sino también de toda la estructura sociopolítica.

Son estas las regiones en las que el *coronelismo* predomina hoy y en las que la vida política se funda menos en lo ideológco que en "la clientela" y se orienta a servir de inmediato a los intereses locales. Son estas las regiones de mayor influencia y prestigio del Partido Social Demócrata (PSD) de Juscelino Kubitschek, el partido político por excelencia del "clientelismo" y el oportunismo agrario y provincial. Pero estas regiones no están hoy políticamente "aisladas". Al contrario, del "clientelismo" y del oportunismo se aprovechan *in extenso* la metrópoli nacional y la internacional, mediante la cadena de metrópolis y satélites que llega hasta la aldea y la hacienda supuestamente más aisladas. La atención que prestó la prensa mundial al destino del gobernador del estado interior de Goiás, Mauro Borges, en 1964, es una prueba de que el campesino del interior está inevitablemente vinculado al gobierno militar de la metrópoli.

e) El nuevo fortalecimiento de los lazos metrópoli-satélite por razón del librecambio consolidó este subdesarrollo del satélite brasileño. La independencia política del Brasil no bastaba para liberarlo del subdesarrollo o de la estructura que lo produce. Por lo contrario, la independencia puso el poder político en las manos de los grupos económicos cuyos intereses creados estaban en el mantenimiento del *statu quo* brasileño. Simultáneamente la metrópoli, ahora Inglaterra sin la mediación de Portugal, reemplazó los ya anticuados instrumentos mercantiles del control metropolitano por los más recientes y entonces más ventajosos del librecambio. La esencial estructura metrópoli-satélite del sistema no varió, en lo interno ni en lo externo. Por ende, la independencia política no trajo desarrollo económico al Brasil, y el librecambio consolidó el subdesarrollo del país y la estructura que inevitablemente lo engendra.

C. El subdesarrollo del desarrollo

A mediados del siglo XIX, el café inició en el Brasil una nueva época, análoga a la del azúcar en el XVI y a la del oro en el XVIII. La producción de café se inició en la década de 1820-30. Durante la del 40 avanzó de Río de Janeiro hacia adentro, a lo largo del valle del río Paraiba. Los capitales invertidos en esta expansión cafetera eran brasileños. Acumulados y en gran parte concentrados en la economía aurífera de Minas Gerais y en el comercio exterior de Río de Janeiro (Monbeig, 1952), estos capitales comenzaron a ser desviados hacia el sector cafetalero de las regiones oriental y central. Por cierto, fueron retirados de otras regiones en grado alarmante para el nordeste, donde los esclavos eran comprados a precios que el nordeste no podía permitirse y despachados al sur. Pernambuco trató de invocar la prohibición total de exportar esclavos de la región, pero fracasó. Varios estados del nordeste, sin embargo, impusieron un tributo a la exportación al sur de su capital en esclavos. Vemos aquí, pues, el nacimiento de otra metrópoli nacional brasileña, vinculada a la metrópoli mundial a través del comercio de exportación.

1. El café y la satelización externa

En 1860-1870, la demanda mundial de café aumentó apreciablemente y su cultivo avanzó aún más hacia el interior, en la dirección de São Paulo. En los días de Mauá, el Carnegie brasileño, se construyeron ferrocarriles, mayormente con dinero del país. Fue necesario también mejorar el puerto de Santos, y estas obras fueron financiadas por capitales ingleses, *después* que los capitales brasileños allanaron el camino y mostraron utilidades. (Ellis, 1937: 177-180.) El cultivo de café atrajo una creciente inmigración europea. La esclavitud fue abolida en 1888 y la república proclamada en 1889.

Después de todo esto comenzó la gran expansión del café en São Paulo. Cinco características de esta expansión se detallan abajo. Nuestro juicio de posteriores períodos de expansión económica se fundará, en gran parte, en las similitudes y diferencias que exhiban en relación con el crecimiento cafetalero: a) Inflación nacional: la cantidad de papel moneda en circulación aumentó de 215.000 *contos de réis* en 1889 (197.000 según Normano, 1945: 231, y Guilherme, 1963: 19) a 778000 en 1898. (Monbeig, 1952: 95.) La inflación es una característica que reaparece en todos los posteriores períodos de expansión; b) la devaluación, mientras Brasil mantuvo más o menos el patrón oro, fue automática. El valor del *mil-réis* cayó de 27 peniques en 1889 a 6 peniques en 1898 (Monbeig, 1952: 95 y Normano, 1945: 254); c) ascenso y descenso de los términos de intercambio: el precio del café subió de 2 centavos la libra en 1889 a 9 centavos en 1895, bajó luego a 4 en 1898 y a 2 en 1903. (Monbeig, 1952: 97); d) financiamiento externo, especialmente por bancos extranjeros. (Monbeig, 1952: 90-99); e) las consecuencias fueron el apoderamiento extranjero primero del comercio de exportación, y después, de parte de su financiamiento interno y también su producción. Tan pronto como vino la sobreproducción y los productores y comerciantes nacionales cayeron en dificultades financieras (la expansión anterior había sido sumamente especulativa), las casas extranjeras comenzaron a apoderarse de estas actividades internas e incluso a comprar tierras cafetaleras. El Bank of London, el River Plate, el Rothschild, la Société Générale de París y el National City Bank of New York se distinguieron en este proceso. (Monbeig, 1952: 98-99.)

La sobreproducción de café empezó en 1900 y ha continuado casi ininterrumpidamente, hasta nuestros días. En 1905, después de cierta vacilación y presión política, el gobierno de Brasil empezó a adoptar una política de respaldo del precio y de almacenamiento de la sobreproducción, política que también ha continuado hasta hoy y que ayudó algo a los productores nacionales, y aún más a los comerciantes extranjeros. El mantenimiento de la línea de respaldo de los precios sin consecuencia drástica, fue posible a corto plazo, porque Brasil monopolizaba prácticamente la producción del café —en 1920, alrededor del 75 % de la producción mundial (Guilherme, 1963: 29-30)— y porque la medida se financiaba exteriormente. A la larga, como veremos, esta política ha tenido consecuencias importantes. Entretanto, podemos destacar sucintamente tres acontecimientos que han acompañado a la expansión del cultivo en São Paulo.

2. La industria y la satelización polar interna

El primero de estos acontecimientos fue la industrialización. El número de establecimientos industriales se elevó de 200 en 1881 a 626 en 1889, a 3.000 en 1907 y a más de 13.000 en 1920. (Prado, 1960: 296-298; Simonsen, 1939: 25-26, 31.) Pero fue la guerra mundial en Europa la que originó el gran ascenso del desarrollo industrial brasileño, hecho compatible con mi hipótesis. "Tres países resultaron económicamente beneficiados como consecuencia inmediata de la guerra: Estados Unidos, Japón y Brasil... 5.940 nuevas firmas industriales surgieron en Brasil en los años 1915-1919, en comparación con 6.946 en el período de 1890-1914." (Normano, 1945: 137-139.) De los 10.000 nuevos establecimientos industriales surgidos en el período de catorce años entre los censos de 1907 y 1920, el 60 % se construyeron durante los cinco años de la guerra de 1914-1919. (Prado, 1960: 298; Simonsen, 1939: 25-26.) La producción industrial creció en un 109 % de 1914 a 1917, medida por precios deflacionados, o en un 153 %, de 956 millones de dólares a 2.424 millones, a los precios actuales (Horowitz, 1964: 208), y de 1.350.000 *contos de réis* en 1914 a 3.000.000 de *contos de réis* en 1920. (Normano, 1945: 139.) Aunque todavía concentrada en la industria ligera de bienes de consumo, la composición de la producción industrial varió. En 1889, los tejidos eran el 60 % de la producción industrial brasileña; en 1907, los tejidos y la confección de prendas de vestir eran el 48 %, cifra que hacia 1920 se reducía al 36 %. Los productos comestibles aumentaban del 27 % en 1907 al 40 % en 1920. (Simonsen, 1939: 31; Normano, 1945: 140-142.)

El segundo desarrollo capitalista, también acorde con mi modelo y mi hipótesis, fue la concentración de la actividad económica y del ingreso en un centro metropolitano nacional y la polarización de la economía en general. En 1881, la distribución por regiones de la producción industrial era: Río de Janeiro, 55 %; Bahía, en el Nordeste, 25 %; São Paulo, 5 %. (Simonsen, 1939: 23.) Hacia 1907. Río había bajado a 30 % y São Palo subido a 16 %. (Simonsen, 1939: 34.) En 1914, São Paulo reclamaba el 20 % de la producción industrial brasileña (Simonsen, 1939: 34); en 1920, el 33 % (Simonsen, 1939: 34); en 1938, el 43 % (Simonsen, 1939: 34); hacia 1959, el 54 % (Conselho Nacional, 1963: 267), y en la actualidad São Paulo representa más. Bahía, mientras tanto, había descendido al 1,7 % en 1959. (Conselho Nacional, 1963: 267.)

3. *Las inversiones extranjeras y el subdesarrollo*

El tercer cambio capitalista concuerda también con mi patrón y mis hipótesis: recuperada la metrópoli capitalista mundial, sus nexos con los satélites volvieron a fortalecerse y el desarrollo nacional de Brasil comenzó a ser estrangulado y mal orientado. La década del 20 presenció una expansión similar a la del 90, ahora complicada por la política gubernamental de sostén del precio y acumulación de excedentes de café. Las características volvieron a ser: a) inflación; b) devaluación; c) primero un incremento, después una disminución de los términos de intercambio; d) financiamiento exterior, y e) las consecuencias inevitables: creciente dominación extranjera de la economía brasileña y finalmente su estrangulación. El financiamiento exterior del programa cafetalero trajo divisas, que se invirtieron en la compra de mercancías extranjeras que competían con las producidas por la industria brasileña. La política de respaldo del precio del café espoleó la inflación y la demanda interna, lo que atrajo a firmas extranjeras a producir en Brasil, en competencia con las empresas brasileñas. La deflación, además, ayudó a las compañías extranjeras a comprar títulos de crédito e instalaciones brasileñas y así establecerse allí a menor costo. Todo este desarrollo capitalista afectó negativamente a la industria brasileña y al desarrollo económico del país. Por añadidura, Brasil tenía que gastar una parte cada vez mayor de sus ganancias en divisas para amortizar la deuda exterior. Además de lesionar la capacidad importadora inmediata de Brasil, este resultado fue y sigue siendo agravante y contraproducente: para amortizar las deudas anteriores, Brasil tenía que depender más de empréstitos nuevos y, por tanto, de la metrópoli, ahora, Estados Unidos. Esta dependencia trajo, inevitablemente, otros resultados, ventajosos para la metrópoli y perjudiciales para los intereses de su satélite brasileño, como los industriales en particular. Existen, pues, similitudes fundamentales entre la situación y los hechos de la primera mitad del siglo XIX y los de la segunda mitad del XX.

Pero ahora con una diferencia: la metrópoli imperialista, Estados Unidos, ha creado nuevos mecanismos de satelización. J. F. Normano (1931) resumió los acontecimientos posteriores a la primera guerra mundial con gran visión y discernimiento, como habían de demostrar los acontecimientos posteriores a la segunda guerra mundial que yo examino en *Sobre los mecanismos del imperialismo*. (Frank, 1964 b).

El examen de las empresas industriales de Estados Unidos en América del Sur revela que en su mayoría son filiales y subsidiarias de corporaciones norteamericanas... Las grandes compañías de Estados Unidos han organizado estas empresas con sus propios fondos; sin ofrecer acciones de ellas al público en general ni emitir certificados en representación de sus intereses en tales firmas... Pero una parte del llamado capital extranjero es, en realidad, nacional. Una gran porción de estos depósitos en bancos extranjeros de América del Sur tiene origen local, aunque a las inversiones y préstamos de los mismos se les considera extranjeros... Este método lo usan hoy en gran escala las sucursales de los bancos de Estados Unidos.

Los actuales inversionistas norteamericanos en las industrias de América del Sur son los gigantes más grandes de la industria mundial. Las inversiones industriales de Estados Unidos... son, sin embargo, directas y se originan en la busca de nuevos mundos que conquistar para la producción en serie ultramoderna. Aquí, por otra parte, no es el que financia, sino la corporación industrial la que organiza y dirige estos acontecimientos. En este sentido, pues, no podemos hablar del capitalismo puramente financiero de Estados Unidos. En total serán quizás treinta las grandes —mejor, enormes— corporaciones del mundo oficialmente domiciliadas en Estados Unidos, que dirigen las inversiones industriales norteamericanas en América del Sur. La compañía sudamericana es, realmente, en este caso, una prolongación local de la corporación progenitora y constituye un punto de expansión industrial de Estados Unidos en el extranjero. Tal expansión mundial tipifica a la etapa moderna del capitalismo, porque las fronteras nacionales son demasiado estrechas para las empresas mundiales.

El éxito de Estados Unidos se origina casi por entero en la exportación sin competencia de mercancías allí producidas en serie. Las *exportaciones* norteamericanas incluyen, en esencia, unos pocos artículos de la producción en masa moderna. Automóviles, radios, fonógrafos, máquinas, son algunos de los productos de las industrias en gran escala recién organizadas. ¿Quién produce estos artículos? Principalmente, los mismos "treinta grandes". Las *importaciones* norteamericanas de América del Sur consisten, fundamentalmente, en productos agrícolas, minerales, materias primas, como el petróleo, el estaño y el café. ¿Quién los produce en América del Sur? Principalmente, las organizaciones filiales de los mismos "treinta grandes" de Estados Unidos. Las inversiones de éstos se encuentran, virtualmente, en fábricas dedicadas a la exportación. Buena parte del comercio exterior de Estados Unidos con América del Sur está bajo el dominio de las mismas firmas que regularmente invierten sus capitales en las industrias sudamericanas locales. Estas empresas gigantescas parecen ser las primeras no sólo en las inversiones, sino también en el comercio exterior.

Todo el intercambio económico con América del Sur parece ser, en esencia, el resultado de la expansión incesante de los gigantes de la industria. "El comercio va detrás de la bandera" —política de conquista— ha sido remplazada por la nueva fórmula: "el comercio va detrás del capital", política de penetración económica. La consigna que se ha puesto de moda es: "Los préstamos al exterior fomentan negocios en el exterior". En nuestro caso, esta fórmula es errónea porque la fuerza motriz de la exportación de capitales es la industria en gran escala, la producción en serie en su punto más alto, las empresas de los "treinta grandes" que operan en todo el mundo, pero con su domicilio oficial en Estados Unidos. Ellas son las que manejan las inversiones y por su mediación dirigen la exportación de materiales de producción, como máquinas e instalaciones de varias clases. Ellas son las que supervisan la producción y, por esta vía, la distribución de los artículos manufacturados. Rara vez trabajan para el mercado local; generalmente operan para el mercado mundial. (Normano, 1931: 41, 57, 60-61, 64-66, 224.)

La metrópoli imperialista se ha desarrollado aún más en esas direcciones desde los tiempos de Normano. Los monopolios extranjeros han aprendido a servirse de los capitales de Brasil recurriendo a fuentes distintas de las sucursales brasileñas de los bancos metropolitanos, y han venido a satelizar no sólo a sus propias filiales manufactureras, sino también a firmas antes brasileñas, incluyendo la mayor parte de la industria nacional de Brasil.

En la década del 20, las consecuencias políticas de la penetración norteamericana y de la renovada incorporación de la economía brasileña, después de la guerra, a la estructura metrópoli-satélite del imperialismo, fueron, en primer lugar, un gobierno brasileño dedicado a defender los intereses de la metrópoli imperialista. El gobierno del presidente Washington Luis a fines de la década del 20, representaba los intereses agrícolas, comerciales e industriales cafetaleros; y Washington Luis se proclamaba gran amigo de Estados Unidos. Era "virtualmente su propio ministro de Hacienda" (Normano, 1945) y en su política económica "brasileña" se destacaban aspectos que fácilmente reconoceremos. Se preocupaba principalmente por la balanza de pagos y por la pronta amortización de la deuda exterior brasileña. Respaldaba de lleno la entrada en el país de capitales extranjeros, especialmente de Estados Unidos. Su gobierno proclamó la convertibilidad de la moneda nacional. Mas ¿qué ocurrió?

4. Crisis en la metrópoli e involución activa en el satélite

En 1929 vino el estallido. El precio y la demanda de café descendieron vertiginosamente; las exportaciones se redujeron de 95 millones de libras esterlinas en 1929 a 66 millones en 1930. (Normano, 1945: 257.) La convertibilidad permitía ahora la fuga de los capitales y la afluencia de fondos extranjeros cesó por completo, naturalmente. El gobierno, corto ahora de numerario para pagar a sus acreedores exteriores, trató de encontrarlo en la economía nacional. Continuando las clásicas prescripciones que aún siguen sus sucesores actualmente, Washington Luis, vacilando entre "la escuela bancaria y la escuela monetaria" (Normano, 1945: 240), redujo los gastos del gobierno en el país. Al igual que su mentor, el gobierno norteamericano de la época, redujo el dinero en circulación, en un 10 %. (Guilherme, 1963: 32.) El resultado fue en extremo nocivo para la industria nacional, que vio disminuir sus ventas y su producción. Al mismo tiempo resultaron afectados los productores agrícolas, especialmente los que trabajaban con créditos a largo plazo.

La consecuencia de todo ello fue la triunfante "revolución de 1930". Este movimiento político y económico contaba con el apoyo de la burguesía industrial nacional, cuyos intereses habían sido perjudicados por los acontecimientos anteriores, y se oponía a los intereses agrarios, comerciales y metropolitanos, en bien de los cuales se había formulado la anterior política gubernamental. La revolución era apoyada también por los elementos políticos del estado sureño de Río Grande do Sul, cuya economía estaba menos ligada al comercio de exportación y a la metrópoli imperialista, y se oponía a los centros tradicionales del poder político: São Paulo, caficultor y comercial, y Minas Gerais, agrícola, minero y bancario. Estos dos estados se habían pasado uno a otro la presidencia de la república. No fue una casualidad la circunstancia de que el nuevo presidente, Getulio Vargas, procediera de Río Grande do Sul, que había sido poblado por propietarios residentes más que por latifundistas, y en el que había surgido un nuevo centro manufacturero regional. Algunos observadores llaman "revolución burguesa de Brasil" a este acontecimiento. Pero este cambio de gobernantes no trajo consigo la expulsión del poder de los intereses agrarios que "tradicionalmente" lo habían poseído y que eran obviamente capitalistas y no "feudales". Al contrario, el nuevo gobierno significó el acceso al poder de un nuevo grupo, los industriales y los sureños, que ahora venían a compartir los privilegios con sus anteriores beneficiarios.

La "revolución" se reflejó de inmediato en la nueva política gubernamental. Se mantuvo, por supuesto, la vieja línea de sostén del precio nacional del café y, a causa de la depresión, incluso se reforzó.

Pero este programa se financió ahora con fondos del país y no del exterior, modificación que había de tener trascendentes repercusiones económicas en Brasil. El gobierno instituyó también una política de protección arancelaria, aunque la metrópoli, económicamente deprimida, no estaba exportando mucho entonces.

El resultado fue una expansión económica muy diferente de las anteriores. Sus características, sumariamente, fueron las siguientes: a) inflación nacional y aumento de la demanda interna, como en todas las expansiones anteriores y posteriores; b) revaluación en lugar de devaluación; c) deterioro de los términos de intercambio a causa de la caída del precio y la demanda del café y otros productos de la exportación. La capacidad de Brasil para importar se redujo en un tercio entre 1929 y 1937 (Furtado, 1959: 223), a la vez que la metrópoli económicamente deprimida exportaba menos productos industriales; d) financiamiento interior en vez de exterior; e) en consecuencia, en lugar de mayor dominio y estrangulación metropolitana de la economía brasileña, surgió un crecimiento sin paralelo de la industria nacional.

Durante la depresión económica del sistema capitalista mundial, de acuerdo con mi modelo y mi hipótesis, el satélite brasileño experimentó una activísima involución capitalista. La inflación interna, acompañada del financiamiento interior y de un relativo aislamiento de la competencia metropolitana, condujeron a un crecido aumento de los precios y la demanda de los productos industriales brasileños. La industria respondió con un rápido y gran aumento de su producción, aproximadamente el 50 % entre 1929 y 1937 (Furtado, 1959: 224) y alrededor del 100 % entre 1931 y 1938, según Roberto Simonsen (1939: 44), entonces presidente de la Asociación de Industriales de Brasil. Entre 1934 y 1938, la producción industrial creció aproximadamente un 60 %. (Simonsen, 1939: 44.) Este aumento se consigue, al principio, mediante la mayor utilización de la capacidad instalada, en gran parte ociosa durante la "prosperidad" que trajo la creciente presencia extranjera a fin de los años 20 y durante la crisis de los primeros del 30. La misma capacidad industrial excesiva supuesta, ociosa y que se observa en posteriores aumentos de la producción no debidos a ampliaciones de la capacidad instalada, se encuentra también en la década del 10, años en que la producción industrial, impulsada por la guerra, creció con más rapidez que la capacidad. (Normano, 1945: 139-142.) En los últimos años de la década del 30, Brasil, contando con las ganancias de esta producción y con los altos ingresos de industriales y agricultores, comenzó a instalar nueva capacidad industrial productiva, sacando partido también de las facilidades dadas para la adquisición a bajo precio de la maquinaria de uso que la depresión mantenía ociosa en los países metropolitanos. Brasil produjo así los bienes de consumo que antes importaba y vigorizó aún más su industria básica. No obstante, en 1938, los tejidos, la ropa y los comestibles representaban aún el 56 % de la producción industrial, y la industria básica sólo el 13 %. Y, a diferencia de la expansión soviética de esta época, la producción de hierro y acero sólo satisfacía un tercio del consumo brasileño de estos productos. (Simonsen, 1939: 44.)

Detengámonos un instante a analizar estos acontecimientos. Económicamente, ¿por qué este período fue de involución capitalista activa, ante las debilitadas relaciones del satélite brasileño con su metrópoli, y no de involución pasiva como en períodos anteriores? Políticamente, ¿por qué los intereses agrarios, comerciales e imperialistas se avinieron a compartir su poder y su influencia con los nuevos, pero todavía débiles intereses industriales nacionales? En otras palabras ¿por qué fue posible y por qué triunfó la revolución de 1930? (Otros retos al gobierno existente habían fracasado en la década de 1920.)

Mi modelo, como se recordará, pone el énfasis en la transformación histórica (particularmente de la base del monopolio metropolitano) dentro del sistema capitalista. La estructura fundamental metrópoli-satélite no ha sufrido cambios a lo largo de los siglos, pero la base del monopolio metropolitano sí. Durante el período mercantilista, dicha base residía en la fuerza militar y el monopolio del comercio; a los satélites no se les dejaba en libertad de comerciar. Durante el siglo XIX, la industria ligera y textil pasaron a ser cada vez más la base del monopolio metropolitano. Este monopolio metropolitano, llamado "liberalismo", concedió y hasta impuso a los satélites la libertad de comercio, pero les negó la libertad de producción industrial. Hacia la primera mitad del siglo XX, la base del monopolio metropolitano había venido a residir en los medios de producción y los bienes intermedios. Los satélites gozaban ahora de creciente libertad para producir tejidos y otros productos de la industria ligera —y hasta se veían obligados a hacerlo para las fábricas que la metrópoli imperialista establecía en ellos—; pero no se les dejaba en libertad de crear su propia industria de equipos básicos e intermedios. En cuanto a éstos de los que dependían cada vez más por cuanto le eran nece-

177

sarios para su propia producción industrial ligera, los satélites continuaban dependiendo del monopolio de la metrópoli. Después, en la segunda mitad del siglo XX esta base volvió a tomar un nuevo aspecto, ahora hacia la tecnología, combinada con la penetración, aún más profunda, de las corporaciones internacionales del monopolio metropolitano en la economía de los satélites.

La involución activa brasileña de la década del 30 puede, pues, explicarse por el hecho de que Brasil, como algunos otros países satélites, había podido establecer en años anteriores alguna industria, y, con ella, la consiguiente estructura socioeconómica y la incipiente burguesía industrial, en parte independiente durante la primera guerra mundial y en parte dependiente de la metrópoli durante la década de 1920. En 1930, por tanto, la estructura socioeconómica de São Paulo podía responder mejor con una involución capitalista activa al aflojamiento de los vínculos metrópoli-satélite, que Minas Gerais al final de la fiebre del oro, o el Nordeste o el norte en los tiempos de su involución capitalista pasiva. Con todo, como mi modelo señala y los sucesos posteriores iban a demostrar, mientras Brasil continuara siendo un satélite capitalista, tal involución activa, por muy encaminada hacia el desarrollo que entonces pareciera ser, tenía que ser efímera.

Pero, ¿por qué fue políticamente posible que la revolución de 1930 triunfara y que prosperara la coalición de intereses agrarios, mercantiles, imperialistas e industriales nacionales? ¿Por qué a un grupo industrial nacional tan débil se le permitió compartir el poder y la formulación de los programas de gobierno? En pocas palabras, porque los intereses capitalistas "tradicionales" tenían poca capacidad y menos razón para oponerse a este vuelco de los acontecimientos. La metrópoli imperialista, a causa de la depresión, estaba menos capacitada para intervenir. Y si los intereses agrarios, mercantiles y metropolitanos no fueron favorecidos por los acontecimientos de los años 30, si era menos posible vender café a la metrópoli e importar manufacturas de ella, esto no se debió tanto a la política de gobierno adoptada en concierto con los intereses industriales nacionales como a la inevitable depresión por la que pasaba la metrópoli capitalista mundial. Además, los intereses cafetaleros internos no fueron seriamente perjudicados por la intervención de los industriales en la política de gobierno, ya que, gracias al mantenimiento de la línea de sostén del precio del café, estos intereses podían continuar vendiendo su grano en el mercado nacional artificialmente creado, no ya en el deprimido mercado mundial. La unión de intereses potencialmente conflictivos no fue, por el momento, demasiado desafortunada.

Pero en un satélite capitalista, esta clase de luna de miel no puede ser eterna. En Brasil duró dos decenios, porque las presiones que naturalmente tendían a disolver el matrimonio fueron de nuevo amortiguadas por la recesión de 1937 y, poco después, por la guerra y sus consecuencias inmediatas. No tardaron en aparecer tensiones —hubo un intento de "contrarrevolución" en 1932 y otro en 1937—, pero fueron políticamente reprimidas por la dictadura del *Estado Novo* (Estado Nuevo) de Vargas y, económicamente, por lo que acontecía en la metrópoli. Hasta donde alcanzo a saber, no se ha publicado ninguna interpretación económica de las circunstancias políticas del *Estado Novo*, por lo que me aventuro a ofrecer la que sigue:

Los años de 1934 a 1937 presenciaron una recuperación parcial de la metrópoli, especialmente en Alemania, que había tomado una tajada significativa de la participación de Estados Unidos en el comercio brasileño. (Guilherme, 1963: 43.) El precio y la demanda de las exportaciones brasileñas comenzaron a subir de nuevo y presionaron para que se volviera a aumentar la tasa de cambio. El gobierno parece haber cedido, en parte al menos, a esta presión, para congoja de ciertos grupos de intereses brasileños. Un investigador inglés de los asuntos de Argentina, refiriéndose al período anterior a la primera guerra mundial, resume como sigue los intereses en juego en esta clase de situación: "[El] grupo político predominante, los productores-exportadores y los terratenientes... se interesaban claramente, en los años favorables, en la estabilidad del cambio, porque ésta impedía la variación adversa en la distribución de ingresos que habría traído un aumento de la tasa de cambio, y en los años desfavorables se parcializaban en favor de la devaluación porque variaba la distribución del ingreso en su beneficio." (Ford, 1962: 192.) Es decir, la devaluación pasaba la carga a otros, mientras que la estabilidad del cambio la mantenía donde estaba. Wanderley Guilherme observa: "Cuando se revalorizó el tipo de cambio, durante la recuperación del sistema capitalista mundial, entre 1934 y 1937, los dos grupos principales de la sociedad brasileña se opusieron decididamente a la recuperación del poder adquisitivo internacional de nuestra moneda, dado que esto significaba la reducción de las ganancias de uno de ellos —los caficultores— y la amenaza de productos extranjeros a precios más bajos, para el otro, la burguesía industrial." (Guilherme, 1963: 41.) En consecuencia, el gobierno fijó la tasa de cambio.

Pero como la revalorización reducía inmediatamente las ganancias de los agricultores, los intereses agrarios se oponían más a ella que los industriales, quienes tenían otros modos de proteger sus ventas y eran también importadores de equipos extranjeros. Estas circunstancias de origen externo, unidas a la mala voluntad con que los intereses agrarios veían la demanda industrial de sus trabajadores, condujeron, probablemente, a nuevas tentativas de reactivar la tradicional alianza política de terratenientes, comerciantes e imperialistas y de restablecer la tradicional política económica de devaluación, financiamiento exterior, etc. En 1937, los integralistas, grupo fascista de abierta inspiración italiana y alemana, intentaron un golpe contra Vargas, pero fue frustrado por el reciente "estado nuevo". Seis meses antes Getulio Vargas había asumido poderes dictatoriales y había instituido el *Estado Novo*. El propósito era, en parte, resistir estas presiones de la derecha, así como también las de la izquierda, manifestadas en 1935 en un frustrado golpe dirigido por los comunistas (y quizás motivado, en parte, por el efecto perjudicial de la revalorización sobre el ingreso de los trabajadores). El propósito consistía además, en mantener por la fuerza el maridaje de las burguesías agraria, comercial, imperialista e industrial nacional. Vargas duró hasta 1945. La recesión de 1937, que eliminó las presiones en favor de una nueva revaluación de la moneda, y la guerra, que una vez más suprimía en parte la presión que desde afuera se ejercía sobre este inestable matrimonio, lo ayudaron a frenar la oposición interna.

La segunda guerra mundial, como señalaría mi modelo, renovó o continuó la involución capitalista activa de Brasil. Los términos de intercambio mejoraron; mas para Brasil era difícil aprovechar esta "ventaja" para importar más, porque la metrópoli naturalmente, necesitaba todo lo que producía. Las divisas que se adquirían se inmovilizaban afuera, e incluso su volumen era menor del que podía haber sido, porque Brasil, al igual que otros países satélites, convino en mantener bajos los precios de sus exportaciones a los aliados, como "contribución al esfuerzo bélico". Al mismo tiempo, el exceso de capacidad productiva desapareció, a causa de los aumentos de la producción industrial en la década anterior, por lo que la presión dé la demanda interna obligó a aumentar los precios y la cantidad de productos. El presidente Vargas se identificó cada vez más con la burguesía industrial nacional y con los obreros sindicalizados, que eran el producto social de esta expansión industrial. Su gobierno instituyó varias medidas "progresistas", como el apoyo a la sindicalización y a los salarios mínimos, a la vez que él en persona fundaba el Partido Trabalhista Brasileiro o PTB (Partido Laborista de Brasil). A la larga, esta política obrera, como la de Perón en Argentina, conduce a una alianza entre los trabajadores de la industria y la burguesía industrial nacional, o sea el apaciguamiento de aquéllos y sus sindicatos, por los dueños de las fábricas. Hasta donde el *potpourri* de partidos políticos brasileños representa a grupos particulares, el PTB se ha convertido en los últimos tiempos en el instrumento mediante el cual los sectores nacionalistas de la burguesía brasileña más industrial controlan los votos obreros. Pero esta burguesía "nacional" y, con ella, sus masas obreras organizadas, se han hecho cada vez menos independientes de la metrópoli.

5. *La recuperación de la metrópoli de Brasil y la resatelización*

En 1945, al terminar la guerra, Vargas fue derribado. Y como la metrópoli no se había recuperado aún y necesitaba todo lo que podía producir, sus contradicciones con los satélites permanecieron relativamente dormidas. Brasil disponía de grandes reservas de divisas extranjeras, sus términos de intercambio eran favorables y la tasa de cambio también. La economía parecía estar desenvolviéndose bien, disponiendo de sus divisas acumuladas y de ciertos controles de las importaciones cuyo objeto era sustituir los bienes de consumo de afuera por los de producción nacional e importar más maquinaria para las crecientes instalaciones industriales. La importación total aumentó en un 83 % entre 1945 y 1951, pero la de equipos creció en un 338 %. (Furtado, 1959: 243.) Con todo, el populismo de Vargas fue eliminado y se volvió a reprimir el movimiento obrero.

En 1951, Getulio Vargas volvió a la presidencia, esta vez por elección popular. Su campaña electoral había tenido un marcado tono populista, nacionalista y antiimperialista. Nombró ministro de trabajo a su correligionario del sur, João (Jango) Goulart (aunque, ante la amenaza de ser expulsado de la presidencia, lo destituyó más tarde): creó la Petrobrás, empresa estatal del petróleo, y amenazó con crear una compañía eléctrica, la Electrobrás. La metrópoli se recuperó después de la guerra de Corea; las contradicciones metrópoli-satélite se volvieron a agudizar, y Getulio Vargas se suicidó, dejando la hoy famosa carta en la que acusaba a los intereses y presiones derechistas, extranjeros y nacionales, de ser los causantes de su muerte.

Lo sustituyó el presidente Café Filho, quien inauguró un gobierno ultrarreaccionario que hizo recordar el de Washington Luis y anticipó el actual gobierno gorila de Castelo Branco. El gobierno de Café Filho se recuerda y se caracteriza más por la Instrucción 113 de la Superintendencia para la Moneda y el Crédito (SUNCC), acerca de la cual comentó el presidente de la Federación de Industrias de São Paulo: "Las firmas extranjeras pueden traer todo su equipo a precios de mercado libre...; las nacionales, sin embargo, tienen que hacerlo a través de licencias cambiarias establecidas para las categorías de la importación. De este modo se creó una verdadera discriminación contra la industria nacional. Nosotros no pedimos un tratamiento diferente, pero sí iguales oportunidades." (Brasil, 1963: 125, y Frank, 1964 b: 289.) No se las concedieron, por supuesto, sino que, al contrario, se obligó a la industria nacional a importar únicamente máquinas nuevas, mientras que a las firmas extranjeras se les permitía traer equipo de uso, gracias a lo cual pudieron producir a costos que las empresas nacionales no podían igualar. Esta instrucción, esta política, continuó en vigor durante todo el siguiente gobierno de Juscelino Kubitschek, hasta que el presidente Janio Quadros la modificó en 1961.

Después de dos intentos de golpes militares, con los que los beneficiarios de esta política quisieron impedir la toma de posesión del recién electo Kubitschek, éste gobernó la nación desde 1955 a 1960. Juscelino Kubitschek construyó Brasilia, pero hizo muchísimo más. Intentó detener la plena reincorporación de Brasil al recuperado y expansivo sistema imperialista de metrópoli-satélite, recurriendo al financiamiento exterior de la expansión interna. Esta expansión, como las anteriores, se financió mediante recursos inflacionarios. Pero, a diferencia de algunas de ellas, la acompañó una depreciación de la moneda, un deterioro de los términos de intercambio y, como antes se dijo, el financiamiento exterior. El costo de la vida subió; los obreros se quejaron y se les aplacó con aumentos de salarios. El costo de las importaciones aumentó y éstas se financiaron mediante empréstitos extranjeros e inversiones directas: la Instrucción 113 estaba aún en vigor. Los monopolios extranjeros se establecieron en el mercado brasileño con más rapidez y fuerza que en el gobierno anterior. La corrupción se extendía; cada cual recibía su tajada. Y la tasa de crecimiento anual *per capita* aumentó del 3 % durante los gobiernos de Dutra y Vargas al 4 % bajo Kubitschek. (Estimado de APEC, 1962: 27.) Pero todo no era más que una política de *aprés moi le déluge.* Y el diluvio vino. En 1961, la tasa de crecimiento *per cápita* era todavía superior a un 4 % anual (APEC, 1962: 27): pero en 1962 cayó a un 0,7 %; en 1963, a menos del 1 % (*Conjuntura Económica*, 1964: 15), y en 1964, a menos del 6 %, o sea una reducción absoluta del 3 % combinada con un aumento del 3 % de la población. (*Conjuntura Económica*, 1965: 11.) Y esta tasa de crecimiento es lo menos importante: es sólo el síntoma del subdesarrollo estructural, cada vez más agudo, de Brasil, necesariamente producido por su continua participación en el sistema capitalista.

Los acontecimientos políticos de estos años son bien conocidos de todos. A la ya famosa política de "desarrollismo" de Kubitschek siguió el populismo de Janio Quadros. Aunque sólo contaba con el apoyo del ala derecha de la União Democrática Nacional (Unión Democrática Nacional) o UDN, que fundamentalmente representa al comercio de exportación y otros intereses ligados al imperialismo y centrados en São Paulo (cuyo gobernador había sido), Quadros barrió la oposición electoral combinada de los laboristas del PTB y los agraristas del PSD con la misma escoba simbólica con que había prometido barrer toda corrupción una vez electo. Ya en la silla presidencial, Quadros trató de asegurarse el respaldo popular y prescindir del apoyo de los intereses económicos cuya candidatura política había encabezado y, lejos de reparar las cercas rotas, rompió las que estaban sanas. Y más temerariamente aún, se enfrentó a la creciente satelización de Brasil e inició lo que vino a ser conocido por línea nacionalista "independiente" tanto en lo político como en lo económico. Estableció relaciones diplomáticas y comerciales con los países socialistas, a fin de ampliar los mercados de exportación de Brasil y disminuir la dependencia del mercado norteamericano; combatió la posición de Estados Unidos en la conferencia de Punta del Este y hasta condecoró a Che Guevara al término de esa reunión. Dos días después, en agosto de 1961, Quadros había dejado de ser presidente. Renunció bajo presión, intentó aglutinar al país en torno a él y a su populismo; pero se lo impidieron las mismas fuerzas económicas, militares y políticas, nacionales y extranjeras, encabezadas nominalmente por Carlos Lacerda, que habían llevado ya a Getulio Vargas al suicidio y se hacían sentir aún en abril de 1964.

Estos mismos grupos de intereses trataron de evitar el ascenso al poder del vicepresidente "Jango" Goulart y quisieron instalar en 1961, por la fuerza de las armas, el régimen que finalmente consiguieron establecer en 1964. Aquel año fracasaron únicamente por el levantamiento popular que contra ellos organizaron los elementos de la burguesía nacional, a la cual, a diferencia de la situación de tres años después, aún convenía hacerlo así. Goulart había hecho su caudal político en el PTB apoyado en los elementos más nacionalistas de la burguesía y los sindicatos obreros, habiendo llegado a tener sobre estos últimos en gran medida un control personal. Ambos grupos, especialmente en su estado natal de Río Grande do Sul —el mismo de Vargas—, salieron en gran número a respaldarlo a él y a la constitución.

La situación económica a la que el gobierno de Goulart tuvo que enfrentarse era aún más seria. Los precios subían y la tasa de cambio bajaba con más rapidez todavía que antes, mientras la producción descendía, o, al menos, no aumentaba. La deuda exterior había llegado a las proporciones astronómicas de 3.000 millones de dólares, la mitad de ellos a ser pagados dentro de dos años. Era tarde, pues, para remediar la situación con simples medidas de política económica. El presidente Goulart tenía ante sí dos caminos: o se plegaba aún más a los intereses comerciales, domésticos y extranjeros, con la vana esperanza de que salvaran tanto a Brasil como a él, o seguía el consejo de su cuñado Leonel Brizola (cuya resuelta acción política en Rio Grande do Sul le había permitido asumir la presidencia frente al golpe militar de agosto de 1961) de poner fin a las concesiones que sólo servían para hundir a Brasil y a su presidente en aguas más profundas. Dicho de otro modo, intentar un cambio de frente y adoptar medidas, siquiera de alcance limitado, que apuntalaran a ciertos intereses nacionales y populares.

Goulart, cualesquiera que sean sus méritos personales, es un típico representante de la burguesía nacional, cuya base económica era menos firme cada vez, aparte de que tal burguesía, en un país satélite, no puede actuar con verdadera independencia. Goulart vaciló y cedió cada vez más a las presiones de la derecha nacional y extranjera. Incapaz de hacer frente a los problemas económicos y a la inestabilidad en continuo aumento, fue derribado y lanzado al exilio político por el mismo Carlos Lacerda y los imperialistas que lo sostenían, castrenses mercantiles y agrarios que ya habían despachado a los presidentes Vargas y Quadros. Esta vez, la burguesía nacional, viendo reducidas sus utilidades por el imperialismo por una parte, y la presión obrera contra la tendencia a la disminución del salario real, por la otra (tendencia esta última que, de ser corregida, mermaría aún más sus ganancias), no se levantó en defensa de Goulart. Él y todas las pretensiones de democracia, populismo o desarrollo nacional fueron sacrificados por todos los sectores de la burguesía satélite brasileña, actuando de consuno con los representantes políticos, militares y económicos de la burguesía metropolitana de Estados Unidos.[1]

Comenzó, pues, el gobierno militar de Castelo Branco —parecido al de Washington Luis y Café Filho en su sometimiento, en parecidas circunstancias, a los intereses imperialistas y reaccionarios—, y este nuevo gobierno brasileño entregó a los yanquis la economía del país, de cabo a rabo. Ciertos sectores de la burguesía brasileña, a no dudarlo, están en contradicción con la metrópoli imperialista; pero tanto las contradicciones de ellos como las de la burguesía restante con los satélites y el proletariado de cuya explotación viven, son aún más importantes. La burguesía brasileña, la nacional y la otra, viendo cada vez más limitadas por la estructura metrópoli-satélite nacional e internacional sus perspectivas de desarrollo lucrativo del país, trata hoy de mantener su posición económica inmediata recurriendo a una mayor explotación de sus trabajadores y sus satélites y a vanas peticiones de ayuda al capital metropolitano.

En agosto de 1964, el Banco de Comercio Exterior del gobierno mexicano publicó en su mensuario *Comercio Exterior* lo siguiente: "[Los] recientes acontecimientos políticos de Brasil se reflejan marcadamente en la situación económica... La actividad económica del país sufre retraso... Los bancos restringen el crédito al sector privado... El gobierno reduce drásticamente los gastos, especialmente las inversiones... Por primera vez, cientos de miles de personas ven cómo el espectro del desempleo toma proporciones alarmantes." La política económica del gobierno militar, aunque supuestamente se propone combatir la inflación mediante una política monetaria estricta, consiste, en realidad, en aumentar la explotación de los trabajadores mediante el incremento de los precios y la disminución de los salarios reales. En 1964, la inflación era mayor que nunca, aún más que bajo el gobierno de Goulart, al que los nuevos detentadores del poder acusaron de despilfarro económico. En los primeros seis meses de 1964, según cifras oficiales, a las que el mismo gobernador Lacerda acusa

---

[1] Estas consecuencias económicas del imperialismo norteamericano en Brasil se examinan con más detalle en mi *Explotación o ayuda y sobre los mecanismos imperialistas* (Frank, 1963, 1964 b), y los antecedentes políticos del golpe militar de abril en Frank, 1964 a.

de no reflejar la verdad, la tasa de inflación era de un 42 %, cuando en los mismos meses de 1963 era de un 30 %.

Al mismo tiempo, "el gobierno envió una circular a los empresarios en la que recomienda se abstengan de conceder aumentos de salarios que creen distorsiones e imperfecciones en las estructuras salariales... La circular considera que... estableciendo aumentos periódicos de acuerdo con el incremento en el costo de la vida, se propicia la inflación; además, los bancos oficiales han sido instruidos para no conceder la elevación de límites de créditos a las empresas cuyos acuerdos salariales se alejen de las medidas establecidas por el gobierno." (*Comercio Exterior*, 1964: octubre.) Para frustrar las presiones sindicales de que pudieran resultar tales contratos de trabajo "inflacionarios", el gobierno ha intervenido 409 gremios obreros, 43 federaciones y 4 confederaciones de sindicatos, para cada uno de los cuales ha designado un supervisor militar. La producción de acero de Brasil se ha reducido a la mitad. (*Comercio Exterior*, 1964: agosto.) Hacia el 31 de enero de 1965, el importante periódico de Río de Janeiro, *Correio da Manhã*, señalaba que alrededor de 50.000 de los 350.000 obreros textileros de Brasil estaban sin trabajo. "La prensa brasileña anunció el 12 de febrero que numerosas empresas industriales y comerciales del país, particularmente en São Paulo, se habían declarado en quiebra o estaban a punto de hacerlo... Los productores textiles advertían también que todas las fábricas de telas del país tendrían que cerrar pronto por falta de mercado." (*Comercio Exterior*, 1965: febrero.) El 25 de marzo, el director general del Departamento Nacional de Empleo y Salarios del Ministerio de Trabajo declaró a *O Globo*, diario de Río: "En São Paulo, toda la industria está en crisis, y la metalúrgica y la textil, es particular, dejan cesantes a 1.000 trabajadores diariamente... Los negocios decaen día tras día... No sólo hay crisis económica y creciente desempleo en São Paulo, sino también en todo el Nordeste." (Citado por *Prensa Latina*, 1965: 26 de marzo.)

Nada de esto fue casual. Era consecuencia de la política del nuevo ministro de Fomento, Roberto Campos de Oliveira, sucesor de Celso Furtado:

En verdad, la producción está declinando. Pero, por desdicha, con ella declina también una de las grandes naciones del mundo... Como puede comprobarse, todo se ha hecho fríamente, a propósito, con el ánimo de reducir la producción, que de una parte es afectada por la drástica escasez de capital circulante (absorbido por el gobierno) y la abrupta reducción del crédito bancario, y de la otra, por la reducción del consumo que la implacable alza de todos los precios impone. Después los ministros y los funcionarios públicos corren a la televisión, a tratar de explicar lo que nadie entiende. (*Correio da Manhã*, 1965, 31 de enero.)

Ya hemos visto parte de la explicación: compensar la merma de las ganancias expoliando más a los trabajadores. *Comercio Exterior* (1965: marzo) proporciona otra parte: "Como todo parece indicar, la política económico-financiera del profesor Roberto Campos sólo previó una posibilidad de éxito, siquiera parcial: la de una gran inversión de capitales extranjeros, especialmente norteamericanos, en la economía brasileña". Con este fin, el gobierno militar abrió todas las puertas. Al igual que el gobierno de Café Filho con su Instrucción 113, otorgó nuevos privilegios al capital extranjero y eliminó las legales, aunque muy débiles, restricciones del envío de ganancias al exterior. Para apaciguar a los intereses comerciales de Estados Unidos y a su gobierno, el régimen militar compró —por 135 millones de dólares de Estados Unidos, más 17,7 millones de compensación por no haberlo hecho antes, más los intereses, o sea un total estimado en unos 300 millones de dólares— las casi inútiles y anticuadas instalaciones de la American and Foreign Power Company, las mismas que el propio Roberto Campos, sin autorización, había convenido en comprar antes por unos 70 millones de dólares, cuando era embajador del gobierno de Goulart en Estados Unidos. (*Comercio Exterior*, 1964: setiembre.)

Al mismo tiempo, el régimen militar otorgó a la American Hanna Mining Company la autorización, solicitada hacía tiempo, para construir un puerto privado a través del cual exportar el mineral de hierro de los ricos yacimientos (los más grandes del mundo, como se dice) que la compañía había adquirido en Minas Gerais. *Comercio Exterior* (1964: diciembre) da a conocer lo que esto significa: "Las concesiones mineras a empresas extranjeras, especialmente la habilitación de un «puerto privado» a la sociedad minera estadounidense Hanna... ha sido condenada por los círculos nacionalistas brasileños por considerar que convertirá a la Hanna en dueña absoluta del mercado interno de minerales del país, además de que terminará por eliminar a la firma Vale do Rio Doce, empresa gubernamental de explotación mineral señalada como la séptima del mundo por el volumen de sus exportaciones..." Con todo, el régimen militar abrió la puerta en ambos sentidos y "la alteración de la ley sobre la exportación de lucro del capital no se tradujo en la prevista entrada de dólares sino en cuantiosas salidas... En el primer semestre del año en curso... las entradas de capital fueron inferiores a las salidas." (*Comercio Exterior*, 1964: octubre.)

La inmediata presión sobre los satélites internos y los trabajadores de Brasil y la correspondiente paralización a corto plazo del desarrollo económico se manifiestan en la merma del "crecimiento" del ingreso nacional *per capita*, de un 4 % anual entre 1957 y 1961 (*Plano Trienal*, 1962) a cero en 1962, a —1 % en 1963 (*Conjuntura Económica*, 1964: 15), a —6 % en 1964. (*Conjuntura Económica*, 1965: 11.) Esta tendencia y esta política han traído también consigo la entrega total de la economía brasileña —no sólo en la minería—, a la metrópoli norteamericana (a corto plazo), y el seguro presagio de un subdesarrollo estructural aún más profundo (a la larga).

La prensa de São Paulo informa —mes de febrero— que ha causado gran malestar la noticia de que la empresa nacional Mineracão Geral do Brasil va a ser liquidada, siguiendo los pasos de otras firmas brasileñas que están en trámite para ser vendidas a extranjeros. El propietario de la Mineracão Geral do Brasil confirmó que había presentado una solicitud de convenio preventivo con los acreedores de esa firma, ante los tribunales de justicia, en vista de la crisis generada por el debilitamiento del mercado interno. La operación que se efectuará con la Continental Company (de Cleveland, Estados Unidos), será de 70 millones de dólares, garantizados por organismos financieros internacionales. Para justificarse, el dueño de la Mineracão Geral dijo que en un mercado frágil como el brasileño, la caída de la oferta con la salida de la empresa del mercado, provocaría consecuencias imprevisibles para la economía del país. Para evitar el cierre de sus negocios, optó por convertir en dólares la industria siderúrgica más importante del país, con una producción anual de 300.000 toneladas de acero, o sea más del 12 % del total nacional. (*Comercio Exterior*, 1965: febrero.) (Ver un tratamiento más detallado, en Frank, 1965 b.)

6. El desarrollo colonialista interno y el subdesarrollo capitalista

Las causas y la naturaleza del cada vez más profundo subdesarrollo de Brasil no residen, pues, en tales líneas y acontecimientos inmediatos, sino como hemos dicho, en el capitalismo mismo. Para comprender la verdadera naturaleza de la crisis contemporánea de Brasil, podemos volver al pasado para examinar la estructura metrópoli-satélite capitalista y el proceso de polarización contemporánea, concentrándonos primero en las manifestaciones nacionales y después en las internacionales.

En el nivel nacional la polarización aparece más llamativamente quizás, en la concentración de la actividad económica en São Paulo y en el creciente empobrecimiento relativo y absoluto del resto del país. La concentración de la producción industrial en São Paulo ha avanzado como sigue: 1881, 5 %; 1907, 16 %; 1914, 20 %; 1920, 33 %; 1938, 43 %; 1959, 54 %. (Véase pp. 170-71). En el período de 1955 a 1960, a pesar de la construcción de Brasilia y del establecimiento de la SUDENE (Superintendencia do Desenvolvimento do Nordeste), la entidad a cargo del fomento de esa región, el 75 % de las inversiones nacionales y extranjeras en el Brasil fueron a São Paulo. (Conselho Nacional, 1963: 112.) Y es de presumir que la producción industrial continúa concentrándose en São Paulo en el mismo grado.

Mientras, el estado de Bahía, en el Nordeste, que tenía el 25 % de la producción industrial brasileña en 1881, cayó al 3,1 % hacia 1950 y al 1,7 % en 1959 (págs. 170-71 y Conselho Nacional, 1963: 267). De hecho, los once estados del Norte y el Nordeste combinados, con el 32 % de la población del país en 1955, produjeron el 12,4 % de la producción industrial brasileña en 1950 y el 9,9 % en 1959 (Conselho Nacional, 1963: 267), y recibieron el 20 % del ingreso nacional del país en 1947, el 16,1 % en 1955 y el 14,5 % en 1960. (Estimado de APEC, 1963: 14.) Esta disminución del ingreso *relativo* sólo es parte de la historia. Hasta el ingreso absoluto *per capita* de los mismos once estados también declinó, de 9.400 cruzeiros en 1948 a 9.200 en 1959, mientras que el ingreso *per capita* de Guanabara, que incluye a Río de Janeiro, aumentaba de 63.000 a 69.000 cruzeiros (APEC, 1962: 24 y anexo 2-VII). El estado más pobre, Piauí, en el Nordeste, tenía en 1958 un ingreso *per capita* de 4.000 cruzeiros mientras que el de Guanabara era de 52.000, a precios corrientes. (APEC, 1962: 24.) Clidenor Freites, psiquiatra de Piauí que construyó en el

189

estado un hospital de dementes antes de convertirse en presidente del sistema de seguridad social de Brasil, me aseguró que Piauí posee el más alto índice de enfermedades mentales de todo Brasil y que éstas se originan, principalmente, por la desnutrición.

La distribución de los ingresos personales, tanto nacional como regionalmente, aumenta con desigualdad a medida que la inflación crece. Esto beneficia a los propietarios, puesto que el valor de la propiedad sube, y castiga a los jornaleros y asalariados, cuyos ingresos no se mantienen a la par de los precios. Así, pues, una pequeña disminución del ingreso *per capita* medio, en estados como los del Norte y el Nordeste, significa una gran disminución del ingreso absoluto de la inmensa mayoría.

La población trabajadora o cesante del centro industrial de São Paulo no se beneficia tampoco, necesariamente, con este cambio de la distribución del ingreso. Los que se benefician son los burgueses y sus aliados metropolitanos, al paso que los ex-campesinos y los trabajadores cesantes encuentran reducidos sus ingresos por la inflación de los precios y el estancamiento económico. Es así como al sistema capitalista |no sólo lo dividen las relaciones coloniales de metrópolis y satélites, sino también las de clase, el hecho de que los desposeídos vivan en la metrópoli de São Paulo o en la de Río de Janeiro, en lugar de vivir en los satélites provinciales, difícilmente los protege contra la satelización y la explotación capitalista.

¿Cómo tiene lugar esta polarización de la economía capitalista interior de Brasil? Entre sus rasgos salientes podemos contar: a) las inversiones privadas, así las nacionales como las extranjeras, se concentran en la metrópoli nacional; b) las inversiones públicas se concentran asimismo en la metrópoli nacional y, como ocurre en el plano global, en algunas de las áreas circundantes que suministran electricidad o materias primas a la metrópoli nacional o a la internacional; c) la estructura de los impuestos es regresiva, pues pesan más, proporcionalmente, sobre los pobres que sobre los ricos; d) una sistemática y casi continua transferencia de capitales o de excedentes económicos del Nordeste y otras regiones satélites, como señala mi modelo, de los que se apropia la metrópoli nacional en el Sur, para usarlos parcialmente en su propio desarrollo y, fundamentalmente, en el de su propia burguesía. Esta transferencia de capitales, o apropiación-expropiación de excedentes económicos, pueden ser convenientemente estudiados en las siguientes divisiones: a) términos de intercambio interiores, en contra de los satélites y a favor de la metró-

190

poli nacional; b) traspaso de las divisas, de los satélites que las obtienen a la metrópoli nacional que los gasta; c) estructura, federalmente controlada, de los precios de importación, que subvenciona a a las importaciones de la metrópoli nacional en comparación con las de los satélites; d) traslado del capital humano, de los satélites que invierten en él a la metrópoli que se beneficia de él, y e) servicios que representan una transferencia "invisible" de dinero de los satélites nacionales a la metrópoli nacional. De estos mecanismos, junto con otros, como la estructura de los impuestos y los gastos públicos, resulta una gran remesa de capitales de los satélites interiores a la metrópoli nacional. Esta transferencia sólo se hace más lenta o se modifica en años "malos", de depresión.

Estos aspectos de la estructura metrópoli-satélite interior son análogos, a su vez, a los de la estructura internacional.

a) Términos de intercambio interiores: El economista norteamericano Werner Baer observa:

> El Nordeste... tuvo que obtener sus suministros de las nuevas y costosas industrias del centro-sur (São Paulo). Esto ha significado, de hecho, el deterioro de los términos de intercambio del Nordeste y ha originado dentro de Brasil una transferencia de recursos como la que tan a menudo menciona Prebish respecto a la posición de América latina frente al mundo desarrollado... [La práctica] que ha llevado al Nordeste a comprar en el Sur, y no en el extranjero, bajo condiciones de venta menos favorables, entraña una transferencia de capitales de la región más pobre a la más rica del país. Se asegura que la magnitud de esta transferencia puede ser estimada. (Baer, 1964: 278.)

Durante el período de 1948 a 1960, la relación del índice de los precios de exportación del Nordeste (medidos por los de las exportaciones brasileñas, excepto el café) respecto al de los precios al por mayor descendió de 100 a 10. Si en este descenso se toman en cuenta las variaciones del tipo de cambio contra el dólar, la disminución de los precios interiores del Nordeste fue de 100 a 48, (Baer, 1960: 279-280.) Al mismo tiempo, los términos de intercambio internacionales disminuyeron también en perjuicio del Nordeste.

b) Traspaso de divisas: En el estudio que condujo a la creación de la famosa SUDENE, el Conselho do Desenvolvimento do Nordeste informó:

El Nordeste no utilizó el total de sus ganancias en divisas generado por sus exportaciones. Alrededor del 40 % de tales divisas fue transferido a otras regiones del país... Suministrando créditos extranjeros al centro-sur, el Nordeste ha estado contribuyendo al· desarrollo de aquél con un factor del que los sureños están escasos: capacidad para importar. (1959: 18, 24, citado por Baer, 1960: 278.)

El valor medio de las exportaciones [al extranjero] del Nordeste subió de $ USA 165 millones en 1948-1949 a $ USA 232 millones en 1959-1960, mientras que el valor de las importaciones [del extranjero] cayó de 97 millones de dólares a 82 millones de dólares. Durante muchos de los años de la posguerra, el excedente del comercio exterior del Nordeste alcanzó para cubrir los déficit de la balanza comercial del resto del país y, a veces, otros déficit de la balanza de pagos. (Baer, 1964: 278.)

Sirviéndose de los estimados del Conselho y otros datos, Baer calcula que en el período de 1948 a 1960 se transfirieron del satélite del Nordeste a la metrópoli sureña, 413 millones de dólares por la vía de este mecanismo solamente, para un promedio de. 38 millones anuales, promedio que se elevó a 74, 59 y 84 millones de dólares en los años de 1958, 1959 y 1960, respectivamente. (Baer, 1960: 280.)

c) Control federal de los precios de las importaciones:

Otra carga sobre la economía nordeste de Brasil, que los funcionarios de la SUDENE no han analizado explícitamente, es el efecto del "agio" sobre los tipos de cambio brasileños. Las importaciones que vienen para el Nordeste pagan tipos bastante altos en comparación con los de las importaciones "subsidiadas", como las de bienes de producción [que principalmente se usan en el Sur]. El producto de estos tipos de cambio ha sido usado por las autoridades cambiarias para apuntalar la economía del café, centrada principalmente en el Sur. Los superávit de los balances del agiotaje han aumentado también la capacidad del Banco do Brasil para otorgar préstamos que en gran proporción benefician al Sur. Puede calcularse el grado de "tributación" del Nordeste, que esta operación implica. (Baer, 1960: 281.)

d) Traslado del capital humano: Baer asegura que no se dispone de suficientes datos para determinar si los emigrantes [del Nordeste al Sur] son los más calificados y hábiles de la región, lo que también constituiría un drenaje de ella. Se sabe que los mejores talentos de los grupos profesionales han emigrado al Sur, causando así carencias de consideración [en el Nordeste]. (Baer, 1960: 276.) Algunos profesionales emigran a la metrópoli nacional; otros no se detienen allí y siguen a la internacional: Estados Unidos. Aunque se reconoce que los datos a este respecto no son concluyentes, se tienen buenas razones para creer que este patrón de la emigración interior del satélite a la metrópoli es fidedigno. (Hutchinson, 1963.) Lo que no admite discusión es que los emigrantes se alimentaron y educaron —hasta donde recibieron educación— en la región satélite, a expensas de ésta, durante su improductiva niñez, sólo para abandonar aquélla y pasar para su etapa adulta productiva en la metrópoli.

e) Servicios que representan una transferencia invisible de capital: Los datos brasileños al respecto de esta partida 'invisible", claro está, son insuficientes. Pero eso no le resta importancia. El Fondo Monetario Internacional y la CEPAL proporcionan datos (con exclusión de Cuba) que indican que los desembolsos latinoamericanos de divisas en servicios "invisibles" pagados al extranjero —transporte y seguros, utilidades transferidas al exterior, servicio de la deuda, viajes, otros servicios, donaciones, fondos remitidos al exterior y errores y omisiones— absorbieron y transfirieron a la metrópoli el 61 % del total de divisas que América latina obtuvo durante el período de 1961-1963. (Frank, 1965 a: 43.) Estos servicios tienen contrapartidas internas y es de presumir que manifiestan una apreciable transferencia de fondos, dentro de Brasil, del satélite a la metrópoli, al igual que entre Brasil (u otros satélites) y la metrópoli capitalista internacional. (Frank, 1963, 1964 b.) Sin el complemento de tales remesas del satélite a la metrópoli, por servicios o atenciones financieras, sería difícil explicar el perenne excedente en la balanza comercial (de las exportaciones sobre las importaciones) de los satélites interiores, y el déficit de la balanza comercial (importaciones en exceso de las exportaciones) de la metrópoli nacional, o la diferencia entre la balanza comercial de la metrópoli nacional que muestra un déficit, y su balanza de pagos, que muestra un superávit.

Como resultado de éstos y otros mecanismos, y de conformidad con mi modelo y mis hipótesis, São Paulo tuvo un excedente en su balanza comercial con otras regiones de Brasil y con el mundo, como indica el exceso de las exportaciones sobre las importaciones (presumiblemente de bienes) a través de su puerto de Santos durante la segunda mitad del siglo XIX cuando aún no era la metrópoli nacional de Brasil. (Ellis, 1937: 426, cuyos datos cubren los años de 1857-1862 y 1877-1886.) En el siglo xx (los datos en Ellis, 1937: 512, comienzan en 1907), São Paulo, por el contrario, muestra un déficit comercial continuamente grande; esto es, un exceso de las importaciones de otras regiones sobre las exportaciones a otras regiones, a través del cabotaje del puerto de Santos, hasta el año 1930. Esta fecha final tiene considerable significación: São Paulo era ya la metrópoli nacional. Así, pues, importa sistemáticamente más de otras regiones brasileñas que lo que les exporta a través de Santos.

¿Cómo puede São Paulo tener más importaciones que exportaciones de mercancías y pagarlas un año tras otro? Ellis responde que ello se debe a las grandes ganancias de su comercio de exportación. Parte de la respuesta debe estar en ganancias que no aparecen en los embarques por el puerto de Santos: ganancias en la exportación de servicios "invisibles". Pero la balanza de pagos de São Paulo con países extranjeros en lo que respecta a préstamos u otros servicios, no muestra superávit alguno. Como todos los satélites, São Paulo tiene una balanza de pagos deficitaria y un déficit en su cuenta de servicios con la metrópoli del sistema capitalista mundial. Podemos desechar también la posibilidad de un exceso de las exportaciones por tierra sobre las importaciones de regiones brasileñas vecinas durante este período (probablemente fueron más también las importaciones por tierra que las exportaciones). Nos queda, pues, la explicación de que São Paulo paga su exceso de lo que importa sobre lo que exporta a otras regiones de Brasil (como también, quizás, parte del déficit de su balanza de pagos con el extranjero) con las ganancias que obtiene de los capitales que transfiere desde otras regiones de Brasil y expropia a ellas. La pregunta que queda por responder es si este drenaje de capital de los satélites a la metrópoli nacional paulista debe llamarse pagos o ganancias de servicios prestados.

Esta corriente de fondos del satélite a la metrópoli en razón de servicios "invisibles" es tan grande que permite a las metrópolis nacionales de São Paulo y Río de Janeiro pagar sus cuantiosos excesos de las importaciones desde el interior sobre las exportaciones, y también convertir el déficit comercial interno de la cuenta de mercancías en un gran superávit de la balanza de pagos. Los satélites interiores brasileños tienen en su balanza de pagos con la metrópoli nacional, un déficit sistemático, no obstante el hecho de que la balanza comercial del Nordeste con respecto a São Paulo es favorable a aquél, y lo es aún más con respecto al mundo exterior. "El Nordeste ha tenido déficit perennes [en su balanza de pagos] con el resto del país [en el período posterior a la guerra], principalmente el centro-sur, y estos déficit han estado creciendo en los últimos años de la década de 1950. Estos déficit han promediado alrededor del 25 % de sus exportaciones o el 20 % de su mayor volumen de importaciones de bienes y servicios de otras regiones." (Baer, 1964: 278, 279.)

Otra observación parece ser consecuente con mi modelo y mis hipótesis: cuando vino la depresión, São Paulo dejó de tener un déficit en sus exportaciones de mercancías hacia el interior para tener un superávit en su cuenta de mercancías con otras regiones de Brasil. Hasta 1929, las importaciones por cabotaje fueron muy superiores a las exportaciones, excepto en años de recesión, como los de 1923 y 1924. En 1930 las importaciones disminuyeron en gran medida; en 1931, eran casi iguales a las exportaciones, y en 1932 y 1933 (fin de, la serie), las exportaciones a otras regiones excedieron lo que São Paulo importó de otras regiones. (Ellis, 1937: 512.) En épocas "buenas", los satélites son más explotados por la metrópoli; en las malas se les explota menos.

Pudiera creerse que las regiones agrícolas y aún más las llamadas a menudo "feudales", como el Nordeste, se abastecerían a sí mismas en comestibles. Lejos de ello, al igual que los satélites capitalistas "agrícolas" de la metrópoli mundial, como América latina y Brasil en conjunto, sus regiones monoexportadoras "agrícolas" en realidad importan víveres. El Nordeste brasileño consume del 30 al 40 % de sus desembolsos en importaciones regionales de comestibles. (*Desenvolvimento* & *Conjuntura*, 1959: 47.) ¿Hace esto del Nordeste una región aislada, "feudal", precapitalista, como quiere el modelo de la sociedad dual? ¿O hace de él lo que ha sido siempre: una región satélite explotada por el capitalismo?

El papel del comercio y las finanzas esclarece algo más esta cuestión. Es principalmente por medio del monopolio comercial que las metrópolis nacional y regional contemporáneas (y la metrópoli internacional) explotan a sus satélites y se apropian del excedente económico de éstos. Podemos probarlo de muchos modos. (Este problema se examina con más detalle en las páginas 241-267.) En el conjunto de Brasil, el 23 % de la población ocupada en el sector terciario recibe el 47 % del ingreso nacional; en el Nordeste de "agricultura de subsistencia aislada", el 15 % del sector terciario recibe el 46 % del ingreso; en el norte recibe el 49 %. (*Desenvolvimento* & *Conjuntura*, 1958: 52; APEC, 1963: 17, y Baer, 1964: 274, dan datos similares acerca de la distribución del ingreso por sectores.) Los receptores importantes de ingresos del sector terciario no son, claro está, trabajadores de cuello y corbata o empleados de establecimientos de servicios, sino comerciantes y financieros. En el Nordeste, el 21 % del ingreso va al comercio, a los intermediarios de las finanzas y a los arriendos; de este total, el 17,6 % fue al comercio en 1958-1960. (Baer, 1964: 274; APEC, 1963: 17.) Un pequeñísimo número de grandes comerciantes reciben la parte del león de este 46 % del ingreso terciario regional. Además, los grandes terratenientes, cuyo ingreso se atribuye oficialmente a la agricultura, reciben, en realidad, la mayor parte de ese ingreso del comercio y de las finanzas; por consiguiente, la proporción real del ingreso "ganado" en el comercio y las finanzas es mucho más de lo que la cifra indica.

El monopolio comercial del sistema capitalista en las áreas rurales se vincula íntimamente a la estructura de la tenencia de la tierra. En Brasil, en 1950, el 80 % de los que dependían de la agricultura poseían el 3 % de la tierra; el 97 % restante pertenecía al 20 % de la población agrícola, del que el 0,6 % poseía más del 50 %, incluyendo las mejores tierras (véase pp. 241-247). A su vez, este control monopolista de la tierra permite que estos pocos propietarios participen, a menudo fundamentalmente, de la estructura general del capitalismo como comerciantes monopolistas.

Que la estructura socioeconómica, supuestamente precapitalista o aun feudal, de las áreas rurales es parte integrante de toda la estructura metrópoli-satélite del capitalismo, puede demostrarse también mediante los cambios de la concentración de la propiedad de la tierra y la variación de los niveles de vida de la población rural en cuanto a tiempo y lugar. La tierra en el sur, especialmente en el estado de Paraná, y también, antes, en el mismo São Paulo, en el que la tierra se dividió en propiedades relativamente pequeñas, vino a concentrarse en latifundios precisamente cuando fue invadida por la expansión capitalista del café y otros cultivos comerciales. La consecuencia de este desarrollo capitalista fue el descenso del nivel de vida de gran parte de los propietarios de tierra. Durante las expansiones capitalistas de las décadas de 1920 y 1940 y la menor de 1950, la concentración de la propiedad de la tierra aumentó, los arrendatarios fueron convertidos en jornaleros agrícolas y el nivel de vida de la mayoría de la población descendió. Durante la década de 1930, por el contrario, y en algunos lugares durante la de 1950, estas tendencias se invirtieron y hubo, pues, desconcentración de la propiedad, aumento de terratenientes pequeños y arrendatarios y niveles de vida más altos para la población rural. Pero cuando Estados Unidos quitó a Cuba su cuota azucarera y la distribuyó entre naciones "amigas", Brasil entre ellas, y en consecuencia aumentó por breve tiempo la demanda de azúcar del Nordeste, se sembró caña hasta en las casas de los campesinos, como dijo el hoy encarcelado gobernador de Pernambuco, y los niveles de vida bajaron en consecuencia. Así, pues, la agricultura brasileña, lejos de ser una economía de subsistencia aislada, feudal o precapitalista, como sugiere el modelo dualista, es y reacciona como parte del sistema capitalista cuyo comportamiento señala nuestra hipótesis: involución en respuesta al aflojamiento de los lazos con la metrópoli y desarrollo coartado en respuesta al fortalecimiento de los mismos.

Esta estructura metrópoli-satélite monopolista no se detiene en el nivel interregional, sino que se extiende al intersectorial. Por tanto, puede decirse que a la estructura metrópoli-satélite corresponden las relaciones entre una industria y otra, entre una firma y otra de la misma industria. Los sectores o las empresas de tecnología avanzada tienen sus propias fuentes de capital o acceso relativamente fácil al capital exterior, y mantienen una relación monopolista de metrópoli y satélite con las casas que carecen de esta tecnología y este capital, y trabajan con técnicas que exigen más de los obreros. Este contraste se manifiesta particularmente entre las grandes firmas extranjeras, que cuentan con las facilidades tecnológicas y de crédito de sus operaciones mundiales, y las firmas brasileñas. Pero aproximadamente, las mismas relaciones existen también entre las pocas empresas brasileñas grandes, que además suelen estar vinculadas de uno u otro modo a firmas extranjeras y la multitud de casas brasileñas medianas y pequeñas de la misma industria.

La relación puede verse en la estructura de sus operaciones de compra y venta entre sí, y es evidente, en particular, cuando a las firmas extranjeras se les otorgan privilegios especiales, como ha ocurrido bajo el presente gobierno militar, manteniendo las del país sin créditos. Esto da una fuerte ventaja competitiva a las casas extranjeras y a las nacionales que gozan de relativa solidez tecnológica y financiera, sobre las firmas medianas y pequeñas, las cuales se ven forzadas a cerrar sus puertas y a entregar sus valores a las empresas grandes o extranjeras.

El actual gobierno militar está añadiendo otro mecanismo a la ventaja de que ya disponen las grandes empresas: hace que las cargas fiscales dependan, no de las ganancias de la compañía, sino de su

197

nómina salarial. Así es como las compañías grandes obtienen ganancias relativamente grandes, mientras que las pequeñas, por estar menos capitalizadas, han de pagar mano de obra relativamente mayor, el resultado es obvio. No es extraño que el gran comercio extranjero y brasileño y la burguesía a él asociada no se duelan de una política monetaria y fiscal que en apariencia daña a los negocios. Como todo lo de la estructura capitalista, aquella política no hiere a todos del mismo modo.

Todas estas clases de apropiación comercial —mercantilista, pudiera decirse— del excedente económico y la plusvalía de los productores y consumidores agrícolas e industriales, son, por supuesto, posibles —yo debiera decir necesarias— sólo porque explotadores y explotados forman parte del mismo sistema monopolista. Los terratenientes y comerciantes de la metrópoli local que explotan a sus satélites, los trabajadores y consumidores agrícolas, son instrumento de la metrópoli regional, de la cual son satélites, y cuya burguesía regional es, a su vez, el medio de explotación de la metrópoli y la burguesía nacional, y así hasta la metrópoli y la burguesía mundial, cuyo medio de explotación y subdesarrollo creciente de los países satélites es, inevitablemente, la burguesía nacional.

A despecho de todas las contradicciones menores, la burguesía de estas metrópolis capitalistas locales, regionales, nacionales y mundiales se interesa en la preservación de este sistema. La iniciativa y la acción política efectiva para transformar esta sociedad y permitir un genuino desarrollo económico y humano corresponden, necesariamente, a las clases explotadas de los satélites capitalistas, rurales y urbanos.

7. Desarrollo imperialista y subdesarrollo capitalista

Para completar nuestro análisis del subdesarrollo brasileño y la crisis política contemporánea del país, debemos proceder a un examen más profundo de las recientes relaciones internacionales de Brasil con la metrópoli capitalista y de sus efectos sobre nuestro problema. Vuelvo a recordar que, aunque las examino separadamente, las estructuras metrópoli-satélite, internacional y nacional, del capitalismo están inseparablemente entretejidas.

Aunque refiriéndonos siempre a mi modelo y mi hipótesis, trataré de ir paso a paso de las causas más superficiales a las más profundas de este subdesarrollo. Celso Furtado, en su libro *Dialéctica do Desenvolvimento*, publicado en la primavera de 1964, época del golpe, observa y explica "las causas económicas de la presente crisis":

> Los factores en que se fundaba el proceso de industrialización se agotaron, al parecer, antes de que la formación de capitales llegara al grado necesario de autonomía respecto al sector externo. Este hecho parece indicar que las dificultades que el país ha estado encarando en tiempos recientes son más profundas de lo que al principio se sospechaba. Se tienen pruebas suficientes de que la industrialización acercó mucho a Brasil al punto en que el desarrollo se convierte en un proceso circular acumulativo que crea sus propios medios para mantenerse en marcha. Hasta se puede decir que, de no haber sido por la gran disminución de los términos de intercambio a partir de 1955, Brasil habría llegado a ese punto decisivo en el curso de esta década de 1960. (Furtado, 1964: 120.)

Traducido a nuestros términos, Furtado mantiene, pues, que Brasil estuvo a punto de escapar del círculo vicioso de los lazos capitalistas de metrópoli y satélite, con sus aflojamientos y sus reforzamientos; que a través de un creciente capitalismo nacional, Brasil se zafó casi de la tenaza del sistema imperialista mundial y que fracasó sólo porque después de 1955 sus términos de intercambio declinaron.

Este énfasis en el muy cierto e importante cambio adverso de los términos de intercambio del satélite, que universalmente se subraya en las publicaciones oficiales de los países satélites y las organizaciones internacionales, y hasta en los eruditos estudios de los economistas de la metrópoli capitalista, sirve a menudo para desviar la atención de los problemas y causas fundamentales del subdesarrollo y pobreza crecientes de los países satélites. Además, Paul Baran, entre otros, señaló que para aquellos países cuyo comercio de exportación está principalmente en manos extranjeras, una caída de los precios de sus productos de exportación no los daña mucho necesariamente, puesto que las ganancias de ese comercio, reducidas o no, van de todos modos a empresas de la metrópoli capitalista. (Baran, 1957: 231-234.) Brasil se encuentra en este sentido en una mejor posición que algunos otros países exportadores de materias primas. No obstante, la importancia que tienen para Brasil las variaciones del precio del café está sujeta hasta cierto punto, como hemos visto, a esta reserva.

La siguiente explicación de la renovada vuelta de Brasil al subdesarrollo intenta ser más amplia. Podemos reconocer en este giro de los sucesos otro ejemplo de una característica del sistema capitalista y de su desarrollo: la norma del fortalecimiento de los lazos metrópoli-satélite que acompaña a la recuperación de la metrópoli. Esta norma provoca en el satélite esfuerzos necesariamente estériles por hacer frente a esa amenaza, una consiguiente estrangulación del desarrollo más autónomo que se acometió en el período anterior y la reorientación del país hacia un subdesarrollo mayor.

En la década de 1950, después del período de involución capitalista activa durante la depresión y la guerra, vimos reaparecer esencialmente la misma norma que observamos durante la depresión brasileña de la primera mitad del siglo XIX, durante los últimos años de esa centuria, después de la expansión del café; durante la década de 1920, después de la involución de la primera guerra mundial, y de nuevo en nuestros días: a) inflación; b) devaluación; c) fluctuaciones de los términos de intercambio; d) financiamiento externo, y e) reintegración de la economía del satélite en la de la metrópoli, renovado ejercicio del poder monopolista metropolitano y nuevo apoderamiento del satélite por la metrópoli. Idénticas características observamos en nuestro examen de los años recientes.

El mismo Celso Furtado señala que la inflación, cuando se combina con circunstancias de devaluación y deterioro de los términos de intercambio, no puede en modo alguno desempeñar la misma función de estímulo del desarrollo que tuvo durante las décadas del 30 y el 40, cuando el tipo de cambio de Brasil y sus términos de intercambio mejoraron y, por así decirlo, proporcionaron un impersonal y automático financiamiento externo de la inflación. (Furtado, 1964: 117-118.) El mismo autor señala, además, que en similares circunstancias de devaluación y deterioro de los términos de intercambio a fines de la década del 50, el financiamiento externo, en forma de empréstitos extranjeros, y las inversiones no pueden salvar la situación, sino, más bien empeorarla. El financiamiento externo mediante préstamos e inversiones no sustituye al financiamiento externo mediante el mejoramiento de los términos de intercambio, mucho menos cuando éstos están en deterioro. En tales circunstancias, la inflación y el financiamiento externo sólo pueden conducir a la consecuencia inevitable del apoderamiento imperialista del país.

Tal fue la consecuencia del similar desenvolvimiento de las fuerzas económicas y políticas a comienzos de siglo; en la década de 1920, bajo la mano rectora del presidente norteamericanófilo Washington Luis, e inevitablemente, durante el desarrollo económico y los programas de economía política de los presidentes Café Filho, Juscelino Kubitschek y sus sucesores, a despecho de todas las otras circunstancias. Así, pues, mi modelo y mis hipótesis se aproximan, al menos, a la explicación del renovado estrangulamiento del desarrollo de Brasil y la reorientación del país hacia el subdesarrollo, acompañado de la recaída en un gobierno ultraderechista que busca (con beneficios para sí mismo) la ayuda del lobo para proteger al pueblo brasileño contra el voraz apetito del mismo lobo.

Pero otras circunstancias refuerzan esta tendencia. Ha habido importantes transformaciones, no de la estructura del sistema capitalista, sino dentro de ella, en los niveles internacionales y nacional brasileño desde 1929, punto de partida de la involución activa de Brasil que ahora ha dado paso al nuevo subdesarrollo.

Entusiastas confesos del capital extranjero y de las más íntimas relaciones de Brasil con Estados Unidos, reunidos en la APEC Editora, S. A., publicaron no hace mucho un excelente estudio de la situación:

> Gracias a su dependencia pasiva de la balanza de pagos, sostenida por siglos de monocultivo, la economía brasileña ha merecido el nombre de economía "refleja". En el presente pagamos con café nuestro pan, nuestro combustible, nuestra civilización. Durante los últimos treinta años, especialmente en los de la segunda guerra mundial, el proceso de industrialización y diversificación de la economía se ha intensificado; pero el descenso de la producción agrícola frente al aumento de la población, y el progresivo deterioro de los términos de intercambio, prueban que no nos hemos liberado de este círculo vicioso. La industrialización sustituyó muchas importaciones; pero al mismo tiempo nos impuso una dependencia aún más rígida del intercambio, en forma de materias primas, combustibles, piezas de repuesto, máquinas, tecnología y capital. En años recientes, en vez de replegarse ante las naturales limitaciones de la economía, el esfuerzo industrializador se amplió con una afluencia de capital extranjero, no tan atraído por un clima favorable a las inversiones como, principalmente, por claras ventajas arancelarias y por razones de política comercial y de defensa nacional. El aspecto más importante de esta industrialización es el que impone una integración e interconexión más profundas de la

economía [con el extranjero] y la hace más vulnerable a los cambios de la suerte. (APEC, 1962: 93.)

Este breve resumen contiene en germen varias verdades importantes acerca del deplorable estado y tendencia de los asuntos de la economía brasileña. Pero los citados autores atribuyen en general todas las causas de la dependencia brasileña al problema de los términos de intercambio y a la vulnerabilidad para importar a que Brasil queda expuesto con ello. Se echa así a los pobres términos de intercambio mucha más responsabilidad de la que en realidad les corresponde por el subdesarrollo. Las otras causas circunstanciales que estos observadores resumen tienen mayor importancia por sí solas que por su relación con el problema de los términos de intercambio.

Examinemos el problema de la sustitución de las importaciones. La mayor parte del proceso de la expansión industrial brasileña de las últimas décadas se encaminó a producir en Brasil los productos que antes se importaban o los que, siendo nuevos en el mercado mundial, de otra forma tendrían que importarse. La sustitución de las importaciones, ahora que la fuente del monopolio metropolitano no pesa tanto sobre la producción industrial en general, como sobre ciertos ramos de la industria y la tecnología, ha sido ampliamente recomendada a los países subdesarrollados por los asesores económicos metropolitanos como primer y más importante paso hacia la industrialización y el desarrollo. Tal sustitución, sin embargo, cuando se emprende dentro del marco y estructura del sistema capitalista, no conduce a la salvación augurada, sino que por fuerza debe ser un nuevo paso hacia una mayor dependencia de la metrópoli y un subdesarrollo estructural más profundo. Y así ha ocurrido en Brasil.

La selección de los productos cuya importación se ha de sustituir por la elaboración en el país, se funda en diversos criterios: gastos de instalación relativamente bajos y tecnología sencilla (esto es lo que generalmente recomiendan los economistas de la metrópoli); bienes cuyo precio en el país sea alto y cuya producción tenga poca o ninguna competencia, porque un arancel protector restringe su importación; pero, por encima de todo, se sustituye la importación de bienes para el mercado de altos ingresos, único que en una economía capitalista puede tener demanda de ellos. Esta clase de producción industrial puede conducir a corto plazo a mayor demanda e ingreso para ciertos productores; pero no es, evidentemente, la clase de oferta que, en analogía con el principio de Say, puede crear a la larga una demanda más amplia.

Este género de sustitución de productos, lejos de reducir la carencia general y la demanda de importaciones por la economía del satélite, las aumenta necesariamente. Es obvio que cuanto más se limita la sustitución de las importaciones a la producción de bienes de consumo, aunque ésta aumente, tanto más se necesitan y deben importarse máquinas y materias primas para producirlos. Cuanto más se amplía y mantiene este proceso, tanto más complejo y costoso es el equipo que debe importarse, y tanto más se limita la escala de ingresos y el número de consumidores potenciales que pueden adquirir los productos terminados.

Las contradicciones internas de la estructura capitalista nacional de metrópoli-satélite imponen límites severos a la ampliación de este proceso de sustitución de las importaciones, y las contradicciones de la misma estructura capitalista internacional hacen aún más costoso e imposible el mantenimiento de siquiera el grado de sustitución ya alcanzado. La estructura capitalista nacional canaliza necesariamente este proceso de industrialización y sustitución de importaciones, supuestamente favorable al desarrollo, hacia una mayor polarización entre la metrópoli nacional y sus grupos privilegiados, de una parte, y los satélites y los grupos metropolitanos nacionales de bajas entradas, de la otra. Estos últimos no llegan a gozar nunca de los beneficios de este tipo de industrialización; pero, a través de los diversos mecanismos polarizantes y la inflación general, se les obliga a pagar la mayor parte de lo que aquélla cuesta. Además, estas mismas exigencias del proceso productivo de la sustitución capitalista de las importaciones, engendran un creciente grado de monopolio dentro del sector industrial mismo, a medida que la expansión se hace más difícil y más empresas débiles sucumben, lo que a su vez agrava aún más el problema.

Aunque Brasil, como ya vimos, no dedicó su producción industrial a estos bienes de consumo únicamente, su norma para la sustitución de las importaciones no se desvió, en esencia, del caso extremo aquí tratado, y su desarrollo industrial ha sufrido el destino de rigor. Para adoptar una diferente norma de sustitución de las importaciones y evitar este destino, empezando por la industria pesada de bienes de producción y la manufactura de equipos intermedios en vez de la industria ligera de bienes de consumo, como hizo la Unión Soviética, Brasil tendría que tener una distribución del ingreso y, por ende, una norma de consumo, muy distintas a las de un país capitalista satélite, o bien otra distribución del poder político, con la consiguiente libertad para asignar las inversiones conforme a otros criterios que la inmediata demanda de los consumidores. Esto es demasiado ajeno a la naturaleza esencial de un país capitalista.

Este proceso de sustitución de las importaciones, por tanto, lejos de reducir la necesidad de importar, la aumenta. Además, tiende a elevar el costo de las importaciones, a medida que se hace necesario importar equipos técnicamente más complejos, más adelantados, más *monopolizados* y, por consiguiente, más costosos, de la metrópoli. No obstante, esta sustitución de las importaciones no puede llegar jamás al punto en que el satélite cesa de depender de la metrópoli en cuanto a máquinas, tecnología y materias primas esenciales, puesto que tal callejón sin salida industrial aleja al país satélite de la producción de esas necesidades, en vez de acercarlo.

Así, la CEPAL observa que, si bien "en el período posterior a la guerra... las limitaciones del sector externo fueron considerablemente menores en Brasil que en otros países de la región... a la luz del estudio de los principales artículos seleccionados puede llegarse a la conclusión de que no ha habido proceso sustitutivo alguno de bienes de capital en conjunto". (*Economic Bulletin*, 1964: 38.)

Allí al mismo tiempo la norma de la importación deviene en extremo rígida. Por ejemplo, mientras en 1952, su mejor año del período posbélico, gracias al conflicto coreano, los pagos de Brasil al exterior por importaciones esenciales como combustible, trigo, papel de imprenta y amortizaciones de deudas, equivalieron al 25 % de sus ganancias en divisas, hacia 1959 esas mismas demandas consumían el 70 % de las divisas, dejando sólo un 30 % para todas las otras importaciones. (*Economic Bulletin*, 1964: 15.) En ese mismo año, Brasil dedicó el 50 % de sus importaciones a equipos industriales y productos intermedios de metal, y otro 25 % a productos no metálicos, por lo que puede verse fácilmente que las importaciones absolutamente esenciales impuestas a la economía brasileña por su estructura de satélite subdesarrollado exceden con mucho su capacidad para importar. (*Economic Bulletin*, 1964: 22.) Se prohíbe así a Brasil la importación de nuevos tipos de máquinas que pudiera necesitar para desarrollarse en otra dirección más ventajosa, y se le obliga a recurrir al financiamiento externo para satisfacer hasta sus más esenciales necesidades actuales de importación.

Estas contradicciones, bastante serias ya, de los esfuerzos del

satélite por industrializarse mediante la sustitución de las importaciones, se agudizan y producen aún más subdesarrollo por su ineluctable
combinación con otras facetas de las expoliadoras relaciones metrópoli-
satélite. Una de éstas es el deterioro de los términos de intercambio.
Evidentemente, las dificultades de la sustitución de las importaciones,
a causa de los mayores costos y otros factores, se agravan cuando
los precios declinan, como ha ocurrido desde 1955, y los medios de
pago de las importaciones disminuyen o no aumentan bastante. Se
acude entonces, ineludiblemente, a los empréstitos extranjeros. Pero
éstos, en Brasil, sólo pueden alejar temporalmente al lobo, a la vez
que lo hacen más rapaz a largo plazo. El endeudamiento exterior
trae aparejada la necesidad de dedicar más divisas cada vez a la amortización de los préstamos. Pone asimismo al deudor más a merced
del acreedor, quien se aprovecha de esta dependencia satélite para
arrancar más y más concesiones, con la amenaza de no renovar los
empréstitos o de no prorrogar el vencimiento de los pagos, cuando,
como es inevitable, Brasil no puede pagar. Se ha puesto, por tanto,
a Brasil, en una posición de servidumbre forzosa ante el acreedor norteamericano, que se convierte así en dueño del país, y esta servidumbre no difiere, en esencia, de la que ata a los campesinos de todo el
mundo a sus terratenientes y prestamistas.

Otras dos formas de control monopolista metropolitano son las
inversiones y la tecnología extranjera. Cada una de éstas bastaría
por sí sola para engendrar un subdesarrollo creciente en Brasil y otro
satélite. Combinadas con el factor de la sustitución de las importaciones dentro de la estructura total, condenan a Brasil al subdesarrollo
capitalista.

Celso Furtado habla como sigue del papel de las inversiones
extranjeras y contradice con ello su anterior atribución del renovado
subdesarrollo brasileño al deterioro de los términos de intercambio:

La nueva clase capitalista industrial... encontró... en las
concesiones a los grupos extranjeros la línea de menor resistencia mediante la cual resolver los problemas que de tiempo en
tiempo surgían... Ha habido un extenso proceso de desnacio-
nalización de la economía, el cual, con independencia de los
efectos de otros factores, conduce inexorablemente a la estrangulación externa... Surgió así la contradicción entre los intereses
generales del desarrollo nacional y los intereses particulares de las
miles de firmas controladas por grupos extranjeros, las que

operaban con gastos atados a costos más o menos estables de cambio exterior. Frecuentemente se supone aún que este problema puede resolverse "recuperando la confianza del extranjero" y atrayendo nuevos capitales foráneos. Ésta es, sin duda, la más aguda contradicción interna del desarrollo de Brasil al presente y, también, la que la clase gobernante está menos preparada para resolver. (Furtado, 1964: 133.)

No cabe duda que Furtado ha puesto aquí el dedo en una parte de las relaciones subdesarrollantes de metrópoli-satélite que con demasiada frecuencia conviene olvidar o dejar de lado.

No debe confundirse la industria en Brasil con la industria nacional, puesto que la primera incluye una proporción significativa y creciente de compañías extranjeras y, por tanto, de control foráneo. Las firmas extranjeras, especialmente norteamericanas, como vimos, entraron en Brasil para establecerse en la industria interior, en la década del 20. Esta clase de penetración se efectuó aceleradamente incluso durante la depresión de los años 30. En 1936, por ejemplo, mientras se fundaban 121 empresas brasileñas, se creaban 241 extranjeras, 120 de ellas norteamericanas. (Guilherme, 1963: 41.) Este proceso ganó en rapidez y proporciones durante la década del 50 y en la presente. Las firmas extranjeras son casi siempre empresas muy grandes, integradas vertical y horizontalmente sobre una fase plurinacional, por lo que disponen de un importante poder monopolista hasta en el mercado mundial. No es extraño que rápidamente absorbieran a sus rivales pequeños y convirtieran en satélites económicos a sus competidores, abastecedores y compradores brasileños. He estudiado este proceso con más detalle en *Sobre los mecanismos del imperialismo: El caso del Brasil.* (Frank, 1964 b.)

La conducta de estos monopolios extranjeros dentro de la industria brasileña sirve, pues, en esencia, para reforzar la condición de satélite y la dependencia de éste y de la economía en general. Además, la naturaleza y alcance de las inversiones y las actividades productivas extranjeras impone a la industria brasileña y a la economía en general necesidades de importación de tal clase y cantidad que aumentan en grado sumo la rigidez de la selección brasileña de bienes para importar, y hasta privan a los brasileños de la oportunidad de decidir qué bienes importar. Las inversiones extranjeras agravan así el problema de la sustitución de las importaciones, a causa del control que llegan a ejercer sobre la industria brasileña, a la vez que retiran cantidades importantes de capital —siempre más que el que aportan, como demostré en el mencionado artículo y en otro anterior titulado: *Las relaciones económicas entre Brasil y Estados Unidos* (Frank, 1963 b)— o de excedente económico que no puede, por tanto, ser invertido en Brasil y cuyo retiro del país agrava, aún más, la balanza de pagos y el problema de la sustitución de las importaciones.

Estos vínculos entre las firmas extranjeras y nacionales en la economía brasileña interna, y no hablemos de las empresas mixtas de capital extranjero y nacional —que siempre acaban por convertir al socio nacional en satélite del socio extranjero, a la vez que éste se ahorra el capital aportado por aquél—, atan también, claro está, a la burguesía brasileña, incluida la nacional, a la metrópoli imperialista. No pocas veces crean intereses comunes al explotar conjuntamente al pueblo de Brasil y al incrementar la satelización y subdesarrollo de la economía del país, y por mucho que en un caso u otro puedan chocar los intereses de los poderosos extranjeros con los de los impotentes brasileños, éstos vienen a quedar más dependientes y más satélites de aquéllos. Con todo, estas inversiones y este predominio extranjeros, que estrangulan el desarrollo brasileño, como ve Celso Furtado con acierto, no son más que un elemento de la estructura metrópoli-satélite, cada vez más subdesarrollante y monopolista, del sistema capitalista contemporáneo.

La tecnología intercede en estas conflictivas relaciones y ayuda a generar en el satélite un subdesarrollo aún más profundo. La tecnología se está convirtiendo rápida y crecientemente, en la nueva base del monopolio metropolitano sobre los satélites. El significado de este cambio puede verse con más claridad relacionándolo con mi modelo y con la transformación dentro del sistema de metrópoli y satélites a que éste se refiere.

Durante la era mercantilista, el monopolio metropolitano se ejercía a través del monopolio comercial; en la era del liberalismo, el monopolio metropolitano vino a ser la industria; en la primera mitad del siglo XX, el monopolio metropolitano se desvió cada vez más hacia la industria de bienes de capital. La producción de bienes de consumo de la industria ligera fue entonces más factible para los satélites. En la segunda mitad del siglo XX, la base del monopolio metropolitano parece estar desviándose crecientemente hacia la tecnología. Ya los satélites pueden tener hasta industria pesada en sus países. Hace 100 o aún 50 años, tal industria pesada pudo haber emancipado a algún satélite de la dependencia de su metrópoli; lo habrían convertido en otra metrópoli y en una potencia imperialista. Pero ningún satélite pudo escapar entonces del monopolio metropolitano de la industria pesada. Sólo la URSS lo consiguió, abandonando para siempre el sistema imperialista y capitalista y adoptando el socialismo.

En nuestros tiempos, no obstante, la industria pesada no basta ya para quebrantar este dominio monopolista de la metrópoli, porque este dominio dispone ahora de una nueva base: la tecnología. Esta tecnología se presenta de varios modos: automatización, cibernética, tecnología industrial, tecnología química, o sea la sustitución de las materias primas del satélite por los productos sintéticos de la metrópoli; tecnología agrícola, la importación por los satélites "agrícolas" de productos comestibles de la metrópoli industrial, y, como siempre tecnología militar, que incluye tanto la tecnología de las armas nucleares y químicas como la de la guerra contra guerrillas. Que un satélite capitalista desarrolle una tecnología rival es, en nuestros tiempos, mucho más difícil e improbable que lo que fue el desarrollo de una industria ligera o pesada en los tiempos en que éstas eran la base del monopolio metropolitano. Dentro de la estructura del sistema capitalista, por tanto, Brasil y otros países satélites dependen en la actualidad de la metrópoli mucho más que antes. Y nada permite creer que la metrópoli capitalista utilizará en el futuro su dominio monopolista de los satélites de otro modo que como en el pasado. Lejos de ello, ya se divisan pruebas de que también en este sentido, el capitalismo monopolista procederá en el futuro como procedió en el pasado.

Hasta ahora, los testimonios parecen haber sido mejor documentados por los europeos, quienes han sido los primeros en percatarse y alarmarse del problema del monopolio tecnológico. El semanario norteamericano *Newsweek* informa:

> Un funcionario del [banco] Chase Manhattan en París calcula que alrededor de dos tercios de las inversiones de Estados Unidos en Europa pertenecen a quince o veinte compañías gigantescas... Norteamericanización o no, a muchos europeos les preocupa de veras la inundación de dólares y el creciente poder de las compañías norteamericanas en la economía de Europa. En Francia, especialmente, los nacionalistas, con el presidente Charles de Gaulle en primer término previenen contra el peligro de la "satelización"; casi no pasa día sin que los políticos o los periódicos digan a los yanquis que recojan sus dólares y se vayan... Para los europeos conocedores, la primacía técnica de los grandes consorcios norteamericanos es, en realidad, el aspecto

más inquietante de la invasión de dólares. Una comisión de estudios francesa llegó recientemente a la conclusión de que, en el futuro, la competencia en los precios cederá el paso a la competencia en innovaciones, y la pugna será tan caliente que sólo las firmas de dimensiones internacionales —"o sea, las norteamericanas, principalmente"— sobrevivirán . . .

Situados en la vanguardia de la oposición europea, los políticos franceses y las publicaciones francesas de derecha, izquierda y centro vienen acusando a Estados Unidos, desde hace tres años, de colonización, satelización y avasallamiento económicos. Las firmas norteamericanas controlan hoy casi toda la industria electrónica, el 90 % de la producción de caucho sintético, el 65 % de la distribución de petróleo y de la producción de maquinaria agrícola. Hasta algunos de los subcontratistas de la muy secreta *force de frappe* del presidente De Gaulle son empresas subsidiarias de compañías norteamericanas . . . "A menos que Europa reaccione y se organice —advierte Louis Armand, el hombre que convirtió el sistema ferroviario francés en el mejor del mundo—, nos estaremos condenando a la colonización industrial. Y, o bien contraatacamos o aceptamos nuestra conversión en vasallos".

Una constante serie de fusiones y adquisiciones agranda los intereses norteamericanos. Uno de los más eminentes banqueros de Alemania se queja: "La rapidez con que los norteamericanos se están engullendo a las compañías europeas pequeñas es positivamente indecorosa." "No podemos sobrevivir a este tipo de competencia de un solo lado —dice un gerente de una empresa petroquímica belga. Nuestros rivales americanos nos llevan mil patentes de ventaja. Estamos destinados a ser absorbidos a largo plazo." Y el presidente de una compañía de Bruselas resume: "Nos estamos convirtiendo en peones de ajedrez manipulados por los gigantes norteamericanos."

Pero en la nueva "sofistificación" de la industria europea, el tamaño es, a veces, menos importante que los resultados de la investigación que ese tamaño hace posible. Así fue puesto en relieve por un ejecutivo de la Olivetti al examinar las alternativas de un convenio con la General Electric. "Nosotros estudiamos con mucho cuidado —dijo— una solución europea. Pero aunque nos uniéramos a Machines Bull, de Francia, y a Siemens, de Alemania [que más tarde firmó un contrato de patentes con la RCA], aún seríamos superados y al cabo eliminados del negocio por los gigantes norteamericanos. Estos problemas no tienen solución europea. El costo de la investigación es muy alto. La brecha de

la tecnología trasatlántica que nos separa es un hecho real".
(*Newsweek*, 1965: 67-72.)

Si la brecha de las patentes trasatlánticas es un hecho real y si promete condenar a los países industriales desarrollados de Europa occidental a la colonización, la satelización y el vasallaje, ¿qué perspectivas tiene la débil e industrialmente subdesarrollada economía de Brasil —y no digamos las partes aún más débiles de la economía capitalista mundial— de evitar ese mismo destino u otro peor? Ninguna... dentro del sistema que mantiene la continuidad del subdesarrollo.

D. Conclusión

En conclusión, pues, la economía brasileña se ha integrado recientemente de manera más estrecha que antes, en la estructura metrópoli-satélite del sistema capitalista mundial.

Las implicaciones de este avance capitalista y retroceso brasileño son trascendentales. Aun si la metrópoli pasara por otro período como el de la depresión de la década de los años 30 o la guerra de los años 40, en los que sus nexos inmediatos con los satélites se aflojaron, sería mucho más difícil e incluso imposible para Brasil el sacar partido de la oportunidad con una similar involución capitalista activa y otro paso en el camino de la industrialización. Porque la misma industria habría venido a depender tanto de la metrópoli que no podría consentir tal desarrollo capitalista independiente.

Si la industria brasileña depende cada vez más de la metrópoli imperialista, lo mismo ocurre con la burguesía brasileña. Si el desarrollo del capitalismo en el mundo y en Brasil posibilita cada vez menos la creación de una industria verdaderamente nacional, impide del mismo modo el desarrollo o incluso la continuación de una burguesía industrial nacionalista. La estructura y el desarrollo del sistema capitalista están convirtiendo, por tanto, a la burguesía industrial de Brasil y otros satélites en burguesías dependientes de la metrópoli imperialista, como, antes que ellas, las burguesías comerciales de los satélites. Así, pues, la "burguesía nacional" brasileña, si existe, vive sólo de la explotación del pueblo brasileño, manteniendo la estructura metrópoli-satélite del capitalismo y el subdesarrollo regional y sectorial que ésta genera; sólo subsiste mediante su dependencia de la metrópoli imperialista del sistema capitalista mundial. Como quiera que estas estructuras, como hemos visto, están indisolublemente entrelazadas y son, en realidad, una sola, nada sería más vano, inútil y desastroso que esperar de la burguesía nacional de Brasil acción alguna que ayude significativamente a detener la creciente marea del subdesarrollo brasileño en todos los niveles.

Los recientes cambios políticos y económicos de Brasil no pueden comprenderse sino dentro de este contexto. El desarrollo contradictorio y discontinuo del sistema capitalista y, particularmente, la fuga de los nuevos países socialistas de ese sistema, unida a la recuperación en la posguerra de la metrópoli capitalista mundial dentro del espacio económico que le queda, limitan aún más las posibilidades de desarrollo de la economía brasileña y las perspectivas de progreso de su burguesía. Tanto la economía como la burguesía del Brasil están cercadas por la estructura y desarrollo del sistema capitalista y por los instrumentos viejos y nuevos de monopolio de éste: la propiedad, el comercio, los empréstitos, las inversiones, la tecnología, etcétera.

Los sectores más explotados y débiles de la burguesía brasileña luchan contra uno u otro de estos instrumentos de afuera o de adentro que les limitan su capacidad para explotar a su vez. Pero tales esfuerzos son inútiles, incluso a corto plazo. El campo de posibilidades de esta burguesía "nacional" está limitado por las contradicciones económicas y políticas con el pueblo al cual explota en Brasil y con las burguesías de Brasil y del extranjero, más fuertes que ella, que explotan a ese mismo pueblo y también a ella. Esta dependencia de la explotación capitalista, esta debilidad frente a los intereses externos e internos que a su vez la explotan, estas contradicciones que de vez en cuando aquí y allá llevan a la burguesía "nacional" a emprender programas capitalistas nacionales, garantizan también que tal empresa será vana y efímera. Así, pues, a los elementos nacionalistas y relativamente progresistas de la burguesía brasileña los derrotan las mismas contradicciones que los crean.

Los sectores más grandes y fuertes de la burguesía brasileña, que son los más dependientes de la metrópoli imperialista, tratan de superar las limitaciones autogeneradas o impuestas por el imperialismo al desarrollo de su economía y a sus propias perspectivas, metiendo aún más la cabeza dentro de las fauces del león imperialista. Así, se reduce más todavía, a la larga, su propio porvenir. Y como al león se le escapan cada vez más sus otras presas, se está volviendo más y más rapaz, lo que significa mayor reducción de ese futuro.

Ambos sectores de la burguesía brasileña, el "nacional" y el "internacional", son instrumentos y ejecutores del expoliador sistema capitalista que les da existencia económica y les concede supervivencia política. Están aliados, necesariamente, en la explotación económica del pueblo y en el mantenimiento político del sistema. Cuanto menos ganan los elementos "nacionales" luchando contra su enemigo foráneo y los elementos "internacionales" uniéndose a él, tanto más tratan ambos sectores de reducir sus pérdidas explotando más y más al pueblo, y tanto más los burgueses más fuertes tratan de eliminar a los débiles para quedarse con todo el campo de explotación. Cuanta más resistencia hace el pueblo a este proceso, o cuanto más se oponen al mismo los sectores nacionalistas de la burguesía, tanto más busca la burguesía brasileña predominante la ayuda de su natural, aunque explotador aliado: la metrópoli imperialista.

Y así llegamos al golpe militar de 1964, apoyado por la burguesía imperialista, la burguesía "internacional" brasileña y la mayoría de los sectores de la burguesía "nacional" y la "pequeña burguesía" o "clase media". Si algunas partes de los últimos dos sectores se han vuelto ahora contra el gobierno gorila y los que lo apoyan de dentro y de fuera, es porque están sufriendo ya las consecuencias inevitables: mayor explotación de ellos mismos y menores oportunidades para explotar ellos a otros. Así, el burgués *Correio da Manhã*, en cuyas páginas hemos leído informaciones y comentarios tan desdeñosos del actual manejo de la economía, se ha convertido en el intérprete "nacionalista" de la mediana y pequeña burguesía, a las que lo acontecido ha limitado sus posibilidades y perspectivas. Y hasta Carlos Lacerda, gobernador en Río de Janeiro, aspirante a la presidencia y tradicional vocero ultrarreaccionario o francamente fascista de la pequeña burguesía rural y urbana, se ha buscado una bandera nacionalista o, más bien, nacional socialista, bajo la cual llegar a la presidencia.

¿Cuáles son, entonces, las perspectivas? Para la burguesía, son tan limitadas como siempre, y, en razón de la mayor dependencia y el más profundo subdesarrollo de la economía, aún más limitadas que antes. La perspectiva del retorno al "desarrollismo" de Juscelino Kubitschek o al "janguismo" de João Goulart, que ofrecen los que se agrupan en derredor del *Correio da Manhã* en Río de Janeiro y del exilado Goulart en Montevideo, no representa, para quienes aprenden las lecciones de la historia, la reciente y la remota por igual, más que la peor clase de confusión o ilusión, en el mejor de los casos, y el oportunismo político más irresponsable y desastroso, en el peor. Si la historia enseña algo, es que ninguna clase de régimen capitalista burgués puede dar pasos significativos, y mucho menos decisivos, hacia la eliminación del viejo subdesarrollo de Brasil y la solución de sus consiguientes problemas económicos y políticos contemporáneos. En esta coyuntura del desarrollo del capitalismo, hasta los sectores más nacionalistas y progresistas de la burguesía brasileña son incapaces de unirse, excepto en raros momentos y lugares, en un movimiento hacia la liberación nacional y el desarrollo económico. Tampoco, evidentemente, puede la pequeña burguesía o "clase media" dar tales pasos independientes o dirigir este movimiento. Aunque cada vez más depauperizada sigue siendo típicamente volátil y oportunista. Tanto las fuerzas de la reacción como las de la revolución tratarán en el futuro, como han hecho en el pasado, de atraerse a algunos sectores de la pequeña burguesía. Cualquiera sea el resultado de estos esfuerzos, la iniciativa, la vanguardia y el porvenir de todo movimiento brasileño para salir del capitalismo y el subdesarrollo están en las masas de su pueblo.

El contradictorio y discontinuo desarrollo histórico del capitalismo y el subdesarrollo en Brasil entró en una nueva crisis con el golpe militar de 1964 y lo que vino después. Pese al daño para la economía y el padecimiento para el pueblo que este desarrollo del capitalismo ha traído, está acelerando el proceso político en el país, así como en otras partes lo han acelerado las contradicciones cada vez más agudas del sistema capitalista. Y como la solución de los problemas del subdesarrollo es cada vez más imposible dentro del sistema capitalista que los crea, y como la burguesía es cada día más incapaz de encarar este problema siquiera con programas burgueses, el mismo pueblo tanto tiempo explotado está aprendiendo a tomar la iniciativa para escapar del capitalismo y el subdesarrollo y se está preparando para ello.

CAPITULO IV

EL CAPITALISMO Y EL MITO DEL FEUDALISMO
EN LA AGRICULTURA BRASILEÑA

A. EL MITO DEL FEUDALISMO

Todo el mundo concuerda en que la agricultura está en crisis. Y la crisis de la agricultura es la crisis de América latina y de Brasil. Pero ¿cuáles son sus causas, su naturaleza y su solución? Según el criterio burgués occidental, la agricultura latinoamericana es feudal, y esta estructura feudal es la que impide su desarrollo económico. Por consiguiente, la solución que se propone, siguiendo el ejemplo occidental, es destruir el feudalismo y poner en su lugar el capitalismo. Es curioso que esta explicación "feudalista" tenga mucha difusión aún entre los marxistas quienes afirman que el feudalismo persiste todavía en grandes sectores de la agricultura, aunque reconocen que están siendo progresivamente penetrados por el capitalismo. Y estos marxistas proponen, esencialmente, la misma solución que sus adversarios burgueses: acelerar y completar la capitalización de la agricultura.

Este ensayo se propone sugerir que las causas y la explicación de la crisis agrícola no deben buscarse en el feudalismo, sino en el capitalismo en sí. La economía de Brasil, incluida la agricultura, es parte del sistema capitalista. La evolución de este sistema produce desarrollo y subdesarrollo a la vez y explica la terrible realidad por la que atraviesa la agricultura de Brasil y otros países.

1. La tesis burguesa

En la literatura occidental, tanto la popular como la científica, es común sostener que América latina inició su historia posterior al descubrimiento con instituciones feudales y que aún las conserva, más de cuatro siglos después. Esta tesis es tan compartida por los escritores políticamente conservadores que no tengo necesidad de citarlos aquí. Pero la misma interpretación de los hechos, aunque no de la solución, se encuentra en un autor tan perceptivo como Carlos Fuentes, de México.[1]

Se nos fundó como apéndice del decadente orden feudal de la Edad Media; heredamos sus obsoletas estructuras, absorbimos sus vicios y los convertimos en instituciones en esta orilla exterior de la revolución del mundo moderno. Si vosotros (los norteamericanos) procedéis de la Reforma, nosotros procedemos de la Contrarreforma: esclavitud del trabajo, del dogmatismo religioso, de los latifundios... denegación de derechos políticos, económicos o culturales a las masas; una aduana cerrada a las ideas modernas. En vez de crear nuestra propia riqueza, la exportamos a la metrópoli española y portuguesa. Cuando obtuvimos la independencia política, no obtuvimos la económica, porque la estructura no cambió.

Debéis comprender que el drama de América latina nace de la persistencia de esas estructuras feudales a lo largo de cuatro siglos de miseria y estancamiento... Las fórmulas del capitalismo de libre empresa han tenido ya su oportunidad histórica en América latina y no han sido capaces de abolir el feudalismo...

América latina es esto: un castillo feudal derruido y con una fachada capitalista de cartón. El panorama del fracaso histórico del capitalismo en América latina es esto: *continua dependencia monoproductiva... un sistema latifundiario continuo... subdesarrollo continuo... estancamiento político continuo... injusticia general continua... dependencia continua del capital extranjero...* El feudalismo agrario es la base de la riqueza y la

---

[1] Con las citas de los diversos autores que siguen no deseo insinuar que ellos comparten totalmente la tesis feudalista. En realidad, cito a escritores marxistas que se cuentan entre los menos inclinados a aceptarla en su conjunto. Pero mis conversaciones con varios de ellos me sugieren que la aceptación de una parte de la tesis los lleva a estar inconscientemente conformes con otras partes. Porque "feudal" y "capitalista" no son meras palabras convenientes, sino nombres dados a conceptos cuyas implicaciones, a menudo sin quererlo, afectan la percepción de la realidad que está más allá del contexto inmediato en que tales palabras se usan.

dominación política de las clases gobernantes de América Central, Chile, Perú, Argentina, Brasil, Venezuela, Colombia, Ecuador... (Fuentes, 1963: 10-14.)

Hasta la *Segunda Declaración de La Habana* proclamada en 1962, que sin duda es el más incisivo e importante documento contemporáneo de la realidad económica y política de América latina, llama "feudal" a la agricultura del continente.

Cuando no es América latina toda la que se califica de "feudal", es su agricultura o sus regiones provinciales o grandes partes de ellas. Esto es lo que muchos observadores expresan o insinúan cuando señalan que el 1,5 % de los propietarios disponen del 50 % de la tierra, sobre el que aún predominan diversas condiciones de servidumbre. Y esa era en esencia mi propia opinión hasta hace poco, como expresé en un artículo acerca de la reforma agraria publicado en *Monthly Review.* (Frank, 1963a.) El ex ministro de planificación de Brasil, Celso Furtado, dice: "La inexistencia de una agricultura moderna, de base capitalista y atada al mercado interno, es responsable, en gran parte, de la permanente tendencia al desequilibrio que se observa en este país". (Citado por Paixao, 1959: 32n.)

Esta interpretación feudal de la sociedad brasileña se relaciona con la tesis, todavía más difundida y errónea, de la "sociedad dual". Una exposición de este criterio que ha tenido amplia aceptación es la de Jacques Lambert en su *Os Dois Brasis.*[1]

Los dos Brasiles son igualmente brasileños, pero varios siglos los separan... Durante el largo período de aislamiento colonial, se formó una cultura brasileña arcaica, cultura que en su aislamiento conserva la misma estabilidad que aún retienen las culturas indígenas de Asia y el Cercano Oriente: Los brasileños están divididos en dos sistemas de organización económico-social, tan diferentes en sus métodos como en su nivel de vida... no sólo en los estados del Nordeste..., sino también en las áreas rurales próximas [São Paulo], la estructura en sociedades cerradas

[1] Este libro, aunque escrito por un francés, fue publicado por el Ministerio de Educación de Brasil. Además, su anterior edición francesa fue recomendada por Florestan Fernandes, distinguido sociólogo marxista brasileño, quien dijo de ella que era "una de las mejores síntesis sociológicas escritas hasta ahora acerca de la formación y desarrollo de la sociedad brasileña". De la edición brasileña que nosotros usamos dijo Wilson Martins, tres años después, que era "uno de los estudios más inteligentes hasta ahora escritos acerca de nuestro país".

las hace difícilmente penetrables por las circunstancias externas... La economía dual y la estructura social dual que la acompaña no son nuevas ni características de Brasil, pues existen en todos los países desigualmente desarrollados. (Lambert, 1961: 105-110.)

Varias interpretaciones importantes de la realidad histórica y presente están envueltas en este juicio general, y la mayoría de ellas son erróneas. Podría decirse que el común análisis burgués occidental comienza con el feudalismo en Europa occidental.

Se sostiene que este feudalismo fue trasplantado a América latina mientras en Europa lo suplantaba el capitalismo. Así, pues, Europa, y más tarde sus vástagos anglosajones, se desarrollaron económicamente, dejando a América latina y otras áreas actualmente subdesarrolladas, en estado feudal. El hecho de que América latina haya pasado a ser ya "semifeudal" o "precapitalista" y muestre, por tanto, algún desarrollo económico disperso se debe a que los países desarrollados arrastraron consigo o ayudaron a subir a los rezagados. Aparte de esta relación de arrastre o ayuda, sin embargo, el desarrollo y el subdesarrollo económicos se ven como fenómenos independientes causados respectivamente por el capitalismo y el feudalismo. En tanto que las ciudades latinoamericanas son más "adelantadas" y el campo más "atrasado", se aplica más o menos el mismo razonamiento, con la notable excepción de que —aunque nadie sostiene que el desarrollo del industrializado mundo metropolitano es determinado o siquiera seriamente estorbado por el subdesarrollo de los países agrarios de la periferia—, se arguye que las atrasadas provincias feudales determinan e impiden el desarrollo económico de sus respectivos centros urbanos, que intentan industrializarse dentro del mundo subdesarrollado.

La conclusión programática que lógicamente se deriva de este análisis es la abolición del feudalismo y la adopción del mismo curso de desarrollo general de los países desarrollados. Las dosis exacta de la medicina antifeudal varía de un médico a otro: a veces es la abolición de todos los latifundios, a veces sólo de las tierras "improductivas", a veces es sólo colonizar tierras nuevas; pero siempre es la creación, con la ayuda técnica y financiera del gobierno, de una clase media de pequeños agricultores independientes y acomodados. (Frank, 1963a.) Por desdicha, cada paso del diagnóstico es erróneo y lo es también, lógicamente, el remedio que se propone.

2. Las tesis marxistas tradicionales

Las interpretaciones de la crisis agrícola de América latina y Brasil a las que llamo aquí "marxistas tradicionales", pueden resumirse en tres tesis: a) El feudalismo antecede al capitalismo; b) el feudalismo coexiste con el capitalismo; y c) el capitalismo penetra o invade al feudalismo. Estas tesis no se excluyen mutuamente; antes bien, se complementan unas a otras, y diversos escritores se adhieren a dos o más de ellas y a sus tesis derivadas.

a. *El feudalismo antecede al capitalismo.* Esta tesis implica, en Brasil, la preexistencia también de la esclavitud. El problema surge cuando preguntamos qué produjo esta esclavitud, qué determinó el funcionamiento de esta sociedad esclava, qué causó la desaparición de la esclavitud y qué la reemplazó. Nelson Werneck Sodré examina como sigue las dos primeras preguntas:

"Simonsen por ejemplo rechaza la idea del feudalismo colonial y plantea la del capitalismo. Él cree que ni siquiera en Portugal, en la época de los descubrimientos, existía el feudalismo. La tesis capitalista la adoptan también ciertos estudiosos de la historia [latino] americana, como Sergio Bagú... Celso Furtado niega el carácter feudal de la colonización y defiende la tesis de la esclavitud en cuanto explica la naturaleza hermética del régimen. Otros investigadores se inclinan a estudiar los rasgos feudales de la legislación, en la que la organización ocupaba un lugar secundario. No es difícil concluir que tal legislación mostraba claras huellas feudales. Tampoco podía ser de otro modo, dado que la clase que entonces dominaba en Portugal era la de los nobles feudales... El régimen esclavista no surge aquí de la desintegración de la comunidad primitiva, sino que es establecido por unos nobles que anteriormente vivían en un mundo —el mundo metropolitano— en que predominaba una forma más avanzada de producción, la feudal... Quienes se adhieren a la tesis de la existencia de rasgos capitalistas en la empresa de la colonización fueron, indudablemente, llevados a ello por la confusión, largo tiempo existente, entre la noción del capital comercial —característico de la fase mercantil— y el capitalismo. Hoy parece claro que ... el capital comercial estuvo lejos de originar, y aún más de caracterizar, al mencionado modo de producción [la esclavitud]. Así, pues, la conclusión a que nos lleva el examen de la realidad es que Brasil comenzó su existencia colonial bajo el sistema de producción esclavista." (Sodré, sin fecha: 82.)

El examen de otras partes de la exposición de Sodré sugiere que, lejos de haber derivado esta conclusión del "examen de la realidad", la obtiene, por cierto, de su propia aplicación mecánica a Brasil de la tesis de Marx acerca del desarrollo del capitalismo en Europa. Como Marx observa que el mercantilismo (el comercio) no bastaba para originar el capitalismo en Europa y que para ello se necesitaba la industria (la producción), Sodré arguye que el mercantilismo no podía producir capitalismo, o siquiera esclavitud, en Brasil. El mismo razonamiento infundado y no marxista parece servir de base a su pretensión de que el mercantilismo no podía predominar en aquella época en Portugal y que, por tanto, debe haber sido el feudalismo. Sodré no tiene en cuenta la posibilidad de que el feudalismo reinara en Portugal, y sin embargo, su sector mercantilista colonizará a Brasil. Tampoco explica por qué sus nobles feudales podían tener deseo de conquistar un nuevo continente y no digamos capacidad para hacerlo.

Paul Singer amplía más el razonamiento: "La importación de africanos representa el 70 % de las compras totales de Brasil. Parece, pues, que no es la monoproducción para el mercado metropolitano la que determina el régimen de trabajo esclavo, sino, al contrario, que ésta presupone a aquélla." Refiriéndose al período de la abolición del comercio negro y, más tarde, de la misma esclavitud, Singer observa que Brasil tenía dos caminos ante sí: la "feudalización" o la "capitalización". Y aunque añade que una y otra encontraron aplicación en diferentes regiones, llega a la siguiente conclusión: "Como es evidente, la abolición de la esclavitud no generó una agricultura capitalista, ni podía haber sido así bajo una estructura de tenencia de la tierra cuya formación se basaba en el trabajo esclavo y que no era directamente afectada por la abolición de la esclavitud." (Singer, 1961: 65, 69, 72.)

b. *El feudalismo coexiste con el capitalismo.* La segunda tesis marxista tradicional, referida a períodos recientes y actuales, es que el feudalismo y el capitalismo coexisten. Esta tesis asume muchas formas, de las que sólo algunas pueden ser citadas aquí.

> Llegamos, por tanto, a una conclusión de extraordinaria importancia para nosotros: la existencia de un dualismo en el proceso revolucionario de Brasil... Nuestra sociedad está abierta a la clase obrera, pero no a la campesina. De hecho, nuestro sistema político permite que la clase obrera se organice para seguir adelante. La sociedad brasileña es rígida en un gran segmento: el formado por el sector rural. (Furtado, 1962: 28.)

Este análisis político, análogo a la teoría de la sociedad dual de los países subdesarrollados (Boeke, 1953), no procede de un marxista, sino de un prominente ideólogo de la burguesía, reciente ministro de planificación económica de Brasil. Pero la misma interpretación se encuentra, en esencia, entre importantes análisis marxistas de América latina y Brasil.

Así, en ciertos países subdesarrollados, la producción industrial capitalista, regionalmente limitada, coexiste con un sistema semifeudal de grandes latifundios. Ambas estructuras (o subestructuras) de la sociedad se caracterizan por sus propias relaciones de producción y, por tanto, sus propias estructuras clasistas. Pero como quiera que el desarrollo económico de estos países es un desarrollo capitalista, las clases fundamentales son, o serán, las del sistema capitalista. (Stavenhagen, 1962:2.)

[Las diferencias regionales] revelan diferentes estados de evolución hacia la estructura socioeconómica capitalista. En resumen, mientras en ciertas regiones predominan formas de trabajo tradicionales, como la economía de subsistencia, el colonato y otras formas de arrendamiento y aparcería, en otras regiones encontramos el trabajo asalariado en dinero. En un extremo encontramos el complejo rural tradicional, mientras en el otro tenemos el sistema capitalista en desarrollo. (Ianni, 1961: 33.)

La agricultura brasileña... es una estructura formalmente capitalista que se manifiesta de dos modos: empleo directo de asalariados agrícolas o entrega de tierras en arrendamiento. Pero debajo de la apariencia capitalista, o sea, de las relaciones económicas impersonales..., aparecen en realidad elementos de subordinación personal: una extensión de la servidumbre... Por último, los residuos feudales, que reducen al arrendatario a la condición de siervo, son más comunes de lo que se cree. (Singer, 1961: 71-72.)

c. *El capitalismo penetra al feudalismo.* La tercera tesis sostiene que el capitalismo está entrando en el campo, sin prisa pero sin pausa. Este proceso trae consigo los beneficios de la racionalización de la agricultura y la liberación de la economía y el campesino, de sus grilletes feudales; pero también la proletarización del campesino.

La esencia de la concepción de la reforma agraria en Brasil a·mi modo de ver, es la descripción del proceso de penetración de la organización capitalista de producción en el campo y la consiguiente transformación de la vieja estructura agraria de base patrimonial. En esta discusión, el problema de las formas de la propiedad y la organización económica es decisivo. (Cardoso, 1961: 8.)

Estimulada por el crecimiento del mercado de consumo de productos agrícolas provocado por la expansión industrial, la agricultura se modifica para ajustarse a las nuevas condiciones de rendimiento de trabajo productivo. La empresa agrícola se modifica, promoviendo a su vez la expulsión de parte de los trabajadores. Hay una interacción continua, progresiva y acumulativa entre los diferentes sistemas socioeconómicos que la realidad brasileña envuelve. La economía de subsistencia es continuamente afectada y modificada por la ya más vigorosa economía mercantil, la que a su vez es periódica o continuamente estimulada por el comercio internacional. Las interrelaciones entre ellas conducen, por tanto, a là extensión de las formas capitalistas de producción entre las actividades agropecuarias aún encerradas en los moldes de la economía de subsistencia..., lo que transforma el modo de usar el trabajo y provoca la proletarización. (Ianni, 1961: 45.)

La sustitución de la estructura colonial, semifeudal y precapitalista por la estructura capitalista, y los rasgos específicos de una y otra, son compendiados por Singer en un artículo posterior:

Brasil... continuó practicando una agricultura tradicional de colonia, engranada a la exportación, con una amplia producción subsidiaria para la subsistencia, métodos de cultivo extensivo, rotación de tierras, desconocimiento del arado y los abonos, devastación de terrenos y deforestación de grandes áreas ofrecidas en holocausto a la erosión. El mismo desarrollo del país trae aparejada también una serie de transformaciones cualitativas de la estructura de la economía agrícola que representan, en esencia, el cambio de la agricultura tradicional del tipo colonial, de las características mencionadas, a una agricultura moderna de tipo capitalista. El paso de la agricultura colonial a la capitalista implica una transformación de todos los aspectos de la actividad agrícola. La productividad de la tierra y de la mano de obra aumenta: de la tierra, porque se introducen los abonos y otros medios que incrementan y preservan la fertilidad del suelo; de la mano de obra, porque, junto con la energía del hombre se introduce la de animales y máquinas, así como implementos de agricultura mecánica. La técnica del cultivo cambia, pasando de la rotación de tierras a la de cosechas. De modo similar cambia la técnica de la cría de ganado, que ya no depende de pastos naturales, sino de pastos artificiales o de la estabulación. Por último la unidad de producción pierde gran parte de su autosuficiencia, llegando a depender de insumos adquiridos en el extranjero, y entra en un todo mayor en el que la división del trabajo y la especialización de las tareas son impelidas por la expansión del mercado y la escala de producción... Se usa una mayor proporción de capital para la misma cantidad de tierra y mano de obra. Para que esto ocurra es necesario que el capital se abarate, relativamente, y que tierra y mano de obra se encarezcan. Ambas condiciones se cumplen durante el proceso de industrialización. (Singer, 1963: 25-28.)

3. Crítica del mito del feudalismo

a. *Comparación con la realidad.* Podemos comenzar nuestra evaluación de las tesis marxistas tradicionales comparando los rasgos particulares que se atribuyen a la organización feudal y a la capitalista, con las realidades de la agricultura brasileña. Convendría dividir este examen, como se hace en la Tabla 1 (pp. 226-227), en tres partes principales: I) organización de la producción agrícola; II) estado de los trabajadores agrícolas, y III) cambios de una y otro con el tiempo. Veremos que la mayor parte de los rasgos que se atribuyen a los sectores "feudal" y "capitalista" o a las formas de organización de la producción, no se ajustan, en realidad a los hechos.

I) *Organización de la producción agrícola.* Aunque la concentración "feudal" de la tierra es, sin duda, grande, la "capitalización" de la agricultura, lejos de disminuirla, la aumenta todavía más. Durante la fase de expansión "capitalista", notablemente entre 1920 y 1930, y de nuevo entre 1940 y 1960, la concentración de la propiedad agrícola aumentó. (Prado, 1960: 207.) Entre 1940 y 1950, las posesiones de más de 1.000 hectáreas aumentaron su proporción en relación al total de tierra cultivable de un 48 a un 51 %. (*Folha de São Paulo*, 1963.) Durante la crisis mundial de la década del 30, esta concentración disminuyó, tema que trataré más adelante.

En São Paulo, el estado más "capitalista" y de más cultivos comerciales, la concentración de las tierras cafetaleras y algodoneras creció también con el desarrollo capitalista. (Paixao, 1959: 33; Schattan,

1961; 101.) De igual modo, con relación al estado de Río de Janeiro, (Geiger, 1956: 50, 74), informa que tanto los terratenientes domiciliados como los ausentistas, los individuos y las corporaciones, compraban tierra a diestra y siniestra durante la expansión económica. O, para citar a Guimaraes (1963), en un artículo en el *Jornal do Brasil*:

> El desarrollo económico podría llevarnos a suponer un régimen de distribución de la tierra menos injusto. Lejos de ello, los altos porcentajes de familias sin tierra indican, como se observa particularmente en São Paulo, y Río de Janeiro, que el desarrollo económico no conduce espontáneamente y por sí solo a la redistribución de la estructura agraria ni a la solución del problema de la tierra en nuestro país. (Guimaraes. 1963.)

TABLA 1

Rasgos de "feudalismo" y "capitalismo"
(Según las tesis marxistas tradicionales)

Feudalismo	Capitalismo
A. Organización de la producción agrícola	
1. Latifundios	1. ¿Propiedades menores?
2. Agricultura extensiva	2. Agricultura intensiva
3. Bajo e ineficiente empleo de la tierra	3. Mayor y más eficiente empleo de la tierra
4. Agricultura migratoria y de desmonte	4. Rotación de cultivos
5. Técnicas de agotamiento y erosión de la tierra	5. Conservación de la tierra y mantenimiento de su fertilidad
6. Ganadería extensiva	6. Ganadería intensiva
7. Agricultura pobre en capitales, sin fertilizantes, máquinas o inversiones	7. Agricultura capitalizada; fertilizantes, maquinarias, inversiones
8. Sector autosuficiente; subsistencia	8. Especialización, dependencia del exterior, comercialización, no subsistencia
9. Mentalidad irracional	9. Mentalidad racional, capitalista
B. Estado de los trabajadores agrícolas	
1. Servidumbre	1. Proletarización
2. Inquilinato, aparcería, trabajo gratuito, pago en especie y en vales	2. Trabajo por contrato con pago de dinero

3. Existencia no libre, aun detrás de una fachada de pago en dinero	3. Cierta libertad
4. Ingresos bajos	4. Mano de obra más cara; ¿trabajadores menos pobres?
5. Trabajadores atados a la finca	5. Expulsión de trabajadores agrícolas

C. Cambios con el tiempo

1. Desfeudalización continua	1. Capitalización continua
2. Desaparición total de la agricultura feudal	2. Proletarización total de la agricultura; irreversibilidad del proceso desfeudalización-capitalización
3. Insensibilidad a los cambios de la demanda	3. Sensibilidad a los cambios de la demanda comercial

Tampoco la extensión de la frontera agrícola ayuda a eliminar la concentración de la tierra. Aunque los estados de Río Grande do Sul y Santa Catarina fueron colonizados en el siglo XIX siguiendo más bien un patrón de pequeñas propiedades, la concentración de la tierra allí no se diferencia mucho hoy de la de otras regiones. Como observa Cardoso (1961: 13), en las "nuevas zonas", como el norte del estado de Paraná donde la caficultura comenzó sobre la base de pequeñas propiedades, la reagrupación de éstas en grandes posesiones por los terratenientes locales más prósperos o por otros de São Paulo que han hecho compras en la zona, es ya general. Ni la actual extensión de la frontera agrícola de Goiás, Matto Grosso o cualquier otro estado inhibe la concentración. Como indican las informaciones de la prensa diaria, aunque estas tierras son a menudo colonizadas por pequeños pobladores, no tardan en apoderarse de ellas los grandes propietarios llamados *grilheiros*, quienes expulsan a aquéllos de un modo u otro.

Contrariamente a la tesis marxista tradicional, no se observa patrón consecuente alguno de agricultura extensiva e intensiva en los sectores "feudal" y "capitalista", respectivamente. Los patrones del uso de los recursos que se resumen en la Tabla 1 (A: 2 a 6), especialmente, no son determinados por estos supuestos principios u organización, sino, como veremos después; por otras consideraciones. Por consiguiente, nosotros encontramos que las pequeñas, aunque "feudales", fincas arrendadas, están mucho más intensivamente trabajadas —y tal vez, hasta más capitalizadas— que las grandes, sean

227

"feudales" o "capitalistas". (Véase, por ejemplo, el análisis de la mitad inferior del estado de Río de Janeiro que hizo Geiger, 1956, especialmente las páginas 75-81. y 128-152). El excelente estudio de la organización y la producción agrícolas del estado de São Paulo que publicó Salomão Schattan (1961), revela que las propiedades agrícolas pequeñas y medianas están más intensivamente cultivadas, dedican menos tierra a los relativamente improductivos bosques y pastizales, tienen una población humana y animal más alta por hectárea, una fuerza de trabajo mayor por hectárea y producen más ingresos por hectárea, incluyendo las de la producción pecuaria, pero, claro está, menos ingreso por habitante. (103-114.) La misma relación entre el tamaño de la propiedad y la producción es aplicable al estado de Río de Janeiro. (Geiger, 1956: 76-77.) Por el contrario, la agricultura migratoria, el agotamiento del suelo, la subutilización y subcapitalización de las fincas y otros rasgos "precapitalistas", "se reflejan mucho más", como sugiere Paixao (1959: 33-34), en las economías cafetalera y algodonera del "capitalista" São Paulo. El Instituto Brasileiro do Café (1962) admite estos efectos de la caficultura y hasta pide ayuda al gobierno para fomentarlos y extenderlos. Ianni (1961: 29 n) observa que los incrementos de la producción agrícola de Brasil se han debido, precisamente, a la colonización de nuevas tierras y no al aumento de la productividad de los cultivos.

En cuanto a la supuesta intensificación de la cría de ganado, Schattan no la menciona con respecto a São Paulo (1961: 105-107) y Geiger la niega explícitamente con relación a Río (1956: 59, 121). Un estudio de la Comisión Nacional de Política Agraria del Ministerio de Agricultura (1955) señala que las quemas son casi tan comunes en el sur "capitalista" como en el nordeste "feudal", usándose en el 87 y el 98 % de los municipios, respectivamente. En cuanto a São Paulo y Piauí, los cuales son, respectivamente, el estado más adelantado y el más atrasado, la relación de los porcentajes es la misma. (103-118.) "Tres años o más de descanso" y "barbechos dedicados a pastoreo" ocurren, respectivamente, en el 55 y el 80 % y en el 68 y el 88 % de los municipios del sur y el nordeste (103-118); pero en este caso, gran parte de la diferencia se debe, posiblemente, a los diferentes cultivos de ambas regiones: permanentes (café) y pastós, en el sur, y no permanentes en el nordeste. No obstante, el mismo estudio indica una diferencia más notable entre las dos regiones con respecto al capital que se invierte en fertilizantes (103-118) y en tracción (127-133); y también, lo que no es de extrañar, una diferencia aún mayor

—y que puede contribuir mucho a explicar la diferencia en capital— entre la cantidad y procedencia de los créditos a disposición de ambas regiones (85-94). El hecho de que —como mantiene Singer—, el capital con el desarrollo se puede hacer más abundante y barato en relación a la tierra y al trabajo en toda la economía, no significa que la agricultura, o una parte determinada de ella, recibirá concomitantemente una mayor inversión de capitales. En realidad, pocas inversiones fluyen hacia la agricultura, y aun puede decirse más: que, a la inversa, probablemente se retiran de ella. En el estado más capitalista, São Paulo, cuando aumenta la demanda de un determinado producto agrícola, la reacción de la oferta se debe menos al incremento del total de recursos que a la retirada de éstos de otro cultivo, generalmente una cosecha no comercializada. (Schattan, 1961: 88, Prado, 1960: 205-207.)

Probablemente, hay algo de oposición entre la autosuficiencia y la producción para la subsistencia, la especialización y la dependencia de abastecimientos externos. Pero las razones no son, necesariamente, las que insinúan los marxistas tradicionales. Por ejemplo, el hecho de que en las regiones caficultoras se dediquen más áreas a los frutos menores que en las azucareras (lo que ni siquiera apoya el raciocinio de azúcar-feudalismo, café-capitalismo), puede deberse más al hecho de que la entresiembra de otros cultivos con el café no reduce necesariamente, e incluso puede aumentar su rendimiento, lo que no ocurre con la caña. Además, el nordeste "feudal" dedica a comestibles del 30 al 40 % de sus importaciones (*Desenvolvimento & Conjuntura*, 1959/4: 71); siendo este área desde su colonización, por supuesto, exportadora de productos comerciales. La subsistencia y la especialización pueden encontrarse entrelazadas en todas partes de Brasil; además, la importancia relativa de una a otra varía con el tiempo (Prado, 1960: 205; Geiger, 1956: 128), parte importante de la realidad que el análisis marxista tradicional no explica o no puede explicar.

Por último, si lo de mentalidad "racionalista" se refiere al hecho de servir bien los intereses propios, es difícil aceptar sin otro testimonio que la población del sector "feudal" cuida menos de sus propios intereses que la del sector "capitalista", o que aquélla los cuidará cada vez mejor gracias a la penetración del capitalismo en su existencia. Todo depende de cuáles sean las circunstancias y los intereses particulares, asunto que examino en la siguiente sección. Y si lo de "racional" se refiere al bienestar común o público, dista mucho de ser obvio que la más idónea (para los productores) *variedad* de cultivos de las granjas tradicionales (Geiger, 1956: 76, 129) es una desventaja irracional.

II) *El estado de los trabajadores agrícolas.* Si todas las relaciones no dinerarias de la agricultura son, por definición, no capitalistas, y todos los pagos en dinero son capitalistas, las tesis marxistas tradicionales acerca de las condiciones del trabajo agrícola son, claro está, ciertas por definición. Pero en este caso no nos enseñan nada acerca de la realidad. Y la realidad de la agricultura brasileña es que las mil y una variaciones y combinaciones de las relaciones del trabajo agrícola, se entremezclan en todas las áreas. Cualquier número de formas de arrendamiento y retribución del trabajo puede darse en la misma región, en la misma finca, en la misma parte de una finca, y existen casi por entero a voluntad del propietario o administrador de la finca. La forma como se determina esta voluntad será estudiada en el examen que comienza en la página 237. Estas relaciones, lejos de ser causadas por la mentalidad feudal o las huellas coloniales, son determinadas por imperiosas consideraciones económicas y tecnológicas. Difieren, por ejemplo, en razón de los cultivos. Así, las cosechas de plantas permanentes y semipermanentes, como los árboles y los plátanos, no permiten, evidentemente, la participación, y en ellas no se encuentra la aparcería. (Geiger, 1956: 80.) Es común que a una familia se le pague de dos o más formas por su trabajo en diferentes cultivos. Y los cambios de la forma de empleo y retribución siguen a los cambios del cultivo que se siembre o del ganado que se críe.

Otro factor determinante de gran importancia es el grado de variación de lo que se produce y la cantidad y permanencia de la mano de obra disponible. Cuanto más varía la producción y más abundante y segura es la oferta de brazos, tanto menos, evidentemente, los propietarios "atan" a la hacienda a los campesinos, o sea, tanto más se proletarizan éstos. El pago mediante vales para "la tienda de la compañía" lejos de ser prueba de una relación feudal, es una función de la actividad comercial de la hacienda y de la posición monopolista del propietario de la compañía. Tal forma de pago puede encontrarse en las fincas más "modernas" y en las mismas puertas de Río de Janeiro. (Geiger, 1956: 86.) En el nordeste "feudal" y en el sur "capitalista" encontramos que el 12 y el 14% respectivamente, de los municipios practican el pago en especies más que en dinero. Hasta con relación al estado más "feudal", Piauí, y al más "capitalista", São Paulo, la comparación es sólo del orden del 26 y el

10 %, respectivamente. A lo que podemos añadir que São Paulo es un productor de cultivos permanentes, mientras que Piauí no lo es. (Comissão Nacional, 1955: 149-156.)

Aunque Singer (1961: 71) sostiene que el pago en dinero es, a menudo, la fachada de una relación semifeudal originada en la posición sociopolítica que el propietario heredó de la colonia, Prado (1960: 214-224), Costa Pinto (1948: 165-168) e Ianni (1961: 41) indican lo contrario: a saber, que varios rasgos "feudales" de la relación propietario-trabajador son fachadas de una explotación económica esencialmente comercial. El cambio de una forma de empleo a otra —o al desempleo— no proporciona al trabajador agrícola "una cierta libertad", ya que el poder económico de explotación del propietario sobre el trabajador permanece intacto o aumenta. Y tal cambio priva a menudo al trabajador de la seguridad que le proporciona un cierto grado de libertad de acción.

Por bajo que sea el ingreso y nivel de vida de las diversas clases de arrendatarios, el estudio de las condiciones de la vida rural en 1836 de los 1894 municipios de Brasil, demuestra que los jornaleros agrícolas perciben siempre ingresos menores y tienen peores condiciones de vida que los arrendatarios y aparceros. (Comissão Nacional, 1955: 9-39.) Francisco Julião (1962: 58) confirma que los jornaleros agrícolas, en cuanto a libertad e ingreso, son cultural y económicamente pobres y dependientes.

En relación a la expulsión de los trabajadores agrícolas de la tierra y su migración a otras áreas y a las ciudades, lo determinante no es la sustitución de las relaciones "feudales" por las "capitalistas", sino el desarrollo capitalista de la economía nacional e internacional en su conjunto. Si se confía en el dato, es interesante el hecho de que puede haber relativamente más emigración, de los municipios del nordeste entre los trabajadores del grupo de ingresos de 11-20 cruzeiros, que entre los del grupo de 0-10 cruzeiros. (Comissão Nacional, 1955: 41-48; precios de 1952.)

III) *Los cambios a través del tiempo.* La deficiencia más seria de todas las tesis y análisis marxistas tradicionales, aparte de las consideraciones teóricas y políticas fundamentales (sobre las que volveremos más tarde), es su incapacidad para dar una explicación adecuada de los cambios ocurridos en el transcurso del tiempo. La tesis de la "preexistencia del feudalismo" introduce dificultades desde el principio. Aparte de la debatida cuestión acerca del grado en que Europa o la península ibérica eran feudales en los tiempos de la

231

conquista, surge, de inicio, el problema de cómo llegó el feudalismo al Nuevo Mundo. Aunque pueden haber sido feudales las relaciones sociales que predominaban en la metrópoli, el sector que determinó la apertura del Nuevo Mundo puede haber sido mercantil. De lo contrario, ¿cómo podía o querría una sociedad feudal dar los pasos necesarios para conquistar y abrir al comercio todo un continente nuevo? Además, ¿habría tenido la metrópoli, feudal o mercantil, interés en establecer un sistema feudal en el Nuevo Mundo o capacidad para establecerlo? Así, pues, por qué un sistema feudal crearía otro o se trasplantaría él mismo en un nuevo continente, es algo doblemente inexplicable.

La tesis de la "coexistencia del feudalismo y el capitalismo" no aclara a partir de qué se supone que llegó el capitalismo a América latina o a Brasil. ¿Partió del feudalismo local preexistente, como en Europa? En vista de la evidencia, a la que también se adhieren Sodré y Singer, de que América latina y Brasil tuvieron desde el principio fuertes lazos mercantiles con la metrópoli, tal respuesta, evidentemente, merecería poca adhesión. Si el feudalismo existió primero y coexistió luego con el capitalismo en el Nuevo Mundo, debemos preguntar todavía de dónde vino el capitalismo. La tesis de la "penetración capitalista del feudalismo" plantea más dificultades aún. En sus versiones más extremas, se refiere a una penetración y proletarización "continuas, progresivas y acumulativas" y sostiene que este proceso "conducirá a la expulsión total y definitiva del colono, el arrendatario, el aparcero, etc., del interior de la hacienda o latifundio, o sea, a su proletarización". (Ianni, 1961: 45, 46.)

Dicho de otro modo, se supone que estamos presenciando un proceso en que el capitalismo extingue irreversiblemente al feudalismo en el campo y finalmente incorpora a la agricultura a la economía nacional capitalista. Además, a menudo se pretende que el sector feudal, aparte y antes de su penetración por el capitalismo, es totalmente insensible a los cambios a largo y corto plazo de la demanda y, en verdad, a los cambios de las circunstancias de cualquier clase, mientras que el sector capitalista es sensible a la demanda y necesidad de productos agrícolas y, al parecer, capaz de satisfacerlas. Pero si estas tesis "penetrativas" son ciertas, no pueden explicar la sustitución, en realidad muy frecuente, de los rasgos "feudales" por los "capitalistas" y viceversa a través del tiempo. (Prado, 1960: 205-207.) Además, el observador más indiferente puede notar, como atestiguan los serios análisis de Caio Prado (1960, 1962), Schattan (1959, 1961), Paizao

(1959), Geiger (1956) y otros, que el sector "feudal" se adapta continuamente a las circunstancias, incluyendo los cambios de la demanda, mientras que la mayoría de los sectores "capitalistas" y más "racionalmente organizados" de la agricultura dejan mucho que desear a las demandas y necesidades de la sociedad.

De hecho, la misma dualidad del planteamiento feudalismo-capitalismo no permite dar razón de los aspectos "feudales" ni de los "capitalistas" del desarrollo agrícola, y mucho menos comprender por qué se combinan. La tesis feudalista no explica siquiera lo acontecido en el sector "feudal". No da cuenta de la introducción del "feudalismo", ni del desarrollo histórico de ese sector, ni de sus muchos cambios a corto plazo. Tampoco da razón del sector "capitalista", aunque algunos marxistas confesos llegan hasta a argüir que las relaciones "feudales" entre propietario y trabajador "dentro" de la hacienda determinan el comportamiento de aquél fuera de ésta, o sea, en el mercado "capitalista", y es aún más general la aceptación de que el sector "feudal" frena el progreso del "capitalista", por lo que, en este sentido al menos, determina su desarrollo. Este juicio, pretendidamente basado en el principio marxista de que las relaciones determinantes son las internas y no las externas, resulta, hasta donde yo alcanzo a ver, de la incapacidad de sus proponentes para distinguir lo interno de lo externo.

La parte "capitalista" de la tesis, que se refiere no a toda la economía, sino sólo a su sector "capitalista", adolece de similares defectos, aunque no tan serios. Debemos preguntar una vez más: si la agricultura, excluida la de exportación, era "feudal", ¿cómo y por qué surgió el capitalismo? Por último, si el capitalismo está penetrando en la agricultura, ¿cómo se relaciona ésta con la economía nacional? Y si la economía nacional no es totalmente capitalista, ¿cómo hemos de comprender la economía y sociedad de Brasil en su conjunto, o de cualquier otra nación?

b) *Las conclusiones teóricas y políticas.* Existe notable similitud en todo lo esencial entre los análisis burgueses y marxistas nacidos en la metrópoli. Ambos mantienen que la sociedad se compone de dos sectores bastante independientes. Uno es más moderno, porque tomó un vuelo más o menos independiente y es capitalista; el otro, el sector agrario, retrasa su propio progreso y el del sector moderno porque sigue siendo feudal. Por tanto, la desaparición de la estructura feudal de la agricultura y la introducción o extensión de una organización capitalista moderna resolverán a la vez dos problemas: la crisis de la agricultura y el desarrollo de la economía nacional. Así, sólo necesitamos cambiar algunas cosas del sector agrícola sin desarmar, y mucho menos reemplazar el mecanismo capitalista total. La fácil identificación de los rasgos feudales y capitalistas permitirá esa separación quirúrgica que sanará todo el cuerpo económico.

Esta interpretación dualista se apoya en confusiones importantes. Una de ellas se refiere al uso y el contenido semántico de términos como "feudal" y "capitalista". Casi siempre que los autores citados y otros emplean estas palabras, se refieren a rasgos como los que se mencionan en la Tabla 1: tipos de relaciones entre propietarios y trabajadores, comportamiento y motivación de las personas, técnicas de producción y distribución, etc. Pero a menudo van más allá de estos rasgos y concluyen no sólo que las relaciones feudales están siendo o deberían ser reemplazadas por las capitalistas, sino también que el sistema feudal está siendo o debería ser reemplazado por el sistema capitalista. Sus conclusiones derivan a menudo de la confusión del sistema con sus diversos rasgos.[1] Esto podría evitarse si se reservaran los términos como "feudal" y "capitalista", en su acepción clásica, para referirse a lo que es verdaderamente central: el sistema socioeconómico y su estructura en sí, y no aplicarlos a toda clase de rasgos supuestamente asociados.

Una fuente de confusión más significativa concierne a la verdadera naturaleza del sistema feudal y, lo que es más importante, del sistema capitalista. Cualesquiera que sean los tipos de relaciones personales que existan en un sistema feudal, lo determinante en él, para nuestro propósito, es que se trata de un sistema *cerrado* o débilmente ligado al mundo exterior. Un sistema feudal cerrado no sería incompatible con la suposición —aunque no se infiera necesariamente de ella— de que Brasil y otros países tienen una "sociedad dual". Pero esta condición cerrada —y la dualidad también— es totalmente incompatible con la realidad pasada o presente de Brasil. Ninguna región de Brasil, ninguna parte populosa seguramente, forma un sistema cerrado o siquiera históricamente aislado. Por tanto, nada de este sistema, en los aspectos más esenciales, puede ser feudal. Antes bien, Brasil,

[1] Después de escrito este ensayo, he encontrado que Silvio Frondizi plantea esencialmente lo mismo con relación a Argentina: "En efecto, una cosa es la existencia de formas precapitalistas como característica fundamental de una economía, tal es el caso de la Rusia prerrevolucionaria, y otra cosa, totalmente distinta, es la existencia de formas precapitalistas injertadas en una economía francamente capitalista y expresión aparentemente distinta, del régimen capitalista de producción'. (Frondizi, 1956, 11, 168.)

en su conjunto, por feudales que sus rasgos parezcan ser, debe su formación y su naturaleza actual a la expansión y desarrollo de un único sistema mercantil-capitalista que abraza (hoy con la excepción de los países socialistas) al mundo entero, incluido Brasil. Lo esencial del feudalismo no ha tenido nunca existencia en Brasil. como Roberto Simonsen, el industrial brasileño más importante de su tiempo. esclarece en su monumental y precursora *Historia económica do Brasil, 1500-1820* (1962).

Es importante que tratemos de comprender la estructura real del capitalismo y no sólo de algunos de sus rasgos y síntomas. Ni debería confundirse el sistema capitalista con sus manifestaciones en sólo el sector más desarrollado —o moderno o racional o competitivo— de la metrópoli europeo-norteamericana o São Paulo. El capitalismo está encarnado en un solo sistema, y como tal se desarrolló: el capitalismo "brasileño" o "paulista" o "norteamericano" no es más que un sector de este único sistema universal.

Este sistema capitalista, en todo tiempo y lugar —y de su naturaleza debe resultar así—, produce desarrollo y *subdesarrollo*. El uno es tan producto del sistema y tan "capitalista" como el otro. El subdesarrollo de Brasil es tan natural del sistema como el desarrollo de Estados Unidos; el subdesarrollo del nordeste brasileño no ha sido menos determinado por el capitalismo que el desarrollo de São Paulo. El desarrollo y el subdesarrollo se originan mutuamente en la evolución total del sistema. Llamar "capitalista" al desarrollo y atribuir el subdesarrollo al "feudalismo" es una incomprensión seria que conduce a los más graves errores políticos. Si el feudalismo no existe, no puede ser abolido. Si el subdesarrollo actual y los males actuales de la agricultura se deben ya al capitalismo, difícilmente pueden ser subsanados "extendiendo" aún más el capitalismo. En ese caso es el capitalismo y no el feudalismo el que necesita ser abolido.

El fundamento teórico del análisis "feudal" de la agricultura resurge en los esfuerzos por comprender y resolver otras facetas de los problemas de Brasil y otros países subdesarrollados. Las interpretaciones burguesas y las marxistas tradicionales, como hemos visto, presuponen dos sectores de una presunta sociedad única, que o bien son independientes y autodeterminantes, como en Sodré y Singer, o bien están al menos, completamente separados, como sugieren Cardoso Ianni. Esta dualidad, que admite una dinámica separada para cada uno de ellos y rechaza para ambos la posibilidad de una dinámica común, niega la base y la entraña misma de la teoría y el método marxistas, e impide, necesariamente la comprensión adecuada de la única sociedad capitalista en su conjunto. Conduce, por consiguiente, a la línea política más desastrosamente equivocada.

Este análisis se repite en el modo de enfocar el aspecto internacional de la misma economía y el problema imperialista que plantea. Porque, al parecer, en opinión de ciertos marxistas, esa parte de la economía es separable, y el problema que plantea se puede resolver por separado, al igual que su contrapartida agrícola. Por ende, las economías nacionales capitalistas de América latina dejaron atrás la agricultura feudal y de algún modo emprendieron y siguieron su propio desarrollo independiente, similar al de sus antepasados europeos. Luego, así como el capitalismo nacional comenzó a invadir la agricultura provincial, el capitalismo internacional comenzó a invadir las economías nacionales, pero con resultados indeseables. Así, pues, la cirugía vuelve a estar indicada, esta vez para cortar el cáncer del imperialismo y, por consiguiente, dejar que la economía nacional siga su camino, relativamente saludable en otros sentidos.

Por supuesto, ciertos doctores en economía política de la llamada vanguardia de la burguesía nacional prescriben estas mismas intervenciones quirúrgicas. Lo sorprendente es que algunos marxistas confesos, especialmente los partidos comunistas de la vieja guardia, crean que toda la burguesía, o al menos la "burguesía nacional" desea resolver de esta manera los problemas de la agricultura y el imperialismo y por tanto, el desarrollo nacional, y que la "revolución burguesa", por consiguiente, tiene que llevarse a cabo todavía y en esta tarea debería apoyarse a la burguesía. Tales marxistas sostienen que la burguesía, en realidad, no sólo está dispuesta a hacerlo, sino que tiene capacidad para hacerlo. Y se ofrecen a ayudarla sin condiciones a liberar a la economía nacional subdesarrollada de sus inadecuados sectores agrícola feudal e internacional imperialista, y acusan de aventurero, divisionista o revisionista-reaccionario a todo el que no se una a este frente. Esta política desastrosa parecerá menos sorprendente si reconocemos que deriva de una teoría y un análisis totalmente *no marxista*, pues admiten dos, y hasta tres, sectores autónomos, de creación independiente o separada, que son susceptibles de ser destruidos por separado.

236

B. La agricultura capitalista

1. *Capitalismo y subdesarrollo*

Para comprender realmente la agricultura subdesarrollada, debemos comprender el subdesarrollo. Y para esto debemos investigar el desarrollo de ese subdesarrollo. Sí, *desarrollo del subdesarrollo,* porque el subdesarrollo, a diferencia quizás del *no desarrollo,* no antecedió al desarrollo económico ni surgió espontánea ni repentinamente. Se desarrolló a la par con el desarrollo económico, y así continúa ocurriendo. Es parte integrante del *indivisible* proceso evolutivo por el que ha pasado este planeta en los últimos cinco siglos o más. Por desdicha, hasta ahora sólo se ha prestado atención, casi exclusivamente, a la parte del proceso relativo al desarrollo económico, tal vez porque nuestra ciencia, tanto su rama burguesa como la marxista, surgió en la metrópoli junto con el desarrollo económico mismo.

No es posible, claro está, elaborar aquí toda una teoría del subdesarrollo, pero es esencial tomar nota de algunos fundamentos del proceso. El primero es que este proceso ocurrió bajo una sola forma dominante de organización económica y política a la que se llama mercantilismo o capitalismo mercantil. Un segundo fundamento es que, en cada paso del camino, esta forma de organización concentró en grado sumo el poder económico y político, y también el prestigio social, en lo que se ha venido a conocer por monopolio. Tercero, los efectos han sido extensos —universales pudiera decirse—, y aunque muy diferentes de un lugar o grupo a otro, han sido siempre extremadamente desproporcionados. Este tercer factor (la universalidad) es el que presta al segundo (la concentración) su importancia. Porque también existe concentración, por ejemplo, en el feudalismo. Pero el feudalismo concentra la tierra en cada feudo separado y no en una economía más amplia, en tanto que el término monopolio, en su sentido moderno, se refiere a la concentración en un todo universalmente interconexo. Además, esta combinación de relaciones universales monopolistas es la que necesariamente produce desigualdad, no sólo del factor monopolizado, sino de otras relaciones también. Cuarto, nos enfrentamos aquí a un *proceso,* y como éste continúa, sus efectos también. Así, pues, la desigualdad continúa aumentando (Myrdal, 1957), y asimismo el desarrollo y el subdesarrollo económicos.

El desarrollo capitalista ha entrañado la monopolización de la tierra y otras formas de capital y del trabajo, el comercio, las finanzas, la industria y la tecnología, entre otras cosas. En diferentes épocas y lugares, el monopolio ha tomado diversas formas y ha tenido distintos efectos al adaptarse a las diferentes circunstancias. Pero aunque es importante distinguir las peculiaridades, como la agricultura brasileña, es más importante aún no perder de vista otros aspectos fundamentalmente similares. Sobre todo, es importante tener en cuenta, donde sea posible, cómo las otras partes del proceso capitalista mundial determinan la que se estudia y viceversa.

La dualidad o contradicción desarrollo-subdesarrollo del capitalismo recibe hoy la mayor atención, por supuesto, a nivel internacional de los países industrializados y de los subdesarrollados. La metrópoli europea comenzó realmente a acumular capital hace varios siglos. Su expansivo sistema mercantilista se extendió a otros continentes, donde impuso en diferentes lugares y tiempos formas de organización económica acordes con las circunstancias. En la cordillera americana que corre desde la Sierra Madre, en el norte, a los Andes, pasando por el istmo, encontró imperios bien organizados de pueblos civilizados, con riquezas minerales listas para llevar a casa. En África encontró trabajo humano que utilizó para abrir las tierras bajas latinoamericanas, particularmente Brasil. Esta expansión no sólo contribuyó al desarrollo económico de la metrópoli, sino que también dejó sus huellas en otros pueblos, cuyos efectos estamos presenciando aún. Entre los aztecas y los incas destruyó civilizaciones enteras. Pero aunque el capitalismo penetró en estas tierras y las vinculó a las fuerzas metropolitanas que han determinado la suerte de aquéllas, algunos de esos pueblos encontraron protección parcial aislándose en las montañas. En Brasil se implantó toda una sociedad nueva, mezcla de tres razas e incontables culturas, grano para el expansivo molino capitalista metropolitano. Cualesquiera que fueran las formas institucionales trasplantadas al Nuevo Mundo, o surgidas en él, su contenido era determinado inevitablemente por el mercantilismo o capitalismo.

Más tarde, cuando la industrialización y la urbanización metropolitanas comenzaron a demandar más materias primas y más comestibles, se acudió —es decir, se obligó— a las regiones hoy subdesarrolladas a suministrar la parte que los productores primarios metropolitanos no podían producir o se ahorraban con ello tener que producir. A países como India y China, que aún no habían sido explotados de ese modo, les llegó su hora en la fase imperialista, en la que se destruyeron sus industrias rurales, si no directamente su agricultura, para que pudieran absorber' mejor el excedente metropolitano de bienes industriales. En nuestros días, la metrópoli capitalizada invierte sus capitales en la producción de tecnología y materias sintéticas que sustituyen a ciertas materias primas, y hasta produce excedentes de otros productos primarios (trigo, etc.), que los países productores primarios, hoy especializados, son obligados a absorber también. En todo sentido, los países periféricos han sido el rabo del perro capitalista metropolitano: se han hundido en el subdesarrollo, particularmente agrícola, mientras que la metrópoli desarrollaba la industria. Pueden encontrarse análisis actuales de este proceso en Baran (1957), Myrdal (1957) y Lacoste (1961).

Este desarrollo simultáneo de la riqueza y pobreza desiguales puede verse también entre regiones de un solo país. Las relaciones entre el norte y el sur de Estados Unidos y entre el sur y nordeste de Brasil, son, en lo fundamental, las mismas que existen entre la metrópoli y sus regiones subdesarrolladas. Pero las relaciones del nordeste con el sur no sustituyen, sino completan, las relaciones con el mundo metropolitano; ese mundo no ha cesado de existir y sus efectos no pueden deshacerse jamás.

El ingreso *per capita* del nordeste brasileño, una de las regiones más pobres y subdesarrolladas del mundo, es aproximadamente la cuarta parte del que tiene el sur; Piauí, su estado más pobre, cuenta con la décima parte del de Guanabara, asiento de Río de Janeiro. (*Desenvolvimento & Conjuntura*, 1959/4: 7-8.) El nordeste (incluyendo a Sergipe y Bahía), con el 32% de la población de Brasil, ganó en 1955, 75.000 millones de cruzeiros, del total nacional de 575.000 millones. Y el ingreso a disposición de sus habitantes fue aún menor, puesto que el área muestra una salida de capitales hacia otras regiones. (*Desenvolvimento & Conjuntura*, 1957/2: 18-19.) En realidad, el nordeste agrícola, pobre y hambriento de capital, gana divisas que se invierten en la capitalización y bienestar de otras regiones, de las que a su vez importa comestibles, que representan el 30 o 40 % de sus importaciones regionales. (*Desenvolvimento & Conjuntura*, 1959/4: 71.) Hasta lo que gasta en alimentar y educar a sus jóvenes contribuye al desarrollo de otras regiones, porque la mayoría de sus obreros productivos emigran a áreas de mayores oportunidades.

El examen del curso histórico del subdesarrollo del nordeste es esclarecedor. Durante la época del azúcar, su costa era el sector principal, y su interior periférico, subdesarrollado y ganadero, era el

abastecedor de carnes del sector exportador azucarero, así como éste
era la periferia en vías de subdesarrollo de la metrópoli europea. Con
la decadencia de la economía azucarera, todo el nordeste vino a quedar
subdesarrollado. El subsiguiente ascenso de la metrópoli nacional de
São Paulo descapitalizó aún más al nordeste, así como a buena parte
del resto de la economía. Ciertos paulistas gustan de decir que São
Paulo es una locomotora que arrastra a veintiún vagones (los 21
estados); olvidan añadir que éstos son los vagones carboneros gracias
a los cuales puede andar. Pero decir que una región es más "feudal"
y otra más "capitalista" sólo sirve para oscurecer su común estructura
capitalista, causante de la desigualdad entre ellos.

Esta dualidad o contradicción desarrollo-subdesarrollo de la sociedad capitalista está acompañada universalmente de la concentración monopolista de los recursos y el poder. En Estados Unidos, la
contradicción aparece en las ciudades grandes y las áreas metropolitanas, entre regiones como el norte y el sur, entre sectores como la
industria y la agricultura, dentro de los sectores de una misma industria. En la agricultura, en 1950, el 10 % de las fincas produjeron
el 50 % de las cosechas, mientras que el 50 % de aquéllas producían el
10 % de éstas y un millón de los cinco millones de familias campesinas tenían un nivel de mera subsistencia. Y Estados Unidos nunca
pasó por ninguna clase de feudalismo. La industria europea occidental exhibe a la vez la tecnología más adelantada —incorporada a
cartéles internacionales— al lado de fábricas que tienen más de familia que de negocio y talleres de artesanía que nos retrotraen a la
Edad Media. Lo mismo encontramos en todas partes de la economía
brasileña, como en las propiedades urbanas de Porto Alegre, donde
el 0,5 % de la población cuenta con el 8,6 % de los propietarios, que
en conjunto poseen el 53,7 % de los bienes raíces. (*A Classe Operária*, 1963.)

2. *Los principios organizativos*

Así, pues, la agricultura brasileña sólo puede ser comprendida
como resultado del desarrollo-subdesarrollo capitalista mundial. No
cabe en este ensayo una demostración rigurosa de esta tesis ni un
análisis completo de la agricultura brasileña. Entre otras cosas, la
teoría y metodología mismas del desarrollo-subdesarrollo capitalista
continúan estando subdesarrolladas. Las variedades de desarrollo y
subdesarrollo capitalista, sus cambios en el tiempo y, en verdad, toda

la realidad social, son más complejos que la teoría económica relativamente simple de que se dispone para interpretarlos. Hay también una falla concomitante de reconciliación y análisis previo de los datos, especialmente acerca de la monopolización del comercio de los productos agrícolas, en particular los comestibles. Sin contar, además, las limitaciones de mi propio desarrollo teórico y mi conocimiento de las realidades de la agricultura brasileña. Sólo puedo tratar de ofrecer aquí algunos rumbos para estudios posteriores.

Los tres principios organizativos que adopto aquí para analizar la agricultura brasileña son: a) carácter subordinado; b) propósito comercial o mercantil, y c) monopolio. Los tres, por supuesto, se entrelazan y apoyan mutuamente; los he separado, en parte, para distinguirlos de otros principios o relieves de la organización social, como la regimentación excesiva o la independencia, el predominio de lo cultural o lo productivo, la equiparación o la competencia.

a) *Carácter subordinado.* Tanto Brasil como su agricultura han estado, por tradición, subordinados. Celso Furtado (1959: 13, 15) nos dice: "La ocupación económica de las tierras americanas fue un episodio de la expansión comercial de Europa. América se convierte en parte integrante de la economía reproductora europea." Y Caio Prado Júnior nos lleva a través de la historia de Brasil:

> Si buscamos la esencia de nuestro desarrollo, veremos que nos formamos para suministrar al comercio europeo azúcar, tabaco, algunos otros productos, después oro y diamantes, posteriormente algodón y luego café. Nada más. Con este objetivo... habían de organizarse la sociedad y la economía brasileñas. Todo ocurrió en este sentido: la estructura social, tanto como las actividades del país... Este comienzo... perduró hasta nuestra época colonial, en que estamos comenzando a liberarnos de este largo pasado colonial. (Prado, 1962: 23.)

Cuando en este siglo ascendieron al poder la industria y el comercio en el sur, estos sectores vinieron a compartir, pero no a sustituir aún, la determinación de la producción agrícola, la vida y el destino de Brasil.

Dentro del propio sector agrícola tiene urgencia el mismo principio de la subordinación. Los cultivos para la venta y la agricultura para la exportación dominan y determinan completamente las actividades del sector de la subsistencia, esencialmente residual. Fue así en épocas pasadas, y Furtado (1959: 79) presenta el retraimiento del

241

nordeste a una relativa economía de subsistencia como resultado del menguante valor de sus exportaciones azucareras durante el siglo XVIII.

Así sigue siendo hoy, como Caio Prado (1960: 201, 205) y Geiger (1956: 81) observan cuando examinan la cambiante suerte de la agricultura comercial y sus efectos sobre el sector subsistencial.

b) *Propósito comercial.* Caio Prado (1960: 199) es muy explícito en cuanto a la influencia dominante del comercio sobre la agricultura brasileña: "La colonización de Brasil... fue siempre, desde el principio, y en esencia continúa siendo hoy, una empresa mercantil." Este juicio es ampliamente confirmado por dos geógrafos cuyo reciente "estudio rural" del estado de Río de Janeiro, además de ser un ensayo de geografía económica, se convierte en un análisis de la agricultura mercantil en forma que a veces no aparenta ser comercial. (Geiger, 1956.) Hasta la agricultura de subsistencia y las relaciones de producción "feudales" son fundamentalmente determinadas por el comercio, aunque los estudios anteriores rara vez se refieren explícitamente a este problema.

c) *Monopolio.* Todo lo que tiene que ver con la agricultura brasileña está sumamente monopolizado. Es un lugar común que la tierra, factor principal de la producción agrícola, está concentrada en unas pocas manos. Pero la Tabla 2 (p. 243) sugiere que el grado de concentración y control de la propiedad es considerablemente más alto de lo que a menudo se cree y aparece en la usual presentación de las estadísticas relacionadas con la tenencia de la tierra. Convencionalmente, la concentración de la propiedad se indica comparando el número de establecimientos o propietarios agrícolas con el de la superficie que poseen, que la Tabla 2 presenta en las columnas 1 y 2. Este procedimiento sugiere que el 51 %, aproximadamente la mitad de los establecimientos o propietarios (columna 1), dan razón del 3 % de la tierra (columna 2), en tanto que la otra mitad posee el 97 % restante, y que, entre estos últimos, el 1,6 % del total posee el 51 % de la tierra. Estas cifras, con las reservas que se hacen abajo, son bastante exactas para lo que se proponen: mostrar la distribución de la tierra entre esa parte de la población agrícola que la posee. Pero esta forma de presentación deja fuera a la parte más numerosa y productivamente importante de la población agrícola: el 62 % que depende de la agricultura y cultiva la tierra, pero no la posee: los trabajadores agrícolas.

Como primer paso para reflejar con más exactitud la verdadera

242

concentración de la tenencia de la tierra, he añadido a la Tabla 2 una tercera columna de "población" o familias agrícolas. Este procedimiento nos permite comparar la distribución de la propiedad de la tierra no sólo con la distribución entre los propietarios, sino también con la mucho más significativa población trabajadora que depende de la agricultura, tenga tierra o no. La Tabla 2 quiere distinguir también entre las familias y trabajadores agrícolas que poseen una cantidad de tierra bastante grande o *viable* para vivir de ella y aquéllos cuyas propiedades son demasiado pequeñas o *no viables* para vivir de ellas sin procurarse ingresos adicionales, generalmente vendiendo su fuerza de trabajo a quienes poseen bastante tierra. Estos "propietarios en apariencia" de tierra no viable, como los llama Engels, pertenecen, en realidad, a la clase de los trabajadores agrícolas desposeídos, por cuanto en el sistema capitalista ambos dependen, para sobrevivir siquiera, del trabajo que les proporcionan los grandes poseedores de capital, incluyendo tierra.

TABLA 2

Concentración monopolista de la propiedad agrícola en Brasil, 1950 (millares) [1]

Categoría de dependientes de la agricultura	1 Establecimientos		2 Tierra		3 Población	
	Nº de propiet.	% del total	Nº de Ha.	% del total	Nº de familia	% del total
Económicamente viable	1.009	49	224.242	97	1.009	19
Poseedores de más de 1.000 Ha.	33	1,6	112.102	51	33	0,6
Poseedores de más de 20 Ha.	976	47	106.140	46	976	18
Económicamente no viable	1.056	51	7.949	3	4.397	81
Poseedores de menos de 20 Ha.	1.056	51	7.949	3	1.056	19
No poseedores	0	0	0	0	3.341	62
Totales	2.065	100	232.211	100	5.405	100

[1] La fuente de los datos sobre establecimientos agrícolas y tierra cultivable que aparecen en las columnas 1 y 2 es del Instituto Brasileiro de Geografía y Estadística (IGBE), *VI recensamento do Brasil, Censo Agrícola* (1950), vol. 2, pp. 2-3. La fuente del número total de familias que se da en la columna 3 es el número de cabezas de familia dado por el *Censo Demográfico* (1950) del IGBE.

Por la falta de datos adecuados, se ha estimado la descomposición en clases

Los no poseedores y los poseedores en apariencia formaban, en conjunto, el 81 % de las familias agrícolas y la fuerza de trabajo de Brasil en 1950.

La adición de la categoría de la población agrícola en la columna 3 y su división en económicamente viable y no viable permite ver con más claridad la estructura de la tenencia de la tierra y revela que el grado real de concentración monopolista es mucho mayor de lo que parece ser en la forma convencional de presentación. Ahora no es el 1,6 % (columna 1), sino sólo el 0,6 % (columna 3) el que posee el 51 % de la tierra cultivable. No la mitad, sino sólo la quinta parte (incluyendo el 0,6 % mencionado), como indica la columna 3, posee el 97 % de la tierra. Y no es la mitad, sino el 81 %, poco más de cuatro quintos de la población dependiente de la 'agricultura, el que posee sólo el 3 % de la tierra cultivable. Los 5.405.224 cabezas de familia o familias corresponden a los 29.621.089 personas dependientes de la agricultura, de las que 9.966.965 se ocupan en labores agrícolas, siendo las restantes sus dependientes. Dicho de otro modo, en Brasil, en 1950, de una fuerza de trabajo agrícola de casi 10 millones,

---

de las familias de la columna 3 aplicándoles el porcentaje de descomposición de los establecimientos agrícolas de la columna 1. Este procedimiento supone una familia por cabeza de familia censada y que cada familia terrateniente o su cabeza posee un establecimiento agrícola censado. Esta presunción y sus implicaciones se discuten en el texto. Todos los porcentajes han sido computados.

Los datos se refieren a todos los establecimientos agrícolas y sus tierras. El censo indica también las tierras "poseídas", "ocupadas" y "poseídas y ocupadas", que en conjunto representan 1.856.288 establecimientos del total de 2.064.642 y 214.153.913 hectáreas de tierra cultivable del total de 232.211.106 hectáreas. La diferencia entre las dos categorías consiste, casi por completo, en tierras de propiedad del estado. El uso de la categoría más restrictiva, que excluye a estas tierras estatales y se circunscribe a las de propiedad privada, no alteraría virtualmente, no obstante, la descomposición de los porcentajes; por tanto, he preferido usar los datos más sencillos y convencionales de la tabla. De igual modo, el censo usa dos categorías "Población agrícola" y "Personas dependientes de la agricultura", pero como sus totales difieren tan poco que la descomposición de los porcentajes resulta casi idéntica, he preferido usar la categoría "Personas dependientes de la agricultura" que aparece en el *Censo Agrícola*, Tabla 22, línea 7, como si se refiriera también a la población agrícola. Las "personas activas" u ocupadas en la agricultura aparecen en la Tabla 29, línea 1. Combinando este total de 9.966.965 personas activas en la agricultura y los 29.621.089 personas que dependen de ella, cifras ambas del *Censo Agrícola*, con el total de 5.405.224 cabezas de familia dado por el *Censo Demográfico*, encontramos un promedio de 6 personas por cada familia, de las que el censo define a 2 como trabajadores.

más de 8 millones, con sus 16 millones de dependientes, tenían que vivir del trabajo que les proporcionaran 1 millón de terratenientes, de los que 33.000 y sus familiares, alrededor de la mitad del 1 % poseían más del 50 % de la tierra.

El pequeñísimo poseedor de una cantidad de tierra no viable o de mala calidad (ambas cosas suelen ir juntas, porque las tierras de los propietarios más pequeños son, también, las peores) depende directamente, casi tanto como el trabajador sin tierra, de los propietarios más grandes que él, por lo que no está menos sometido a la explotación monopolista. Además, su propiedad es inestable; él puede haber sido reemplazado por otro pequeño propietario similar antes de ser registrada en el censo siguiente la misma parcela. En fin, sus condiciones de vida se aproximan, y a veces son incluso inferiores a las de los jornaleros agrícolas sin tierra. La estabilidad o seguridad de la posesión de la tierra es, aquí, probablemente decisiva. Si la propiedad o dominio de la tierra es permanente, el campesino indígena de Guatemala o Perú, al menos, se distingue en todo sentido de su igual asalariado. Tal seguridad de la posesión, sin embargo, únicamente se obtiene, por lo general, por medio de una acción comunal que sólo otorga derechos de uso o de sujeción, pero no de propiedad a los individuos, o que, cuando reconoce la propiedad, restringe la venta de la tierra. (Wolf, 1955.)

Esto plantea el problema de dónde trazar la división entre las propiedades "viables" y "no viables". Un tanto arbitrariamente, yo la he trazado aquí en 20 hectáreas por familia, en parte, lo confieso, porque facilita el uso de números redondos.[1] La verdadera división entre "viable" y "no viable" varía con la tierra, el cultivo, el método agrícola y otras circunstancias, y debería trazarse, quizás, en menor número de hectáreas. Por otra parte, el plan trienal brasileño dice que "las posibilidades son muy limitadas no sólo en áreas de menos de 10 hectáreas", sino que "para obtener resultados más o menos satisfactorios en ingreso y productividad" se requieren 50 hectáreas. (*Plano Trienal*, 1962: 141.) ¡Pero en las condiciones del Brasil actual, las fincas de 50 hectáreas importan, más que exportan, mano de obra!

Ni siquiera la Tabla 2 expone toda la concentración monopolista de la tierra. Como de costumbre, dada la falta de estadísticas adecuadas, equipara a la categoría censal de fincas poseídas u ocupadas

[1] Véase otra justificación parcial de esta cifra en el *post scriptum*, pp. 324-331.

o ambas cosas (pero no alquiladas) una finca por propietario y familia. Pero algunos propietarios no son individuos o familias, sino corporaciones u otros grupos. Y, lo que es más importante, ciertos propietarios poseen a menudo varias fincas. No se dispone de estadísticas generales confiables acerca de esto; pero Geiger (1956: 49-68), en su cuidadoso estudio del estado de Río de Janeiro, se refiere a la frecuencia de la propiedad múltiple y cita varios casos de propietarios de tres o más fincas grandes, muchos de los cuales son capitalistas residentes en ciudades. Así, el 11 % de las propiedades en dicho estado, con el 30 % de la tierra cultivable, están a cargo de administradores. Los ingenios de azúcar, que por ley no pueden cultivar en sus tierras más del 30 % de la caña que muelen, poseen fincas mediante testaferros para eludir el límite legal. Otros propietarios registran sus fincas a nombre de algún miembro de su familia, lo que invalida el índice de propiedad de una familia. Por ayadidura, como las propiedades grandes incluyen las tierras mejores y las pequeñas, las peores, la concentración de la tierra no indica toda la concentración de los valores. En tanto que la pauta de propiedades múltiples del estado de Río de Janeiro sea compartida por los otros, la monopolización real de la tierra, evidentemente, es mucho más alta que lo que las estadísticas señalan.[1]

La concentración monopolista no se limita, en la agricultura, a la tierra. Todo el capital está concentrado. Costa Pinto (1948: 184) estimó que en 1940 el 78 % del valor de las fincas estaba representado por la tierra. Y los datos del censo sugieren que otros capitales están aún más concentrados.

El transporte, la distribución comercial y el financiamiento de la producción agrícola están monopolizados también, especialmente en los cultivos para la venta y la exportación. Y estos monopolios, además, son predominantemente extranjeros. De las diez mayores firmas cafetaleras, que exportan el 40 % de la cosecha, ocho son extranjeras, siete de ellas norteamericanas. (Vinhas, 1962: 64.) El 50 % del algodón que Brasil exportó en 1960 correspondió a dos firmas de Estados Unidos; Anderson and Clayton, el monopolio algodonero mundial, y la SANBRA. (Vinhas, 1962: 64.) Según el diputado brasileño Jacob Frantz (1963), estas mismas dos empresas, en 1961, recibieron 54.000

[1] Datos que confirman la propiedad múltiple en otros estados, tomados del actual estudio del Comité Interamericano de Desarrollo Agrícola, se dan el *post scriptum*, pp. 324-325.

millones de cruzeiros del total de 114.000 millones que el Banco do Brasil (el banco central de la nación) prestó para invertir en todas las actividades agropecuarias combinadas. En la industria empacadora de carne, del 12 al 15 % de los animales sacrificados en Brasil y, al mismo tiempo, del 80 % de los sacrificados y procesados en los grandes mataderos modernos que principalmente sirven a los grandes mercados urbanos y de exportación, correspondieron a cuatro firmas extranjeras: las tres famosas compañías de Chicago, Swift, Amour y Wilson, más la Anglo. (*Conjuntura Económica*, 1962: 50.) El azúcar está a cargo del Instituto del Azúcar y el Alcohol (IAA), organismo público que supuestamente sirve a la nación, pero que es controlado, en realidad (como suele ocurrir en el mundo capitalista), por los mismos productores de azúcar, quienes se benefician, por tanto, de la protección del estado y el respaldo de los precios, al igual que sus colegas del Instituto Brasileño del Café.

En relación a otros cultivos, principalmente los de consumo general, se dispone de menos datos acerca de la monopolización del transporte, el comercio y el financiamiento. Pero el diario conservador *Folha de São Paulo* (1963) declara que los productores y consumidores de productos agrícolas están sometidos a una red de monopolistas y especuladores que duplican y triplican los precios. El igualmente conservador *Correio da Manhã* (1963) informa de productos del estado de Río de Janeiro que se vendieron en la ciudad con un sobreprecio de 1.500 %. Y Geiger (1956) confirma en todo su estudio la universalidad de tal monopolización de los productos del campo.

El monopolio es, pues, ubicuo en la agricultura brasileña, y una concentración refuerza a otra. A través de las relaciones comerciales y de otra naturaleza, el monopolio determina la subordinación y permite la explotación, que a su vez producen desarrollo y subdesarrollo. La combinación de todo ello provoca en Brasil la crisis de su agricultura.

3. *Determinación de la producción, la organización y el bienestar en la agricultura*

La determinación de la producción, la organización y el bienestar en la agricultura puede dividirse, para mayor conveniencia, en los siguientes temas: a) agricultura comercial en gran escala; b) agricultura residual, incluyendo, principalmente, la producción para la subsis-

247

tencia y la producción en pequeña escala; c) subproducción y no producción de ciertos bienes, combinadas con la superproducción de otros;
d) organización de la producción en el campo a través de las variadas
relaciones propietario-trabajador, y e) contradicciones del bienestar,
en el sector agrícola y la economía en general.

a. *Agricultura comercial.* A menudo se arguye que el comercio de
productos agrícolas es, necesariamente, menos importante que su producción; que se trata de una cuestión de disponer de ellos después
de haber sido determinada su producción por otras consideraciones
(esto es, las productivas y las "internas"), determinadas o "limitadas",
a su vez, por las relaciones de producción "feudales" o "precapitalistas" entre el propietario y el trabajador. Por supuesto, la tesis de este
estudio es que, al contrario, la determinación comercial es suprema. Toda la iniciativa y el capital de la producción comercial en gran escala
procedieron, originalmente, de intereses comerciales de más allá del mar.
Con el desarrollo de un mercado relativamente independiente y de los intereses comerciales brasileños, éstos últimos vinieron a desempeñar un
papel en la determinación de la producción agrícola pero tal participación no alteró fundamentalmente la agricultura.

Los intereses comerciales fueron y son la fuente del capital y el
crédito que se invierten en la producción agrícola comercial. Un temprano ejemplo de ello es el desarrollo de la ganadería para servir al sector minero del oro y los diamantes, otrora dominante y hasta cierto
punto, aún antes, a los productores de azúcar. Al continuar el comercio con la metrópoli ultramarina y desarrollarse una nueva metrópoli
brasileña, la determinación comercial de la producción agrícola en gran
escala persistió. Esto no significa, claro está, que la fuente productiva
de este capital necesita estar fuera de la agricultura. Sólo quiere decir
que su control primario está en manos de personas en quienes predominan las consideraciones comerciales. De igual modo, cuando en tiempos recientes los precios agrícolas han subido más que los industriales,
esto tampoco quiere decir que el capital se transfiere del sector no
agrícola a la producción agrícola o siquiera al consumo de productos
agrícolas. En primer lugar, los precios de los bienes agrícolas reflejan
las consideraciones de la producción mucho menos que las comerciales, precisamente a causa del alto grado de monopolización de la economía. La mayor parte del precio de los bienes agrícolas queda, por
tanto, principalmente en manos del sector comercial. E incluso la parte
que va a los "agricultores" no fluye necesariamente a sus gastos de producción, o siquiera a su consumo, porque surge la cuestión de hasta

qué punto son estos propietarios principalmente productores o comerciantes. Los cosecheros de cacao de Bahía se distinguen por ser hombres de negocios mucho más que agricultores y por vigilar las cotizaciones de la bolsa más que su lista de gastos. (Prado, 1960: 203.) Según Geiger (1956), parece que casi todos los propietarios, grandes o pequeños, del estado de Río de Janeiro son, ante todo, hombres de negocios y especuladores. Lo mismo ocurre, sin duda, en otros estados, en grado mucho mayor del que generalmente se cree.

A mayor abundamiento, debemos tener en cuenta las cosechas de quienes arriendan grandes cantidades de tierra para producir por contrato bienes agrícolas comerciales como el arroz en Río Grande do Sul. Además, Geiger (1956: 72-74, 81-85) informa que los terratenientes son, al mismo tiempo, los negociantes y financieros de los productos de sus arrendatarios, así como los ingenios, las casas empacadoras y otras empresas comerciales lo son de sus abastecedores de primeras necesidades. En fin, Vinhas de Queiróz, cuando informa acerca de su estudio preliminar, de 50 de los 800 grupos económicos (10.000 firmas) que su instituto está estudiando, encontró que el 35 % de los grupos brasileños y el 70 % de los extranjeros poseen alguna clase de empresa agrícola, mientras que el 30 y el 40 %, respectivamente, son dueños también de negocios de almacenes o distribución, "lo que indica que, entre sus actividades principales o secundarias, puede encontrarse el comercio en productos agrícolas". (Vinhas de Queiróz, 1962: 10.) El principal hallazgo de Vinhas es el alto grado de monopolización de la economía brasileña, incluyendo la producción y distribución de productos agrícolas.

El peso y determinación del comercio en la agricultura puede verse también en la relación entre el empleo y las ganancias en toda la economía. La Tabla 3 (p. 250) revela que el ingreso de la industria es dos veces el porcentaje del empleo total, tanto en Brasil, en general, como en el Nordeste. En la agricultura, el porcentaje de ingresos es, por supuesto, más bajo que el del empleo. Pero las personas empleadas en el sector terciario ganan dos veces su parte proporcional del ingreso nacional y tres veces en el Nordeste agrícola "feudal". Como la mayor parte de este ingreso procede de las finanzas y el comercio, y como muchos de los "agricultores" del sector primario son, en realidad, gente del comercio, podemos hacernos una idea del peso e influencia que las consideraciones comerciales han de tener en la agricultura. Claro está, la producción agrícola comercial es muy sensible a los cambios de la oferta de créditos y la demanda de productos del sector financiero y comercial. Sólo de este modo pueden comprenderse las principales variaciones de cultivos y regiones que han ocurrido en la agricultura brasileña a lo largo del tiempo. (Furtado, 1959; Prado, 1960, 1962, etc.)

TABLA 3

Distribución del empleo y el ingreso por sectores
(en por cientos)

	Sector primario (Agricultura)		Sector secundario (Manufactura e Industria)		Sector terciario (Servicios, finanzas, comercio)	
	Población empleada	Ingreso	Población empleada	Ingreso	Población empleada	Ingreso
Brasil, total	66	33	11	20	23	47
Nordeste	78	42	6	12	15	46

FUENTE: *Desenvolvimento & Conjuntura.* (1957/7: 52.)

Según el Instituto Brasileiro do Café (1962: 5), el café proporciona el 5,5 % del ingreso nacional brasileño, y si añadimos su transporte, comercialización y exportación, sube a "alrededor del 10 %". Pero hasta el 5,5 % incluye bastante más que los costos de producción, por lo que el "café" viene a ser poca "agricultura", relativamente, y mucho comercio. De igual modo, Schattan, en sus diversas obras sobre el algodón, el trigo y la agricultura de São Paulo (principalmente la de 1961), Paixao (1950), Singer en su obra reciente (1963), Rangel (1961), Geiger (1956) y otros analizan la reacción a las cambiantes consideraciones comerciales de la expansión de la producción de ciertos cultivos en ciertas áreas y sus contradicciones.

Se ha sostenido, que, no obstante todo esto, la agricultura comercial no es bastante sensible a los cambios de la demanda y la necesidad de productos agrícolas, principalmente porque el abastecimiento de comestibles a las ciudades es insuficiente, lo que aumenta el precio de ellos. Pero aunque las escaseces pueden indicar insensibilidad a las necesidades *sociales,* no se debería interpretar que resultan de la insensibilidad de la empresa agrícola a la demanda *comercial* efectiva. Lejos de ello, tales escaseces constituyen, precisamente una prueba de la respuesta de la agricultura al alto grado de monopolización de la producción y la distribución. Cualquier texto económico elemental, marxista u occidental neoclásico, enseña que la consecuencia económica del monopolio es el alza de los precios y la baja de la producción.

b. *Agricultura residual.* Aunque la agricultura para la subsistencia y la de pequeña escala pudieran parecer, por definición, no "comerciales", el comercio las *determina* porque son residuos de la agricultura comercial. Son residuos en todo lo imaginable: en la tierra, en las finanzas, en el trabajo, en la distribución, en el ingreso, en fin, en todo. La agricultura residual y la comercial son como las dos partes de un reloj de arena. La conexión entre ellas puede parecer pequeña, pero los recursos fluyen de una a otra a cada vuelta de nuestro reloj de arena económico. ¿Qué es lo que determina este flujo de los recursos? No la cambiante suerte del sector de la subsistencia, al menos evidentemente en Brasil. (La reforma agrícola de Bolivia, en cierto sentido, convirtió al sector de la subsistencia, al menos en parte, en sector primario.) Las presiones determinantes proceden o bien del sector comercial y su cambiante suerte, o bien de la economía nacional e internacional en su conjunto, o bien de ambos a la vez.

La naturaleza residual y la determinación comercial de la agricultura pequeña y la de subsistencia se manifiestan de muchos modos. Caio Prado (1960) señala que la punta de lanza de todo el desarrollo de la agricultura brasileña ha sido siempre la agricultura comercial en gran escala. Sólo a la sombra de ésta o en su camino, sin duda, y en tierras ya agotadas, abrió tal desarrollo un espacio marginal y subsidiario para la agricultura pequeña y la de subsistencia. Prado anota, además, que cuando los buenos tiempos de la agricultura comercial decaen, como ocurrió en la década de 1930, ello trae consigo un período de "bonanza" para la agricultura subsistencial. Por ejemplo, durante dicho decenio, la tendencia a la concentración de la tierra cesó temporalmente, al vender los grandes propietarios parte de sus posesiones para aumentar sus capitales líquidos. En tales circunstancias, los arrendatarios están en mejor posición para hacer que se atiendan sus demandas de tierra y de permisos para siembras de subsistencia, en cuyo caso el sector "no comercial" crece en términos generales. Pero cuando aumenta la demanda de uno o más cultivos comerciales, los pequeños propietarios se ven oprimidos y obligados a vender, y los arrendatarios encuentran, como dijo en una conferencia Miguel Arraes, entonces gobernador de Pernambuco, que los cañaverales invaden hasta sus mismos hogares, y no digamos sus parcelas de subsistencia.

Lo que Caio Prado (1960) y Schattan (1961:87) examinan a nivel regional, lo confrima Geiger (1956) en el sentido de determinadas fincas en determinados momentos, como la decadencia de la producción de cereales ante la creciente demanda de otros cultivos comerciales (72, 129). Además, los cultivos no comerciales decaen por falta de financiamiento (81-84), ya que los arrendatarios y hasta los agricultores pequeños dependen de los propietarios-comerciantes, primero para obtener semilla y capital circulante en general a fin de producir sus frutos, y después para conseguir transporte, almacenamiento, etc., para llevar aquéllos al mercado (74-76). Por último, los propietarios restringen, y por ende, determinan en verdad, la elección de sus arrendatarios en cuanto a cultivos permanentes, siembras esterilizantes, ganados y animales, uso de tierras ya agotadas, rotación de cosechas, oportunidad de las actividades agrícolas —todo, en fin—, conforme a sus propios intereses económicos comerciales (80-81).

La relación de reloj de arena entre la agricultura residual y la comercial tiene así, un efecto o función adicional tal vez no lo bastante comprendida: seguridad. La mutua relación puede ser vista, por ejemplo, como un vasto sistema de aseguramiento para los terratenientes, la agricultura y la economía en su conjunto. El sector de subsistencia, precisamente por ser residual en producción y ganancias, obra a modo de amortiguador que aísla, protege y estabiliza parcialmente a toda la economía agrícola, con lo que ayuda a estabilizar también la economía nacional e internacional; todo por supuesto en beneficio de quienes (incluido el terrateniente) derivan sus ingresos del comercio, y en perjuicio del agricultor subsistencial, que no comparte las utilidades pero paga los platos rotos del costo de este sistema. Lejos de ser una "rémora" para la economía nacional e internacional, por tanto, el sector de subsistencia, como los muelles o el contrapeso en la parte trasera de un carro, es lo que la mantiene en marcha: impide que el sistema se desbarate al recorrer su camino económico escabroso, conscientemente creado. Así, pues, la agricultura "no comercial", la agricultura para la subsistencia, es determinada por el comercio a través del control monopolista de la tierra y otros recursos e instituciones económicas.

c. *Subproducción-superproducción*. Bajo este acápite incluyo también la no producción, la falta y el exceso de financiamiento y distribución, etc. Por "superproducción" no quiero decir demasiada producción únicamente, sino también exceso de financiamiento, distribución, etc., de un artículo con relación a otros. "Subproducción-superproducción" es, pues, la contrapartida agrícola del desarrollo-subdesarrollo a los niveles nacional e internacional, y es asimismo el resultado necesario del capitalismo comercial y monopolista predominante. De modo similar, la subproducción y la superproducción no pueden separarse una de otra bajo la actual estructura económica. Todo esto no niega la importancia crucial de la concentración de la propiedad y el control de la tierra para el fenómeno de que estamos tratando. Sólo queremos ponerlo en contexto y perspectiva.

La monopolización de la tierra y otros recursos trae necesariamente la explotación de los recursos no monopolizados, o sea, el trabajo, y la subutilización de todos los recursos. Por ejemplo, uno de los propósitos primarios del latifundio, tanto en el plano individual como en el social, no es usar la tierra, sino impedir que otros la usen. Estos otros a quienes se niega el acceso al recurso primario, caen necesariamente bajo el dominio de los pocos que lo controlan. Y en consecuencia se les explota de todos los modos concebibles, típicamente por medio del bajo salario. Por ende, la concentración monopolista de la tenencia de la tierra significa en el mercado del trabajo un monopsonio que mantiene bajos los salarios y los costos de producción no sólo en cuanto a la agricultura, sino a la industria también, y no sólo en cuanto a la economía capitalista nacional, sino también a la internacional.

De la monopolización de la propiedad de la tierra resulta el empleo de ésta en interés del latifundista, quien a su vez tiene que afrontar, y generalmente afronta, a un monopolista comercial. De este modo, paradójicamente, se forma toda una cadena de embotellamientos monopolistas-monopsonistas y oligopolistas-oligopsonistas en el trayecto del humilde productor al humilde consumidor de productos agrícolas, quienes a menudo son las mismas humildes y doblemente explotadas personas. Esta cadena de monopolios, para decirlo con palabras de Ignacio Rangel (1961; III), "organiza metódicamente la escasez" y por ende "impone precios extorsionistas al consumidor", sin hablar del poder salarial o de compra del productor análogamente bajo. Los grandes terratenientes "responden" demasiado bien a estas presiones del mercado. Dedican la tierra buena a pastizales, por ejemplo, con lo que empujan a sus arrendatarios a un típico movimiento de "reclusión", bien cuando los precios de otros productos agrícolas bajan, bien cuando los de la carne suben. La carne va a los consumidores de ingresos relativamente altos, mientras se deja sin artículos de primera necesidad a los de bajas entradas. Además, el terrateniente goza de otras ventajas. (Geiger, 1956: 122.) Para él es relativamente fácil obtener créditos para criar ganado (según Geiger, virtualmente toda cabeza de ganado del estado de Río de Janeiro está hipotecada), aparte de que la ganadería mejora la tierra porque la deja descansar. Abundan las pruebas de esto (Geiger, 1956: 58-59, 120-122; Schattan, 1961: 94, etc.), y el Instituto Brasileiro do Café (1962: 44), al recomendar desembolsos al gobierno para dedicar a otros usos las tierras que quiere retirar de la producción cafetalera, advierte que no será necesario financiar la conversión en pastizales, porque los terratenientes la hacen de todos modos.

La no utilización y la subutilización tienen también otras fuentes. Los propietarios quieren tener tierra para un posible uso futuro, y para arrendarla mientras tanto. Ellos "usan" y compran tierra porque es una excelente cobertura contra la inflación, tal vez la mejor. Así, en los estados de Espírito Santo y Paraná, el valor de la tierra ha aumentado con más rapidez que el de los artículos en general. (Geiger, 1956: 63.) La tierra favorablemente situada sirve también para otros fines especulativos y a menudo se la retiene para subdividirla posteriormente, para fuentes futuras de madera (54, 179-190), para obtener ventajas fiscales (*Folha de São Paulo*, 1963), etcétera. Y una vez que la tierra se retiene con fines especulativos, dejar que el ganado paste o engorde en ella contribuye a las ganancias del dueño sin crearle gastos ni problemas. Esto explica por qué, casi a la vista de Río de Janeiro, predomina el mismo promedio de tres a cinco reses por hectárea que muchas leguas más lejos. (Geiger, 1956: 121.)

La estructura monopolista de la economía tiene asimismo otros efectos, o, para decirlo a la inversa, otros fenómenos sobradamente conocidos pueden ser también explicados por el comercio monopolista sin necesidad de inventar el "feudalismo". El 32 % de los municipios del Nordeste y el 19 % de los del sur (el 28 % de todos los municipios brasileños) no reportan créditos agrícolas en absoluto, y el 39 y el 51 %, respectivamente, sólo reportan créditos no bancarios (o sea comerciales y "otros") para la agricultura. (Comissâo Nacional, 1955: 85-94.) Otros estudios reportan inexistencia de créditos para pequeños productores y, naturalmente, para siembras no comercialmente lucrativas. En cambio, la venta y distribución monopolizadas y, por tanto, lucrativas, disponen de una relativa abundancia de préstamos, así como también, por supuesto, la industria monopolizada y los *cartèls* extranjeros supermonopolistas. En particular, las cosechas de viandas no reciben crédito alguno, pero éste fluye generosamente hacia los cultivos industriales (materias primas) y los de exportación. Estos cultivos se almacenan después, porque la industria monopolizada no puede absorberlos, lo cual crea nuevas oportunidades de especulación con las existencias acumuladas. O, con el lenguaje más cauteloso (pero con más datos ilustrativos), del plan trienal: "Entre 1952 y 1960, el área cafetalera aumentó en 1.600.000 hectáreas (57 %), mientras el área total de cultivos crecía en un 38 %, y la de comestibles en un 43 %." En la Tabla LII adjunta al plan, sin embargo, aparece que el aumento de la *producción*, sin relación al área cultivada, fue de 150 % para el café y del 60 % para los comestibles. "Como no había modo de colocar toda la cosecha de café en el mercado internacional, la productividad social de los factores de producción aplicables al sector cafetalero fue muy baja, lo que obligó al gobierno federal a acumular grandes existencias sin perspectiva alguna de venta a corto plazo." (*Plano Trienal*, 1962: 134-135.)

La norma no se limita al café. El plan muestra que todos los aumentos de productividad de más de un 5 % (excepto las papas, que aumentaron un 15 %) tuvieron lugar en cultivos industriales: café, 87 %; maní 33 %; algodón, 15 % (el mercado mundial del algodón estaba particularmente deprimido durante ese período); azúcar, 9 %; semilla de higuereta, 57 %. Por otra parte, se registraron rendimientos estables, entre un aumento de un 1 % y una disminución de un 3 %, en el maíz, el arroz, los frijoles y los plátanos, a la vez que el trigo mostraba una caída de un 20 %. La vianda principal de la población brasileña, la mandioca o yuca, que casi nunca se cultiva en gran escala por falta de financiamiento, registró un cambio de productividad de cero. (*Plano Trienal*, 1962: 139.)

Las oportunidades de mayores ganancias que ofrecen el comercio y la industria especulativos obran como bombas de succión que retiran fondos de la producción agrícola carente de capital, especialmente la de frutos de consumo general, del mismo modo que las regiones y países desarrollados se llevan los capitales de las regiones y países subdesarrollados, aumentando así la desigualdad aún más y, a su vez, la corriente de recursos —tanto humanos como económicos— hacia canales socialmente indeseables. La causa no es el "feudalismo" o el "precapitalismo", sino el capitalismo. Y los problemas de la producción y el ingreso agrícolas, dejados a su libre curso, empeorarán, lejos de mejorar. (Schattan, 1961: 89.) La misma perspectiva afrontamos en el problema del desarrollo-subdesarrollo en general.

d. *Organización de la producción en el campo.* Nadie duda que las relaciones propietario-trabajador son determinadas en la agricultura por la concentración de la tenencia de la tierra. Pero, como hemos visto, a menudo se proponen otras consideraciones para explicar tanto sus causas como sus efectos. Se dice que tienen una razón propia —una razón "feudal"— que explica su supervivencia y su venturosa resistencia a las formas capitalistas más racionales. Se dice también que las diversas formas de arrendamiento son, en esencia, diferentes; que cada una parece tener su propia razón, y que son estas "relaciones feudales" las que determinan no sólo la organización de la producción en el sector "feudal", sino incluso la salud económica del sector "capitalista" y la economía en general.

El análisis en este estudio rechaza tales interpretaciones. Diferentes relaciones propietario-trabajador se encuentran entremezcladas en todo el país, en cada región, en muchas fincas, en multitud de familias de trabajadores, y a menudo cambian hasta de una temporada de cultivo a otra. (Prado, 1960: 213; Geiger, 1956.) ¿Se debe ello a que el grado de feudalismo, o de penetración capitalista concomitante, difiere de un lugar, de una familia o de un año a otros? [1] ¿O se debe, más bien, al hecho de que las cambiantes exigencias de la economía y la agricultura capitalista permiten al propietario, o demandan de él, diversos modos de organizar su producción y varias formas de explotación de la tierra y la mano de obra? Podríamos, en suma, preguntar en cuanto a cada caso de relaciones propietario-trabajador: ¿cuánto tiempo resistiría si las condiciones del mercado capitalista del trabajo y la producción sufren un cambio que haga, para el terrateniente ventajoso o económicamente necesario su abandono?

Incluso estas preguntas sugieren que la relación propietario-trabajador, lejos de ser el punto de partida de la cadena determinante —o de la contradicción fundamental, para usar términos marxistas—, es únicamente una extensión y manifestación de la estructura y relación económica decisiva. Esa estructura es el capitalismo monopolista; la relación o su contenido es la resultante explotación del trabajador por el terrateniente que le expropia el fruto de su trabajo. ¿Qué hace

---

[1] Esta explicación lógicamente derivada de una parte de la tesis del "feudalismo, es incompatible con la otra parte, la cual sostiene que el feudalismo desaparece y el capitalismo avanza sin retrocesos.

posible esta relación sino, por supuesto, la posición monopolista-monopsonista del propietario? Lo que determina la forma que esta relación tomará, manteniendo intacto el contenido explotador, es, por encima de todo, el interés capitalista comercial del propietario, quien no sólo explota, sino que también dicta la forma que la explotación tomará.

La monopolización de la tierra obliga a los no poseedores, y hasta a los pequeños propietarios, a comprar acceso a ese recurso decisivo o a sus frutos. No tienen otro modo de hacerlo que vendiendo su trabajo al mismo comprador monopolista-monopsonista. Siguiendo los estudios de Costa Pinto (1948), Caio Prado (1960), Ianni (1961) y otros, tal venta del trabajo puede clasificarse como sigue:

Venta del trabajo por dinero (jornaleros)
Venta del trabajo por productos (pago en especie)
Venta del trabajo por el uso de la tierra (inquilinato)
Pago del uso de la tierra con dinero (arrendamiento)
Pago del uso de la tierra con productos (aparcería)
Pago del uso de la tierra con trabajo (trabajo forzoso, no pagado)

La relación propietario-trabajador puede encerrar, por supuesto, varias combinaciones, y también el trabajador tiene que pagar a menudo al propietario no sólo por el acceso a la tierra, sino también por el acceso a su monopolio del crédito, de los medios de almacenamiento, del transporte, de la comercialización de mercancías necesarias para la producción o el consumo; en resumen, monopolio de todo. Así, incluso cuando los aparceros pueden producir más de lo que inmediatamente necesitan, a menudo se ver forzados —por carecer de medios de almacenamiento, insecticidas, etc., y tener necesidad inmediata de dinero— a vender hoy el exceso al terrateniente, sólo para comprárselo seis meses después al doble del precio. (Geiger, 1956: 130.) Si el monopolio del terrateniente sobre estos factores comerciales no basta por sí solo para forzar al aparecero a "venderle" su producción, su monopolio de la tierra y su monopsonio del trabajo, además de su consiguiente poder para excluir de su propiedad a los arrendatarios que "no cooperen", le permite extraer hasta la última migaja del producto del trabajador.

La forma de relación explotadora que se dé en un caso determinado, depende, ante todo, de los intereses del propietario. Y éstos, a su vez, son determinados por la economía capitalista de que él es parte. En ciertos casos es relativamente fácil explicar la persistencia o la introducción de una forma dada de relación. Los jornales y los contratos a corto plazo, por ejemplo, convienen más si la oferta de mano de obra es grande y segura con relación a la demanda real y potencial del terrateneinte, cuando un cultivo permanente está económicamente indicado, cuando el propietario, por razones de especulación, quiere cambiar rápidamente de un cultivo a otro, cuando los tiempos son buenos, y cuando, a causa de la inflación, el valor del dinero disminuye, etc. En otras circunstancias y lugares, como cuando la oferta de mano de obra escasea, el pago en especie y varias formas de inquilinato, que atan al trabajador a cierto terrateniente, son más ventajosos para éste.

No debemos suponer que bajo el capitalismo nunca aparecen las relaciones contractuales en que no media dinero. Por el contrario, existen a menudo, para explotar al campesino como productor y como consumidor. Aun cuando no sea de inmediato evidente la función a la cual sirve una forma determinada de relación propietario-trabajador, no deberíamos renunciar a buscarla. Ni podemos argüir tampoco que, habiendo sólo una forma de capitalismo y varios tipos de relaciones propietario-trabajador, necesitamos para éstas varias explicaciones extracapitalistas. Evidentemente, el capitalismo admite —antes bien, exige— diversas formas de relaciones adaptables a las diversas circunstancias de su desarrollo. Si en un caso dado no podemos establecer la determinación capitalista de las relaciones propietario-trabajador, tampoco deberíamos adoptar la extraña conclusión de que estas relaciones particulares y locales "determinan" de algún modo el funcionamiento de la economía en otras partes de la estructura capitalista. Mantener que las relaciones propietario-trabajador dentro de la finca determinan lo que ocurre fuera de ella, sobre la base del principio marxista de que las relaciones o contradicciones internas determinan las externas, no es otra cosa que confundir la finca con la estructura económica. [1]

e. *Contradicciones del bienestar.* El capitalismo, por tanto, a través de los principios de la subordinación, la comercialización y la monopolización, produce multitud de contradicciones del bienestar: desarrollo a la vez que subdesarrollo. Ocurre demasiada producción de

[1] Hace tiempo me pareció que era útil distinguir los conceptos "dentro de la finca" y "fuera de la finca", distinción muy diferente de la que hace la teoría marxista. Pensaba entonces, como Ignacio Rangel (1961: IV) parece pensar, que esta distinción podía contribuir a evitar la confusión que representa el llamar "feudal" a la agricultura cuando las relaciones "exteriores" son evidentemente capitalistas y no lo son las "interiores". Pero hoy creo que todas las relaciones son afectadas fundamentalmente por la estructura capitalista de la economía, por lo que ahora, claro está, no puedo recomendar tal distinción.

cultivos comerciales, especialmente los que se exportan, junto a una producción insuficiente de comestibles de consumo general. La capitalización de la agricultura aumenta a la vez que se fortalece la monopolización. La producción agrícola crece, pero la de artículos comunes disminuye. Si los salarios suben, los precios suben más. Los de las necesidades agrícolas suben más rápidamente que los de las mercancías industriales, pero el capital abandona la agricultura de todos modos. El ingreso agrícola puede subir (según Schattan, 1961: 88, el ingreso *per capita* está disminuyendo). Pero la desigualdad de entradas aumenta también, y los más pobres pueden convertirse en más pobres todavía. El pago en dinero remplaza a otras formas de remuneración, pero los trabajadores agrícolas ganan menos. A éstos se les expulsa de la tierra y emigran a las ciudades, donde se convierten en residentes desempleados de los barrios de "indigentes" y tienen que pagar precios más altos por la subsistencia.

Supuestamente para corregir estas aberraciones, el gobierno interviene en el proceso. Pero la intervención no hace más que reforzarlas. Las inversiones públicas productivas y el suministro de tecnología a la agricultura sólo sirven a los terratenientes, no a los trabajadores agrícolas. El crédito agrícola fluye hacia las manos de los que ya monopolizan el comercio de productos del campo. Los nuevos medios de almacenamiento sólo benefician a quienes especulan con tales productos. La acumulación gubernamental de excedentes y los mecanismos de fijación de precios, están sometidos a los más grandes monopolios —incluyendo los extranjeros— del financiamiento y comercio de productos agrícolas que lo usan exclusivamente en su propio beneficio burgués. La fijación de jornales mínimos para los trabajadores agrícolas y de rentas máximas para los arrendatarios, aunque sean aplicables y se apliquen, perjudican a los propietarios más pequeños y débiles en bien de los más grandes y fuertes; son absorbidos por los monopolios comerciales estratégicamente situados, reducen el número de trabajadores contratados y aumentan el desempleo, y en general fortalecen la monopolización de la agricultura y el campo. La intervención del gobierno de la burguesía, en suma, fortalece a ésta, y a veces, también, a la pequeña burguesía.

De la reforma agraria capitalista-burguesa resulta, necesariamente, lo mismo. La compra de tierras por el gobierno se convierte en un programa de venta de terrenos indeseables a discreción de los terratenientes locales, permite a éstos transferir más capitales de la agricultura a empresas comerciales e industriales relativamente más lucrativas; encarece aún más la tierra, lo que contribuye a la especulación y la inflación, y confunde aún más el problema básico de la crisis de la agricultura, lo cual es uno de sus principales propósitos, sin duda, como ocurrió en Venezuela. (Frank, 1963a.) Hasta la extensa reforma agraria mexicana, a la que precedieron diez años de revolución burguesa —evidentemente la más profunda de América latina, antes de la revolución cubana—, se convirtió en la base principal de la nueva burguesía de México y de su actual y creciente desarrollo-subdesarrollo. (Frank, 1962, 1963.)

La reforma burguesa, repito, reforma en beneficio de la burguesía, y no resuelve la crisis de la agricultura ni el problema del subdesarrollo.

4. Conclusiones teóricas y políticas

Este análisis requiere profundización y extensión futuras, para elaborar una teoría completa del desarrollo-subdesarrollo vistos de conjunto. Mi examen de la supuesta coexistencia del feudalismo y el capitalismo pone en tela de juicio la aceptada teoría dualista. Y como las implicaciones teóricas y políticas de este dualismo aparecen a menudo en problemas que están más allá de la presente discusión, es imperativo revisar nuestro juicio de los países subdesarrollados para identificar tales implicaciones dualistas y elaborar una teoría dialéctica unitaria del proceso evolutivo capitalista, y además, del socialista. El análisis del desarrollo brasileño histórico, siguiendo a Celso Furtado (1959) y Caio Prado (1962), bosquejado suscintamente aquí, debe ser fortalecido en lo teórico y proyectado hacia el presente y el futuro, para que, entre otras cosas, podamos precisar y apreciar más fácilmente lo que cuesta al hombre el continuo desarrollo-subdesarrollo capitalista.

El presente análisis de la situación brasileña pudiera ser aplicado también a otras partes de América latina y aun de Asia, quizás, y a algunas partes de África. Puede exigir cierta reformulación en cuanto a países como Perú y Bolivia, que tuvieron y conservan una numerosa población indígena anterior a la conquista y que no han sido tanto exportadores de productos agrícolas como de minerales (en los tiempos coloniales, Perú importaba comestibles, y continúa importándolos hoy); o en cuanto a países como Venezuela, que recientemente han abandonado la exportación agrícola por la mineral; o del mismo Brasil y México, fue pueden llegar a sustituir la exportación agrícola por la industrial. Pero la esencia del análisis, una teoría unitaria del desarrollo-subdesarrollo del capitalismo monopolista, debería servir de manera desta-cada para reinterpretar mucho de la realidad latinoamericana, tal co-mo la ven los investigadores burgueses y marxistas por igual.

Es particularmente necesario un análisis económico más completo del financiamiento y el comercio de los bienes agrícolas y sus conexio-nes con la producción agrícola, de una parte, y el comercio y la indus-tria en general, brasileños y extranjeros, de la otra. Tal análisis podría fortalecer nuestra comprensión de cómo la reforma agraria vigorizaría, y no debilitaría, el sector (o sectores) comercial-financiero monopolis-ta y a la alta y pequeña burguesía que sustenta. De modo similar, el análisis de la conexión entre la situación agrícola y el imperialismo requiere ser extendido, más allá de la mera descripción de este o aquel interés agrícola extranjero, a la formulación teórica de su mutua rela-ción entre sí y con toda la economía capitalista.

El análisis hecho aquí debería relacionarse, específicamente, con el de la estructura y la dinámica de las clases. El desarrollo y el sub-desarrollo, por ejemplo, sugieren una clase y otra. Combinados, refle-jan la relación entre ambas clases; su evolución, mutuamente influida, trae a la mente el desarrollo dialéctico de las relaciones clasistas; las relaciones de subordinación, monopolización y explotación entre el des-arrollo y el subdesarrollo económicos se asemejan a las correspondien-tes relaciones entre las clases, etcétera.

Para terminar, nuestro análisis encierra implicaciones políticas trascendentales, tanto en cuanto a la agricultura como a la sociedad en su conjunto. Las bien conocidas líneas reformistas que encaran sepa-radamente el sector agrícola —o incluso una parte de él— y el "sector" internacional imperialista, fallan evidentemente el blanco. El análisis hecho aquí pone en duda la base teórica no sólo de la ideología bur-guesa, sino también la de los partidos comunistas de Brasil y otras partes de América latina que formulan sus programas y sus alianzas con la burguesía sobre la premisa de que la revolución burguesa se está todavía por hacer. Son simplemente los intereses capitalistas de los grupos de terratenientes-mercaderes, financieros y comerciantes los que se ocultan bajo la estrategia y la táctica con que la burguesía pretende "reformar" el capitalismo. La estrategia y la táctica de los campesinos y sus aliados debe ser la de destruir y reemplazar el capitalismo.

5. Post scriptum: más pruebas

Después de escrito este ensayo, el Comité Interamericano de Desarrollo Agrícola (CIDA) ha comenzado a publicar nuevos materiales que apoyan algunas de mis interpretaciones, en particular las que se refieren a la decisiva determinación capitalista-monopolista-comercial de la agricultura brasileña. Debo agradecer que me hayan facilitado sus hallazgos preliminares, aún inéditos, en los que el CIDA resumió su estudio intensivo de once municipios brasileños.

a. *Monopolio de la propiedad de la tierra.* Varios municipios revelaron la existencia de propietarios de muchas fincas. Por ejemplo, Della Piazza (1963: 20) encontró en Santarém, Baixo Amazonas, casos de propietarios de 78, 76 y 55 fincas cada uno. Medina (1963: 87), menciona con relación a Sertaozinho, São Paulo, 323 propietarios, de los que 40 poseen dos fincas cada uno; 12 tienen 3; 3 tienen 4; otros 3 tienen 5, y 6 poseen de 6 a 23 propiedades cada uno. En este municipio, por tanto, 64 terratenientes múltiples poseen 214 propiedades de un total de 473. No se indicó la distribución por tamaño. En Jardinópolis, São Paulo, el mismo autor encontró 30 propietarios de 2 fincas cada uno, 9 de 3, 2 de 4, 2 de 5 y 2 de 6, en un total de 295 propietarios. Testimonios dispersos de otros municipios, más la evidencia en la obra ya citada de Geiger relativa al estado de Río de Janeiro, sugieren, por tanto, que la concentración efectiva de la tenencia de la tierra es considerablemente más alta que lo que indica la clasificación del censo en "establecimientos".

El estudio del CIDA demuestra también, indirectamente, la existencia de lo que he llamado propietarios de fincas rústicas viables y no viables. El estudio se refiere varias veces a la práctica de los pequeños propietarios de trabajar tierras de los grandes poseedores —o incluso de arrendar las suyas propias— para atender a la subsistencia de sus familias. Los analistas del CIDA trataron de calcular el número de hectáreas que se necesita para dar pleno empleo agrícola a una familia de 2 a 4 trabajadores. Lo estimado es: Quixadá (Ceará), de 30 a 50 hectáreas; Sapé (Paraiba), de 5 a 20; Garanhuns (Pernambuco), de 5 a 20; Camacarí (Bahía), de 7 a 15; Itabuna (Bahía), de 10 a 30; Matozinhos (Minas Gerais), de 20 a 30; Itagüaí (Río de Janeiro), de 10 a 20; Jardinópolis (São Paulo), de 20 a 50; Sertaozinho (São Paulo), de 15 a 40; Santa Cruz (Río Grande do Sul), de 10 a 30. La línea divisoria de 20 hectáreas que yo tracé (p. 243), como promedio para todo Brasil, entre los conceptos afines pero no idénticos de familias campesinas con propiedades viables y no viables, es, quizás, algo alta; pero está, obviamente, dentro del orden correcto de magnitudes. Exceptuando a Santa Catalina y Río Grande do Sul, el estudio del CIDA estima que de dos tercios a cuatro quintos de las familias campesinas carecen de suficiente tierra para sustentar a dos trabajadores agrícolas. (Comunicación personal.)

Así pues, la Tabla 2 y su explicación (p. 243), incluso con las reservas ya hechas en el texto, no expresan, probablemente, toda la concentración monopolista de la tierra en 1950. El aumento del número de establecimientos de los grupos de menor y mayor tamaño que observó el censo de 1960, de cuyos datos no disponía al escribir este ensayo, sugiere que la concentración es hoy aún más grande.

b. *Fluidez de las relaciones propietario-trabajador.* Los hallazgos del CIDA en cuanto a las relaciones propietario-trabajador, la mucha fluidez de éstas y la gran movilidad de los trabajadores, reflejan la determinación fundamentalmente comercial de la producción agrícola brasileña y su distribución. Julio Barbosa (1963: 14-15) ofrece ejemplos significativos: por ejemplo, un solo trabajador que es al mismo tiempo a) dueño de su tierra y su casa; b) aparcero de otro propietario (a veces por la mitad, a veces por un tercio de la cosecha); c) arrendatario de la tierra de un tercero; d) trabajador a jornal durante la cosecha en una de estas tierras, y e) vendedor independiente de los bienes de primera necesidad producidos en su casa. Son también significativos los propietarios de una sola finca, mediana o grande, que Medina (1963) analiza en São Paulo, los cuales tienen, al mismo tiempo, un administrador o más de uno, arrendatarios, aparceros, jornaleros permanentes, jornaleros eventuales y varias otras combinaciones. La serie de funciones que un trabajador dado desempeña varía a menudo de una temporada de cultivo a otra, así como también el terrateniente para el cual las realiza, y las parcelas de una o más fincas en que las ejerce. De modo similar, el propietario modifica la combinación de sus relaciones con los trabajadores y, por supuesto, cambia los trabajadores que emplea.

En casi todas partes de Brasil ocurre una gran movilidad de trabajadores de una finca a otra y, tanto más, de una parcela de una finca a otra. Esta movilidad es alta no sólo entre los jornaleros contratados por la temporada, la cosecha o el día, sino también entre los diversos tipos de arrendatarios. Aunque no se dispone de datos sistemáticos, la distribución de los períodos de aparcería parece ser bipolar: unas pocas familias aparceras permanecen en la misma finca por largos períodos de años o generaciones; muchos aparceros, por períodos de sólo uno, dos y hasta cinco años. Así, pues, hallar el término medio de esta movilidad, más que inútil, sería engañoso. Las entrevistas efectuadas en varios municipios mencionan reiteradamente la permanencia de la mitad de los aparceros —no los trabajadores— de la finca por un promedio de 2 a 3 años. Barbosa informa de un continuo movimiento de aparceros de una finca a otra que sólo es limitado por el acceso al transporte.

Incluso la posesión de la tierra no es estable. Aunque el examen de los registros de la propiedad sólo indica alrededor de un 1 % de traspasos de dominio por año, los datos de las entrevistas sugieren que de la cuarta parte a la mitad de los propietarios existentes obtuvieron la tierra mediante compra. Tanto el censo como las entrevistas indican que las fincas que principalmente cambian de dueño son las pequeñas y medianas, y que las grandes aumentan de superficie mediante la adquisición de propiedades pequeñas, pero rara vez son vendidas en parte o en todo.

El Brasil campesino, incluso omitiendo la migración rural-urbana, ofrece, pues, un cuadro de flujo irregular continuo, en el tiempo y en el espacio, de trabajadores a jornal, aparceros, propietarios, mercaderes y todas sus posibles combinaciones y relaciones. Obviamente, esta multiplicidad y movilidad no pueden deberse a la influencia de factores "feudales" o tradicionales. Deben atribuirse, al contrario, a las consideraciones comerciales que determinan las relaciones y la conducta de propietarios y trabajadores en una estructura económica, social y política sumamente monopolista. Hasta cierto punto, propietarios y trabajadores por igual pueden ser vistos como empresarios individuales, cada uno tratando de servir sus propios intereses a corto plazo. Los propietarios reflejan tanto los cambios generales de las condiciones como su propia suerte cambiante, al variar sus diversos desembolsos, especialmente el del trabajo y sus formas de pago, para adaptarse a las fluctuaciones de la comercialización de tal o cual cultivo y de la disponibilidad de dinero, crédito, agua, transporte y otros factores. Asimismo los trabajadores, los aparceros y hasta los pequeños propietarios, se ven obligados a aprovechar las mayores oportunidades en otras partes —o, con más frecuencia, las menores oportunidades de la zona en que ellos están— y trasladar, en lucha continua por la supervivencia, el único recurso de que disponen: su trabajo y sus relaciones contractuales.

Esta misma presión competitiva y explotadora de la estructura monopolista llega a todos, como lo indica brutalmente el hecho de que los propietarios pequeños y medianos, y hasta los mismos aparceros, explotan a otros trabajadores cuando pueden, a veces aún más que los grandes terratenientes y las firmas comerciales, porque su propia posición competitiva débil frente a estas empresas mayores los fuerza a explotar así a sus iguales para poder sobrevivir. Si no pueden hacer siquiera eso, los pequeños propietarios tienen que vender sus tierras o arrendarlas, junto con su trabajo, a quienes disponen de suficiente capital para explotarlas. Para trabajadores y aparceros, la fluidez de la estructura agrícola, fuente de inseguridad, lo es también de "oportunidad", si puede llamarse oportunidad, o "libertad", al hecho de que los trabajadores pobres y sin recursos puedan moverse de un explotador monopolista a otro. Las diversas formas "feudales" y "personales" de relaciones y obligaciones sirven, en el mejor de los casos, para personalizar y enmascarar este destructivo mundo capitalista en que todos, grandes y pequeños por igual, deben luchar por la existencia.

c. *La comercialización y el crédito*. El estudio del CIDA, como casi todos los que ven en la tenencia de la tierra la clave de toda la estructura de la agricultura brasileña, no hace esfuerzo sistemático alguno por esclarecer sus sectores comercial y financiero. Con todo, su investigación de numerosos casos individuales de finanzas, crédito, almacenamiento, transporte, venta al por mayor y al por menor, etc., ayudan a confirmar mi tesis de que las relaciones de propiedad, producción y trabajo están íntimamente integradas en la estructura comercial monopolista de la agricultura y de toda la economía nacional e internacional, y en gran parte subordinados a ella y determinados por ella. José Geraldo da Costa (1963: 19), refiriéndose a Garanhuns (Pernambuco), refleja este centro de gravedad comercial al observar, en resumen, que "la precaria situación social y económica de los pequeños productores del área, lleva a reflexionar acerca de los cambios que la estructura agraria local necesita. Pero no, de modo especial o decisivo, la *propiedad de la tierra*". Esta observación y juicio no implica, por supuesto, defensa alguna del latifundio, sino la necesidad de transformar la estructura restante (el monopolio comercial) junto con la de la concentración de la tenencia de la tierra.

Quizás siguiendo el hilo del crédito, a medida que envuelve la economía, se obtenga una de las mejores percepciones de la verdadera naturaleza de la estructura agraria y la necesidad de su transformación total. Ya hemos visto que los principales beneficiarios directos del crédito "público" de la cartera industrial y agrícola del Banco do Brasil (banco central), son los grandes monopolios, en su mayor parte internacionales y de propiedad extranjera, como Anderson and Clayton, SANBRA, la American Coffee Company, (propiedad de la A & P), los cuatro grandes de la industria empacadora, etc. Este crédito es análogo y, a menudo, una mera adición a las evidentes dádivas que los grandes monopolios, propiedad de Estados Unidos en su mayor parte, reciben del programa brasileño de mantenimiento de los precios y de la Alianza para el Progreso del gobierno norteamericano. Estos monopolios dan media vuelta y prestan a su vez el mismo dinero, a tipos de interés más altos, claro está, y se embolsan la diferencia. Pero eso es lo de menos. Más importante es el control efectivo que así obtienen y mantienen sobre la oferta de productos agrícolas a los mercados extranjeros y nacional a la vez. El mismo dinero, en cadenas de diversa longitud, es prestado de nuevo a las grandes casas comerciales y sus subsidiarias; luego éstas lo prestan a los mayoristas, y así a los detallistas, los suministradores, los grandes terratenientes, los pequeños propietarios, hasta llegar al más humilde aparcero. Si éste no tiene comprometida ya la venta de su producción al gran terrateniente —bajo amenaza de expulsión de la tierra—, tiene que entregar su cosecha y su tierra (si alguna posee) en garantía a su acreedor, para obtener el préstamo que necesita para sobrevivir.

A lo largo de toda la cadena explotadora la mayor ganancia de la "agricultura"— a menudo la única ganancia directa verdadera— se encuentra en este control monopolista del crédito y otras fuentes de capital financiero, unido al correspondiente control del suministro de productos agrícolas; el control, en algunos casos, de su exportación y la demanda interna, o de una u otra, y en la especulación que todo esto permite. Sólo una parte manejable pero decisiva de la oferta o de la demanda (no toda), necesita ser controlada por los monopolistas a los diversos niveles. A la inmensa mayoría de los abastecedores de productos agrícolas —quienes, después de todo, no pueden hacer más que *producir*— no les corresponde casi nada de la ganancia, y en similar posición se encuentra el grueso de los consumidores potenciales.

Así, pues, la principal ventaja del latifundio no es que permite producir al latifundista (lo que éste no hace), sino que su posesión de un recurso necesario le permite interponerse como comerciante y financiero entre los verdaderos productores y los grandes monopolios financieros y comerciales, los que tan pronto como pueden (y tratan de hacerlo a menudo) prescinden de él y se embolsan también su parte. La propiedad latifundiaria no es, con frecuencia, mucho más que un medio institucional de garantizar al propietario la oferta de los bienes que necesita para su verdadera actividad "económica": la especulación. Porque la especulación (combinada con la manipulación monopolista-monopsonista de la demanda y la oferta, y que cuenta principalmente con el capital de otros) y no la producción, es la verdadera fuente de la ganancia en la inestable estructura comercial monopolista que caracteriza a la agricultura y, de hecho, a toda la economía de Brasil y el imperialismo mundial capitalista. Especulación, claro está, con el fruto del trabajo de otros.

En esencia, esta organización comercial monopolista caracteriza a todos los sectores de la agricultura basileña. Por añadidura, cada "sector separado" está íntimamente unido a todos los demás mediante lazos de familia, organización incorporada, comercio y, sobre todo, poder político y finanzas. El capital, la influencia económica y el poder político cruzan fácilmente todas las fronteras del latifundio, del producto, del sector, de la industria, de la región, tan fácilmente como cruzan las fronteras internacionales. Sólo hay, en realidad, un único sistema capitalista integrado. En la agricultura brasileña, repito, la estructura de desarrollo-subdesarrollo de la economía capitalista en general, opera hoy por intermedio de la estructura comercial, política y social monopolista y produce allí la explotación y pobreza que ven todos los observadores.

Para eliminar estos síntomas de la agricultura brasileña, sería necesario aislarla de la estructura de desarrollo-subdesarrollo y de la explotación y pobreza que ésta genera en la economía brasileña en general, y no integrarla a esa estructura, como se sostiene con más frecuencia. Como esto, evidentemente, es imposible (aunque podría ocurrir, en parte, mediante una división de Brasil como la de Corea y Vietnam, que está aún por venir), sería —y será finalmente— necesario aislar la economía brasileña misma de estas fuerzas subdesarrollantes mediante la destrucción de su estructura capitalista. Ahora bien, tratar de suprimir la explotación, la pobreza y el subdesarrollo de la agricultura mediante una "reforma agraria" destinada a "integrar" la agricultura cada vez más en la economía capitalista monopolista, dejando a ésta fundamentalmente intacta en otros sentidos, es algo que, cuando más, sólo puede modificar las formas particulares que adoptarán la explotación y el subdesarrollo de la tierra. La supresión del monopolio de la tenencia de la tierra —con el establecimiento de "fincas de familias", por ejemplo—, mientras se le mantiene

267

en el resto de la economía, sólo servirá para fortalecer la posición de los monopolios comerciales al eliminar a uno de sus rivales. Sólo servirá para exponer a los campesinos, aún más directamente, a esta explotación comercial, y, si no es un paso hacia la completa transformación de la sociedad, no haría más que privarlos, al cabo de unos años, de sus tierras recién adquiridas, a través de la venta o el arrendamiento forzoso de ellas y su producto, como ya ha ocurrido en México y otras partes.

Sólo mediante la destrucción de la estructura capitalista misma y la liberación de Brasil del sistema capitalista-imperialista mundial —sólo mediante el rápido tránsito al socialismo—, será posible comenzar a resolver la crisis y el subdesarrollo de la agricultura brasileña, de Brasil y de América latina.

CAPITULO V

LA INVERSION EXTRANJERA EN EL SUBDESARROLLO LATINOAMERICANO

A. El problema

La ayuda y la inversión extranjera parecen hoy plantear el problema de una benévola decisión voluntaria, por parte de los países desarrollados, de dar a los subdesarrollados un poco más o no. De parte de los países subdesarrollados, el problema parece ser el de decidir bajo qué términos ha de aceptarse la inversión y ayuda extranjeras. Para la opinión común, el problema parece relativamente nuevo y materia de una decisión voluntaria. Sin embargo, las inversiones extranjeras son tan antiguas como el comercio exterior; y el verdadero problema que plantean, lejos de estar sujeto a un acto de libre voluntad, ha sido siempre y sigue siendo resuelto por las realidades objetivas y las necesidades del desarrollo histórico: junto con la explotación y la acumulación de capital, las conquistas y el comercio exterior, la inversión extranjera ha sido durante siglos —y sigue siendo actualmente— parte integrante del desarrollo capitalista mundial; y toda ella ha sido resultado, no de la buena voluntad, sino de las necesidades y contradicciones del capitalismo, y de su desenvolvimiento histórico.

Para apreciar y comprender el problema de la inversión extranjera y su relación con el desarrollo y subdesarrollo económicos en Asia, África y América Latina, es, pues, necesario examinar cómo ha estado relacionado el capital extranjero con otros aspectos del desarrollo capitalista mundial en cada una de sus etapas históricas. Este ensayo analiza el papel de la inversión y el capital extranjeros en el desarrollo metropolitano colonial imperialista y neoimperialista y en el desarrollo simultáneo del subdesarrollo latinoamericano. El problema del capital extranjero, mejor iluminado por la historia, será

271

resuelto por una más adecuada intervención de los hombres en esa misma historia.

B. Del colonialismo al imperialismo

1. *Explotación y acumulación originaria en la colonia*

La propia conquista y colonización de América Latina fueron acciones de lo que hoy llamaríamos financiación o ayuda extranjera. Cristóbal Colón, el descubridor de América, declaró: "La mejor cosa en el mundo es el oro... Sirve hasta para enviar las almas al paraíso..." Cortés, el conquistador de México, agregó: "Nosotros, los españoles, tenemos una enfermedad del corazón para la cual el remedio indicado es el oro." Lós frailes franciscanos confirmaron: "Donde no hay plata no entra el evangelio." Es decir que los viajes de descubrimiento y la inversión española en América Latina, gran parte de ella con capital mercantil holandés e italiano, fueron parte de la expansión capitalista mercantil y de un esfuerzo para extraer recursos humanos y naturales del satélite colonial —en su mayoría trabajo y metales preciosos— y encauzarlos hacia el consumo y el desarrollo de la metrópoli. La afortunada combinación de plata, indígenas y organización social precolombina en las áreas altamente civilizadas de México y Perú, permitió una multiplicación inmediata de las limitadas inversiones en transporte de hombres y mercancías. Como en Europa se carecía del capital y trabajo necesarios para producir la acumulación de capital básico y el desarrollo que sabemos ocurrió, el capital inicial tenía que venir del trabajo y la financiación extranjera de los indios de América Latina y los negros de África, que costaron, primero, el exterminio del 89 % de la población (en México). luego la destrucción de varias civilizaciones y por último el subdesarrollo.

Los portugueses en Brasil y luego los holandeses, ingleses y franceses en el Caribe, no encontraron la feliz combinación de plata, trabajo y civilización, y tuvieron que crear una economía colonial con recursos extranjeros. Indirectamente, fue la bonanza previa de España la que hizo posible, si no necesaria, esta financiación, por la concentración del ingreso y el alza de los precios del azúcar y otros artículos en Europa. Los países metropolitanos organizaron economías agrícolas en estas tierras tropicales, poniendo a trabajar a los negros de

África en la producción de azúcar latinoamericano para las masas europeas.

Si España y Portugal no se beneficiaron con este estado de cosas en la medida que era de esperarse, se debió en gran parte a su propia satelización a través del capital holandés y británico, colonización sin las molestias del coloniaje, como la llamó en 1755 el primer ministro de Portugal, marqués de Pombal.

Un resultado importante de esta combinación de capital extranjero y comercio doblemente triangular de esclavos, azúcar, ron, cereales, maderas y artículos manufacturados, es analizado por el primer ministro de Trinidad y Tobago, Eric Williams, en su obra *Capitalismo y esclavitud*: "Lo que la construccón de barcos para el transporte de esclavos significó para Liverpool en el siglo XVII, lo significó para Manchester en el siglo XVIII las manufacturas de algodón para la compra de esclavos. El primer estímulo para el crecimiento de Algodonópolis vino de los mercados de África y las Indias Occidentales. El crecimiento de Manchester estuvo íntimamente ligado al de Liverpool, su salida al mar y al mercado mundial. El capital acumulado en Liverpool por el comercio de esclavos irrigó el interior para fertilizar las energías de Manchester; las mercancías de Manchester para África eran llevadas a la costa en los barcos de Liverpool. El mercado exterior del Lancashire fueron principalmente las plantaciones de las Indias Occidentales y África... Fue esta tremenda dependencia del comercio la que hizo a Manchester" (Williams, 68).

En verdad, sin contar con las corrientes menores de capital, difíciles de precisar durante los tres siglos anteriores, el comercio y el capital extranjeros generaron hacia la metópoli una corriente de ingresos —desde América Latina, África y Asia—, de 1.000 millones de libras esterlinas aproximadamente (de las cuales alrededor de la mitad procedía de la primera), superior al valor total de las industrias movidas a vapor en toda Europa en 1800 y en una mitad a las inversiones de Gran Bretaña en su industria metalúrgica hasta 1790. Entre 1760 y 1780 solamente, el ingreso británico procedente de las Indias Occidentales y Orientales excedió en más del doble los fondos de inversión disponibles para su creciente industria (Mandel II, 562-564).

Está claro, pues, que desde el principio el verdadero flujo de capital extranjero ha sido de América Latina hacia las metrópolis. Esto significa que América Latina ha tenido recursos o capital de inversión propio, pero que gran parte de él ha sido llevado al exterior e invertido allí, y no en América Latina. Esta transferencia de capital al exterior, y no su supuesta inexistencia en América Latina, ha sido evidentemente la causa principal de las necesidades latinoamericanas de más capital para inversión, tal como el aportado por extranjeros.

Pero el desarrollo de esta relación colonial entre las metrópolis y América Latina tuvo también consecuencias estructurales internas en el seno de esta última, que en lo esencial persisten en la actualidad: "Si se pretende determinar cuáles fueron las actividades económicas dinámicas en la economía colonial, deben recordarse las características de la economía de la época y se concluye que fueron aquéllas estrechamente ligadas al comercio exterior. La minería, los cultivos tropicales, la pesca, la caza y la explotación forestal, dedicadas fundamentalmente a la exportación fueron las actividades expansivas que atrajeron capital y mano de obra... Los grupos de propietarios y comerciantes vinculados a las actividades exportadoras eran, lógicamente, los de más altos ingresos, juntamente con los altos funcionarios de la corona y del clero (que muchas veces consiguieron sus puestos por la compra de los mismos). Estos sectores constituían la demanda dentro de la economía colonial y eran los únicos sectores en condiciones de acumular. Forzando el concepto, constituían al mismo tiempo el mercado interno colonial y la fuente de acumulación de capital... Cuanto más se concentraba la riqueza en un pequeño grupo de propietarios, comerciantes e influyentes políticos, mayor fue la propensión de adquirir los bienes manufacturados de consumo y durables (consistentes en buena poporción de bienes suntuarios de difícil o imposble producción interna) en el exterior, y menor fue la proporción del ingreso total de la comunidad gastado internamente... El sector exportador no permitía, pues, la transformación del sistema en su conjunto... Poca duda cabe que tanto la estructura del sector exportador como la concentración de la riqueza constituyeron obstáculos básicos para la diversificación de la estructura productiva interna, la elevación consecuente de los niveles técnicos y culturales de la población y el surgimiento de grupos sociales vinculados a la evolución del mercado interno y a la búsqueda de líneas de exportación no controladas por la potencia metropolitana. Este chato horizonte del desarrollo económico y social, explica buena parte de la experiencia del mundo colonial americano y, notoriamente, de las posesiones hispanoportuguesas" (Ferrer, 1963: 31-32). La segunda causa de la inadecuada inversión doméstica fue, pues, la estructura interna de subdesarrollo económico, político y social, provocada y mantenida por los intereses extranjeros: la estructura de subdesarrollo encauzó la mayor parte del capital restante potencialmente invertible a la minería, la agricultura, el transporte y empresas comerciales de exportación a la metrópoli, casi la totalidad del sobrante a importaciones de lujo de las metrópolis, y sólo muy poco a las manufacturas y el consumo relacionados con el *mercado interno*. Debido al comercio y el capital extranjeros, los intereses económicos y políticos de la burguesía minera, agrícola y comercial —o las tres patas de la mesa económica, como llamó Claudio Véliz a sus descendientes del siglo XIX— no contaron con desarrollo económico interno. (Para análisis más detallados, véase Frank, 1966c).

Hasta el imperialismo, la sola excepción a este esquema había sido el debilitamiento de los lazos del comercio y el capital extranjeros durante las guerras o depresiones metropolitanas, como la del siglo XVII, y la ausencia inicial de tales lazos entre la metrópoli y regiones aisladas de exportación no orientada hacia ultramar, que permitió una temporal o incipiente acumulación autónoma de capital y el desarrollo industrial para el mercado interno, tales como los de São Paulo en Brasil, Tucumán y otros en Argentina, Asunción en Paraguay, Querétaro y Puebla en México en el siglo XVIII y otros (Frank, 1966a).

En la era colonial del desarrollo capitalista, pues, el capital extranjero fue ante todo un estímulo auxiliar del saqueo de recursos, la explotación del trabajo y el comercio colonial, que iniciaban el desarrollo de la metrópoli europea y simultáneamente el subdesarrollo de los satélites latinoamericanos.

2. Industrialización, libre comercio y subdesarrollo

La primacía económica y política de Gran Bretaña y la independencia política de América Latina a raíz de las guerras napoleónicas, dejaron a tres grandes grupos de intereses la decisión del futuro de América Latina en su lucha tripartita: a) los intereses agrícolas, mineros y comerciales de América Latina, que aspiraban a mantener el subdesarrollo conservando la vieja estructura de exportación —y sólo deseaban sustituir a sus rivales ibéricos en sus privilegiadas posiciones—; b) los industriales y otros grupos de intereses de las regiones arriba mencionadas y otras del interior, que intentaban defender sus nacientes y aún débiles economías de desarrollo contra el comercio libre y el financiamiento externo, que amenazaban aniquilarlos; y c) la victoriosa Inglaterra, en expansión industrial, cuyo ministro de Relaciones Exteriores lord Canning anunció en 1824: "Hispanoamérica es libre; y si no manejamos mal nuestros asuntos, ella es inglesa". Las líneas de batalla estaban tendidas con la tradicional burguesía latinoamericana en natural alianza con la burguesía industrial-mercantil de la metrópoli, contra los débiles industriales nacionalistas de América Latina. El resultado estaba prácticamente predeterminado por el anterior proceso histórico del desarrollo capitalista, que de esta manera había dispuesto las cartas.

En 1824, siguiendo las pautas señaladas por Canning, Inglaterra comenzó —sobre todo por intermedio de Baring Brothers— a conceder empréstitos masivos a varios gobiernos latinoamericanos que habían iniciado la vida con deudas contraídas en las guerras de independencia e incluso con las heredadas de sus predecesores colonialistas. Los préstamos, por supuesto, fueron concedidos para abrir el camino al comercio con Inglaterra; y en algunos casos se les acompañó de inversiones en minería y otras actividades. Pero la hora no había llegado aún.

Analizando este episodio, Rosa Luxemburgo se pregunta con Tugan-Baranovski, a quien cita: "¿Pero de dónde obtuvieron los países suramericanos los medios para duplicar en 1825 las compras de 1821? Los ingleses mismos les suministraron estos medios. Los empréstitos emitidos en la bolsa de Londres servían de pago por las mercancías importadas". Y comenta, citando a Sismondi: "Mientras duró este singular comercio, en el que los ingleses sólo exigían a los latinoamericanos ser tan amables para comprar mercancías inglesas con capital inglés, y consumirlas en su nombre, la prosperidad de la industria inglesa parecía deslumbrante. No había ingresos, sino que el capital inglés se empleaba para impulsar el consumo: los ingleses mismos compraban y pagaban por sus propias mercancías, las que enviaban a América Latina, privándose solamente del placer de consumirlas." (Luxemburgo, 422-424). En estas condiciones el comercio exterior no era en verdad suficientemente provechoso para la metrópoli y los empréstitos británicos a América Latina se agotaron alrededor de 1830 y no reaparecieron durante un cuarto de siglo. Pues el comercio exterior únicamente no ha sido nunca el principal interés de las metrópolis, y menos aún con países —como muchos de los latinoamericanos de entonces— cuya capacidad de exportación de materias primas había sido seriamente disminuida por el deterioro de las minas y el estímulo a los cultivos de subsistencia ocasionados por la guerra, y en los cuales los intereses nacionalistas e industriales habían comenzado a imponer tarifas proteccionistas tras las que (como en México) empezaban a levantarse fábricas textiles tan completas y modernas como las de la misma Inglaterra de entonces. (Y para la sola inversión en el exterior, tal como la de hoy, el capitalismo metropolitano no se había desarrollado aún lo suficiente). Esta situación había de remediarse en América Latina antes de que el comercio y el capital foráneos pudiesen jugar un papel más importante en el desarrollo capitalista. En las dos décadas siguientes, el comercio y el capital contribuyeron a los cambios que necesitaban en América Latina, pero sólo en combinación con la diplomacia metropolitana y los bloqueos navales, tanto como con las guerras internacionales y civiles.

En el período que va de mediados de la década de los años 20, hasta mediados de los años 40 ó 50, los intereses nacionalistas del interior eran todavía capaces de obligar a sus gobiernos a implantar tarifas proteccionistas en muchos países. Industria, marina de bandera nacional, y otras actividades generadoras de desarrollo evidenciaban señales de vida. Al mismo tiempo, los propios latinoamericanos rehabilitaban las minas abandonadas y abrían otras nuevas, y comenzaron a incrementar sus sectores de exportación agrícola y de otras materias primas. Para favorecer e impulsar el desarrollo económico interno, al igual que para responder a la creciente demanda externa de materia primas, los liberales lucharon por diversas reformas, principalmente la agraria, e impulsaron también la inmigración, que incrementaría la fuerza doméstica de trabajo y expandiría el mercado interno.

Las burguesías latinoamericanas, orientadas comercialmente hacia la metrópoli, y sus aliados nacionales de la minería y la agricultura, se opusieron a este desarrollo capitalista autónomo, ya que las tarifas proteccionistas interferían sus intereses comerciales; y lucharon contra los industriales nacionalistas y los derrotaron en las guerras civiles de los años 30 y 40 entre federalistas y centralistas. Las potencias metropolitanas ayudaron a sus socios menores de América Latina con armas, bloqueos navales, intervención militar directa e instigación de nuevas guerras dondequiera que fue necesario, como la de la Triple Alianza contra Paraguay, que perdió el 86 % de su población masculina en defensa de su ferrocarril financiado nacionalmente y de su esfuerzo de desarrollo autónomo genuinamente independiente.

El comercio y la espada estaban preparando a América Latina para el libre comercio con la metrópoli, y para que así fuese había que eliminar la competencia del desarrollo industrial latinoamericano; y, con la victoria de los grupos de intereses económicos orientados hacia el exterior sobre los grupos nacionalistas, la economía y los estados latinoamericanos tenían que subordinarse aún más a la metrópoli. Sólo entonces se llegaría al libre comercio y regresaría el capital extranjero a sus dominios. Un nacionalista argentino de la época señalaba: "Después de 1810... la balanza comercial del país ha sido permanentemente desfavorable, en tanto que los comerciantes del país han sufrido pérdidas irreparables. Tanto el comercio de exportación como el de importación y la venta al detalle han pasado a manos extranjeras. La conclusión no puede ser otra, pues, sino que la apertura del país a los extranjeros ha demostrado ser perjudicial a la balanza. Los extranjeros desplazaron a los nacionales no sólo del comercio, sino también de la industria y la agricultura". Y otro añadía: "No es posible que Buenos Aires haya sacrificado sangre y riqueza con el solo propósito de convertirse en consumidor de los productos y manufacturas de los países extranjeros, pues tal situación es degradante y no corresponde a las grandes potencialidades que la naturaleza ha otorgado al país... Es erróneo suponer que la importación y la venta al detalle han pasado a mano extranjeras. Colocada bajo un régimen de libre comercio por espacio de veinte años, [la economía] está ahora controlada por un puñado de extranjeros. Si la protección desaloja a los comerciantes extranjeros de sus posiciones de preminencia económica, el país tendrá ocasión de felicitarse por haber dado el primer paso hacia la reconquista de su independencia económica... La nación no puede seguir sin restringir el comercio exterior, ya que sólo la restricción hace posible la expansión industrial; no debe soportar por más tiempo el peso de los monopolios extranjeros, que estrangula toda tentativa de industrialización". (Citado en Burgin, 234). Pero lo soportó.

Según el correcto análisis de Burgin en su estudio sobre el federalismo argentino, "el desarrollo económico de Argentina posrevolucionaria se caracterizó por un desplazamiento del centro de gravedad económico del interior hacia la costa, provocado por la rápida expansión de la última y el simultáneo retroceso del primero. El carácter desigual del desarrollo económico condujo a lo que fue en cierta medida una desigualdad que se perpetuaba a sí misma. El país resultó dividido en provincias pobres y ricas. Las del interior tenían que despojarse de grandes proporciones del ingreso nacional en favor de Buenos Aires y otras provincias del este". (Burgin, 31). En Brasil, Chile, México, en toda América Latina, los industriales, patriotas, y economistas de visión denunciaron este mismo proceso inevitable del desarrollo capitalista. Pero en vano: el desarrollo capitalista mundial, y la espada, habían puesto el libre comercio a la orden del día. Y con él llegó el capital extranjero.

El libre comercio, como lo advirtió Friedrich List, se convirtió en el principal producto de exportación de Gran Bretaña. No fue por casualidad que el liberalismo manchesteriano nació en Algodonópolis. Pero fue abrazado con entusiasmo, como lo ha señalado Claudio Véliz, por las tres patas de la mesa económica y política de América Latina, que habían sobrevivido a los tiempos coloniales, derrotado a sus rivales domésticos representantes del desarrollo nacionalista y capturado el estado en sus países y, ahora, se colocaban de aliados y sirvientes de los intereses extranjeros —a través del libre comercio exterior— para asegurar el cerrado monopolio nacional para ellos y sus socios extranjeros.

El libre comercio entre los fuertes monopolios y los débiles países latinoamericanos produjo inmediatamente una balanza de pago deficitaria para los últimos. Para financiar el déficit, por supuesto, la metrópoli ofreció, y los gobierno satélites aceptaron, capital extranjero; y en los años 50 del siglo XIX los empréstitos extranjeros comenzaron de nuevo a hacer sentir su presencia en América Latina. No eliminaban los déficits, por supuesto; sólo financiaban y necesariamente incrementaban los déficits y el subdesarrollo latinoamericano. No era raro dedicar el 50 % de las ganancias de la exportación al servicio de esta deuda y al fomento del continuado desarrollo económico de la metrópoli. Entre tanto, el déficit de la balanza y su financiación redundaron en sucesivas devaluaciones del patrón oro o del papel moneda, y en inflación. Esto trajo consigo un aumento del flujo del capital de América Latina a la metrópoli, ya que la primera tenía así que pagar más por las manufacturas de la segunda, y ésta menos por las materias primas de la primera. En América Latina, las devaluaciones y la inflación beneficiaron a los comerciantes y propietarios nativos y extranjeros, en tanto que expoliaban a aquellos cuyo trabajo producía riqueza, robándoles no sólo su ingreso real sino también sus pequeñas tierras y otras propiedades.

El desarrollo del capitalismo industrial y el libre comercio implicaron, más que la apertura de América Latina al comercio, la adaptación de toda su estructura económica, política y social a las nuevas necesidades de la metrópoli. El capital extranjero compensatorio fue necesariamente uno de los instrumentos metropolitanos para la generación de este desarrollo del subdesarrollo latinoamericano.

3. Expansión imperialista y subdesarrollo latinoamericano

El período anterior preparó la irrupción del imperialismo y sus nuevas formas de manejo del capital, tanto en la metrópoli como en América Latina, donde el libre comercio y las reformas liberales habían concentrado la tierra en pocas manos, creando así una mayor fuerza ociosa de trabajo agrícola y fomentando gobiernos dependientes de la metrópoli, que abrían ahora las puertas no sólo al comercio sino a las nuevas formas de inversión del capital imperialista, que rápidamente tomaba ventaja de estos desarrollos.

La demanda metropolitana de materias primas y su lucrativa producción y exportación para América Latina, atrajeron el capital privado y público de esta última hacia la expansión de la infraestructura necesaria para esta producción. En Brasil, Argentina, Paraguay, Chile, Guatemala y México (hasta lo que sabe el autor, pero probablemente, también en otros países), el capital doméstico o nacional construyó el primer ferrocarril. En Chile, dio acceso a las minas de nitrato y cobre, que iban a convertirse en las principales abastecedoras de fertilizantes y metal rojo del mundo; en Brasil, a los cafetales cuyo grano abasteció casi todo el consumo global, y así en todas partes. Sólo después que demostraron ser negocios brillantes —como una y otra vez ha acontecido en la historia de América Latina— y después de que Inglaterra tenía que encontrar salida para su acero, entró el capital extranjero a estos sectores a hacerse cargo de la propiedad y administración de estas empresas inicialmente latinoamericanas, mediante la compra —a menudo con capital latinoamericano— de las concesiones de los nativos.

Un argentino, por ejemplo, pregunta: "¿Cómo se financió el desarrollo después de Caseros? ¿Con los recursos nacionales, o con el capital extranjero, según lo preconizaban todos los organizadores? ... Pues, en efecto, el desarrollo posterior a Caseros se hizo entre nosotros con recursos nacionales y no con capital extranjero... entre 1852 y 1890 Argentina se procuró la mayoría de los elementos del progreso moderno, por sí sola: los restantes ferrocarriles que habían de integrar la red nacional (el nordeste de Entre Ríos, el central-norte de Córdoba a Tucumán, el Andino, etc.), el alumbrado a gas, los tranvías de tracción a sangre, en la capital y el interior, el puerto de Buenos Aires... Inicióse en 1877 un movimiento de traspaso de empresas nacionales a compañías extranjeras. Caso primero y típico, o modelo de operaciones posteriores, fue la venta de la Compañía de Consumidores de Gas de Buenos Aires... [que fue] vendida a The Buenos Aires Gas Company Limited, junto con el convenio que aquélla tenía con la municipalidad de la capital argentina, sin desembolsar un centavo. El pago se efectuó de este modo: la sociedad inglesa mandó imprimir acciones con títulos en inglés, por un valor igual al capital de la compañía de consumidores, más un paquete de acciones por cinco mil libras, para giro del negocio (porque hasta de eso carecía) y que emitió cuando tomó posesión de la fábrica que compraba tan cómodamente... El único capital británico invertido en The Buenos Aires Gas Company Limited era el papel y la impresión de los títulos que se entregaron a los accionistas de la compañía porteña traspasada, más bien que vendida, a la entidad radicada en Londres. Entre el último cuarto del siglo XIX y el primero del XX Argentina traspasó en forma similar el Ferrocarril Oeste (cuya historia narrada por Scalabrini Ortiz ha quedado clásica), el de Entre Ríos, el Andino, a empresas británicas que en la mayoría de los casos no invirtieron sino el dinero necesario para promover el negocio, *for promotion*". (Irazusta, 71-74. Para una inversión extranjera semejante pero posterior, véase Frank, 1964).

En Chile, John N. North, trabajador británico carente de toda fortuna, llegó a ser el legendario "Rey del Nitrato" por la compra que hizo de los bonos de las minas y el ferrocarril —depreciados por la guerra del Pacífico— por el 10 % de su valor nominal, que pagó con 6 millones de dólares que le prestó el Banco Chileno de Valparaíso. Su verdadera inversión vino más tarde, cuando ya había hecho millones: 100.000 libras en la guerra civil que con la asistencia de la Marina Real de Su Majestad derrocó al presidente Balmaceda, cuyo programa de gobierno incluía la nacionalización de las minas de nitrato y el empleo de sus beneficios en el desarrollo industrial y agrícola de Chile, en vez del de Gran Bretaña. (Frank, 1966).

Cálculos sobre "rendimientos del imperialismo", tales como el de J. Fred Rippy en su obra *Inversiones británicas en América Latina, 1822-1949*, tienen en cuenta valores aparentes como "inversiones", y los provechos registrados como "ganancias" probablemente deducen los pagos y gastos de orden político a título de necesarios "costos" de producción, en la exposición de la tesis de que el imperialismo realmente "no paga", que Strachey y otros tratan de demostrar.

No obstante, prosiguieron los empréstitos a América Latina. Pero las condiciones impuestas a los bonos comprados en Londres, París, Berlín y Nueva York eran tales, que las sumas de su pago representaban varias veces el valor del capital. Pero muchos de estos bonos no se pagaron, o su pago fue demorado y parcial. ¿Por qué, entonces era ofrecido y aceptado este capital, y quién lo pagaba? J. Fred Rippy da parte de la respuesta: "Después de deducidos todos los honorarios, comisiones, descuentos y costos de impresión, y retenidos los intereses de los primeros 18 meses, los latinoamericanos se encontraban próximos al remate de la operación, con dinero en mano equivalente al 60 %, más o menos de la deuda contraída. Por una suma neta de 12 millones de libras esterlinas, se habían obligado por más de 21 millones... Cuatro grupos son los beneficiarios más probables de tales inversiones: a) los banqueros y especuladores vendedores de bonos; b) los funcionarios y agentes de los países deudores; c) las compañías de navegación; d) los industriales, directivos y otros técnicos de los países inversionistas... Probablemente el beneficio fue el de los banqueros, corredores y exportadores ingleses, y los burócratas concesionarios de América Latina". (Rippy, 11- 22, 32, 173).

Los gobiernos latinoamericanos, además, traspasaron a manos extranjeras empresas y capitales nacionales. Si los gobiernos existentes no se mostraban inclinados a hacerlo, o estaban políticamente incapacitados, pronto un golpe militar con ayuda de la metrópoli instalaba un gobierno militar, que sólo requería tres o cuatro años de existencia para dispensar a los monopolios extranjeros concesiones por 99 años, suficientes para que pudiesen operar también durante los gobiernos democráticos, tradición que las dictaduras militares de nuestros tiempo han modernizado bajo la dirección del "tío Sam". Por todas partes, "el estado fue reducido a su verdadero papel de maquinaria política para la explotación de la economía campesina en favor de propósitos capitalistas, función real de todos los estados orientales [y latinoamericanos] en la etapa del imperialismo capitalista". (Luxemburgo, 445).

En una palabra, este capital extranjero fue y es aún en gran medida un instrumento que permite a las burguesías metropolitana y satélite enriquecerse y prosperar por la combinación de los ahorros, hoy los impuestos, del pueblo de la metrópoli con el trabajo del pueblo de los satélites. Esto explica la profusa propaganda burguesa alrededor de este capital.

La periodicidad del capital fue —y es— otra pieza en el rompecabeza del desarrollo capitalista en su conjunto. Rippy (11) señala que "el flujo de capital fue muy irregular. La mayor parte del capital británico se trasladó a América Latina en la década de 1880 y en la que siguió a 1902". Esto es, se suspendió en la década de depresión que siguió a la crisis mundial de 1893. Al igual que en la época del libre cambio, y luego en el siglo xx, el flujo de capital de la metrópoli hacia América Latina lógicamente aumentaba en los momentos de prosperidad, para decrecer durante las depresiones, muy al contrario de la teoría según la cual el capital internacional tendría una función equilibrante al escapar de la metrópoli cuando los beneficios son bajos. El capital imperialista fue y es desequilibrante, y contribuye por tanto a agudizar el desequilibrio interno del sistema capitalista. Por cierto que la teoría también sostiene que la función equilibrante automática de los mercados hace que el capital fluya de las balanzas comerciales favorables a los países deficitarios, y de los ricos a los pobres. El hecho es que operan en sentido contrario y sirven para incrementar el déficit y la pobreza de los satélites de América Latina, en tanto que aumentan el excedente y la riqueza de la metrópoli de Europa y América del Norte.

El significado y "rentabilidad" del capital imperialista no radica en las ganancias netas de las inversión, sino en su papel en el desarrollo y subdesarrollo capitalistas. Encauzó un enorme flujo de capital neto de los países pobres y subdesarrollados de América Latina hacia los ricos y avanzados de la metrópoli, incluso en tiempos del imperialismo "exportador de capital" de que habla Lenin. Cairncross (180) calcula las exportaciones de capital de Inglaterra en 2.400 millones de libras esterlinas y el ingreso proveniente de su inversión en 4.100 millones entre 1870 y 1913. América Latina suministró a la metrópoli materias primas para la industria y alimentos baratos para sus obreros en condiciones aún más favorables —que les ayudaron a rebajar los salarios y sostener las utilidades y les abrieron mercados extranjeros para sus bienes de capital y de consumo—, contribuyendo así a mantener sus precios de monopolios y elevadas utilidades, en tanto que se ejercía mayor presión sobre los salarios reales.

En América Latina, este mismo comercio y capital imperialista hizo más que incrementar el valor de producción, comercio y beneficios por la acumulación de cerca de 10.000 millones de dólares de Estados Unidos de inversiones en esa zona. La metrópoli imperialista utilizó su comercio y su capital para penetrar en la economía de América Latina y utilizar su potencial productivo mucho más completa, eficiente y exhaustivamente en favor del desarrollo de la misma metrópoli, que de lo que fueron capaces las metrópolis colonialistas. Como anotaba Rosa Luxemburgo sobre un proceso similar, "despojadas de todos sus eslabones oscurecedores, estas relaciones consisten en el hecho simple de que el capital europeo ha absorbido totalmente la economía agrícola egipcia. Enormes extensiones de tierra, trabajo y producción sin número, afluyendo como tributos al estado, han sido convertido por último en capital europeo, y acumulados". (Luxemburgo, 438).

En realidad, en América Latina el imperialismo fue más lejos. No sólo se sirvió del estado para invadir la agricultura, sino que tomó posesión de casi todas las instituciones económicas y políticas para incorporar la economía entera al sistema imperialista: los latifundios crecieron a un ritmo y en proporciones desconocidos en la historia, especialmente en Argentina, Brasil, Uruguay, Cuba, México y América Central. Con la ayuda de los gobiernos latinoamericanos, los extranjeros se adueñaron —casi por nada— de inmensas extensiones de tierra. Y donde no se apropiaron de la tierra, fueron dueños de sus productos, porque la metrópoli también tomó el control y monopolizó el intercambio de los productos agrícolas y de la mayoría de los demás. Tomó posesión de las minas latinoamericanas y aumentó su rendimiento, agotando a veces recursos económicos en pocos años, como los nitratos de Chile. Para exportar esas materias primas de América Latina e importar sus equipos y mercancías, la metrópoli estimuló la construcción de puertos, ferrocarriles y otros servicios con recursos públicos. Las redes ferroviaria y eléctrica, lejos de ser verdaderas redes, irradiaban y conectaban el interior de cada país, y a veces de varios países, con el puerto de entrada y salida, que a su vez estaba conectado con la metrópoli. Hoy, 80 años después, permanece aún mucho de este esquema exportación-importación, en parte porque el ferrocarril todavía está orientado en esa forma, pero principalmente porque el desarrollo urbano, económico y político orientado hacia la metrópoli —que el imperialismo del siglo XIX generó en América Latina—, dio origen a intereses creados que, con el apoyo de la metrópoli, mantuvieron y expandieron este desarrollo del subdesarrollo latinoamericano durante el siglo XX.

Implantada en la era colonial y ahondada en la del librecambio, la estructura de subdesarrollo se consolidó en América Latina con el comercio y el capital imperialista del siglo XIX. Se convirtió en una economía monoexportadora primaria con sus latifundios y su proletariado rural expropiado y aun con un lumpen-proletariado explotado por una burguesía satelizada actuando a través del estado corrompido de un antipaís: "México bárbaro" (Turner); las "repúblicas bananeras" de América Central, que no son sino "países compañía"; "la inexorable evolución del latifundio: superproducción, dependencia económica y crecimiento de la pobreza en Cuba" (Guerra y Sánchez);

"Argentina británica", y "Chile patológico", del que el historiador Francisco Encina escribió en 1912, bajo el título *Nuestra inferioridad económica: causas y consecuencias*: "Nuestro desarrollo económico de los últimos años presenta síntesis que evidencian una situación realmente patológica. Hasta mediados del siglo XIX, el comercio exterior de Chile estaba casi exclusivamente en manos de los chilenos. En menos de 50 años, el comercio exterior ha asfixiado nuestra incipiente iniciativa comercial; y en nuestro propio suelo nos eliminó del comercio internacional y nos desalojó, en gran parte, del comercio al detalle... La marina mercante... ha caído en triste dificultades y sigue cediendo campo a la navegación extranjera aun en el comercio de cabotaje. La mayoría de las compañías de seguros que operan entre nosotros tienen su casa matriz en el exterior. Los bancos nacionales han cedido y siguen cediendo terreno a las sucursales de los bancos extranjeros. Una porción cada vez mayor de bonos de las instituciones de ahorro está pasando a manos de extranjeros que viven en el exterior".

Con el desarrollo del imperialismo del siglo XIX, el capital extranjero vino a jugar un papel casi equivalente al del comercio exterior en la tarea de uncir a América Latina al desarrollo capitalista y de transformar su economía, sociedad y formas de gobierno hasta que la estructura de su subdesarrollo estuvo firmemente consolidada.

C. El neoimperialismo y más allá

Con la primera guerra mundial, el sistema capitalista mundial inició una nueva etapa de su desarrollo. No consistió tanto en el desplazamiento del centro metropolitano de Europa a Estados Unidos, como en la transformación conjunta de lo que había sido un capitalismo industrial —y luego financiero— en un capitalismo de monopolio. Iniciándose típicamente en Estados Unidos, pero apareciendo poco después en Europa y también en el Japón, la simple firma industrial o casa financiera de antaño fue reemplazada por la corporación monopolista gigante, de base nacional pero dispuesta en realidad para el dominio del mundo, que es una multindustria, productora colosal en serie de artículos estandarizados de nueva tecnología, que lleva adelante sus propias operaciones financieras, es su propio agente mundial de compras y ventas, y a menudo gobierno de facto en muchos países satélites y cada vez más en muchos países metropolitanos también. Para responder a las nuevas necesidades del estado y la corporación monopolista de la metrópoli, el desarrollo neoimperialista del siglo XX ha creado nuevos instrumentos de inversión y penetración del capital y los ha convertido en mayor medida que el mismo comercio exterior, en la principal relación internacional con que se afianza en la metrópoli el desarrollo capitalista en su etapa de monopolio, a costa del desarrollo de un subdesarrollo aún más profundo en América Latina.

1. Crisis en la metrópoli y desarrollo latinoamericano

La primera guerra mundial dio a las economías satélites de América una tregua respecto al capital y al comercio exterior, así como a otros lazos con la metrópoli. Como había ocurrido en otras oportunidades, los latinoamericanos impulsaron su propio desarrollo industrial, principalmente por el mercado interno de bienes de consumo. No bien terminó la guerra, cuando la industria metropolitana, ahora principalmente norteamericana, penetró precisamente en aquellas regiones y sectores, como los manufactureros de bienes de consumo en Buenos Aires y São Paulo, que los latinoamericanos acababan de industrializar con brillantes perspectivas. Después, apoyados en su poder financiero, tecnológico y político, las gigantescas corporaciones norteamericanas y británicas desplazaron y aun reemplazaron —esto es, desnacionalizaron— la industria latinoamericana. Las crisis de la balanza comercial que naturalmente siguieron, fueron remediadas con empréstitos externos, que cubrían los déficits, pero también servían para obtener del gobierno concesiones que intensificaban la penetración de la metrópoli en las economías de América Latina.

La crisis de 1929, en contra de la teoría del comercio internacional, pero de acuerdo con los precedentes históricos, redujo fuertemente el capital extranjero, así como el comercio, y por consiguiente la transferencia de recursos de inversión desde los satélites hacia la metrópoli. Este debilitamiento de los lazos económicos con América Latina y la reducción de la intromisión metropolitana en esa región se inició con la depresión de 1930, se mantuvo con la recesión de 1937, y siguió con la segunda guerra mundial y la consiguiente reconstrucción hasta principios de la década de 1950. Creó condiciones económicas y permitió cambios políticos en América Latina que redundaron en el principio de su más fuerte política nacionalista y su más grande industrialización independiente desde las décadas de 1830 y 1840, y posiblemente de cualquier tiempo. En Brasil la revolución de 1930 dio a los intereses industriales una cuota de poder político, llevó a la presidencia al cada vez más nacionalista Getulio Vargas y permitió la industrialización de São Paulo. En México, la primera guerra mundial había estimulado el renacimiento y continuación de la revolución mexicana antimperialista de 1910; la depresión ocasionó y favoreció la consolidación de la revolución bajo la presidencia del nacionalista general Cárdenas, que expropió todo el petróleo en manos de extranjeros, distribuyó las tierras y sentó las bases para la industrialización de la década de 1940. En toda América Latina, la crisis en la metrópoli fue la época de los entonces progresistas movimientos nacionalistas de Haya de la Torre en Perú; Aguirre Cerda en Chile; Rómulo Gallegos y Rómulo Betancourt en Venezuela; y Perón en Argentina. Ahora, la industrialización no se limitó a la producción de bienes de consumo para el mercado de altos ingresos, sino que incluyó la provisión --con capital *nacional* público y privado, y no extranjero— de bienes de capital para la industria pesada, tales como acero, productos químicos, fuerza eléctrica y maquinaria.

2. *Expansión de la metrópoli y subdesarrollo de América Latina*

Con el fin de la guerra de Corea, también terminó esta luna de miel en América Latina. La expansión metropolitana neoimperialista —ahora a través del capital y el comercio de la corporación monopolista internacional— entró de nuevo en pleno empuje, reincorporó totalmente a América Latina al proceso del desarrollo capitalista mundial, y renovó su proceso de subdesarrollo. Las tradicionales relaciones comerciales metrópoli-satélite de intercambio de mercancías manufacturadas por materias primas en condiciones cada vez más desfavorables para América Latina, las crisis y déficits de las balanzas de pago de los satélites, y los incesantes empréstitos compensatorios de emergencia por parte de la metrópoli, recobraron su vieja importancia. Pero ahora estaban reunidos y agravados, y el subdesarrollo estructural de la América Latina ahondado, por el anhelo neoimperialista de los gigantescos monopolios de apoderarse de las industrias manufactureras y de servicios de América Latina e incorporarlas al imperio privado del monopolio. Entretanto, las grandes masas latinoamericanas emprobrecían cada día más.

Los principios esenciales de las inversiones del monopolio metropolitano fueron ya analizados con agudeza y perspicacia hacia fines de los años 20, por J. F. Normano en su obra *La lucha por América del Sur*: "Comparemos la estructura del comercio y las inversiones extranjeras en América del Sur. Las exportaciones de Estados Unidos comprenden principalmente unos pocos artículos de la moderna producción en masa. Automóviles, radios, fonógrafos, máquinas, son unos pocos productos de las industrias en gran escala organizadas recientemente... ¿Quién produce estos artículos? Principalmente los mismos «treinta grandes»... Las importaciones de Estados Unidos desde América del Sur comprenden esencialmente productos de la tierra, minerales, materias primas como petróleo, estaño, café. ¿Quién los produce en América del Sur? En su mayor parte, las organizaciones afiliadas de los mismos «treinta grandes» de Estados Unidos. Sus inversiones radican virtualmente en factorías para el negocio de exportación. Gran parte del comercio exterior de Estados Unidos con América del Sur está dominado por las mismas firmas que invierten regularmente en las industrias locales. Estas empresas monstruosas parecen ser las primeras no sólo en inversiones sino también en comercio exterior... Todo el intercambio económico con América del Sur parece ser en lo esencial un resultado de la incesante expansión de los gigantes de la industria... Las empresas de los «treinta grandes» operan en todo el mundo, pero tienen sus domicilios oficiales en Estados Unidos. Son ellas las que manejan las inversiones, y a través de éstas la exportación de materiales de producción tales como máquinas o instalaciones de varias clases. Son ellas las que supervisan la producción misma, y por ella la distribución de los artículos manufacturados... Tal expansión mundial es típica de la moderna etapa del capitalismo, porque las fronteras nacionales son demasiado estrechas para empresas mundiales". (Normano, 64-66, 61). Hacia 1950, 300 corporaciones norteamericanas aportaban más del 90 % de las inversiones directas de Estados Unidos en América Latina, y desde entonces "el grado de concentración se ha consolidado aún más". (Naciones Unidas 1964a: 233).

En la década de 1950, la corporación de monopolio internacional fue más allá de la simple instalación de la industria extranjera en el recinto de la barrera tarifaria protectora de América Latina, que garantiza altos precios y beneficios. En primer término, el taller de montaje y la organización comercial extranjeras organizan una especie de sistema subsidiario, en el que los medianos y pequeños industriales latinoamericanos producen partes para la ensambladora local por cuenta del monopolio de la metrópoli, que prescribe su proceso industrial, determina su producción, es el único comprador de la misma, reduce su propio desembolso de capital apoyándose en la inversión y crédito de sus contratistas y subcontratistas latinoamericanos, y traslada los costos de las superproducciones cíclicas sobre estos fabricantes, en tanto que reserva para sí mismo la parte del león en los beneficios de este arreglo, para la reinversión y expansión en América Latina, para remitirla a la metrópoli y a otros lugares de sus operaciones mundiales.

En los últimos años, los monopolios metropolitanos han avanzado un paso más en este proceso de integración metrópoli-satélite, asociándose con grupos industriales y/o financieros y aun con instituciones oficiales en las llamadas empresas mixtas. En América Latina este proceso es a menudo defendido como protector de los intereses nacionales y aun estimulado como inductor del proceso económico por quienes proponen —generalmente los socios de la "gran burguesía" latinoamericana que con él se benefician, o sus representantes— la participación de México o Brasil en la financiación y control de estas empresas o la "chilenización" (en lugar de nacionalización) del cobre mediante un 25, un 49, o en 51 % de participación del gobierno en las minas norteamericanas de ese metal.[1] En Estados Unidos, este proceso acaba de ser consagrado en una *Carta al pueblo norteamericano* del Comité Coordinador Republicano, encabezado por un ex embajador en México, en la que se recomienda esta especie de "asociación" como la mejor Alianza para el Progreso, de "oportunidades verdaderamente iguales", así como las dictaduras militares que "pueden garantizar la estabilidad necesaria para conjurar el peligro comunista en períodos de transición política y económica".

En esta nueva asociación con el capital y los gobiernos de América Latina los monopolios metropolitanos toman con gusto inicialmente una pequeña participación, que requiere menos capital propio. En

[1] La revista *Visión* (89) afiliada a las norteamericanas *Time* y *Life* hace notar:
"En términos generales, las grandes empresas están más dispuestas que las pequeñas a dar la bienvenida al capital extranjero. Ciertas asociaciones de pequeños fabricantes, particularmente en México y Brasil, se manifiestan incansablemente contra la instalación de empresas competidoras con capital extranjero.
"No es ésta la actitud de los industriales de mayor vuelo. Su idea es que las empresas de capital extranjero aumentan el empleo nacional, aumentando por consiguiente el mercado interno para toda clase de productos y ayudando a la vez a suavizar las presiones sociales. Al mismo tiempo reconocen que las firmas extranjeras traen consigo nuevas técnicas, nuevos métodos que pueden asimilar."

realidad, la sociedad extranjera llega frecuentemente con poco o ningún capital, pero consigue su aporte en la localidad, respaldada en su reputación internacional y capacidad de crédito.

Así, de acuerdo con el Departamento de Comercio de Estados Unidos, un 26 % del total del capital obtenido y empleado, teniendo en cuenta todas las fuentes de las operaciones de Estados Unidos en Brasil, en 1957, salió de Estados Unidos, y el resto se fomentó en Brasil, incluyendo el 36 % de fuentes brasileñas fuera de las firmas norteamericanas (McMillan, 205). Ese mismo año, del capital norteamericano de inversión directa en Canadá, el 26 % procedía de Estados Unidos mientras que el resto fue también obtenido en Canadá. (Safarian, 135-241 para éste y demás datos sobre Canadá). Ya en 1964, sin embargo, la parte de inversión norteamericana procedente de Estados Unidos había descendido a un 5 %, haciendo que el promedio de contribución norteamericana al capital total manipulado por las firmas norteamericanas fuese sólo de un 15 %, durante el período de 1957 a 1964. Todo el remanente de "inversión extranjera" fue obtenido en Canadá a través de ganancias retenidas (42 %), reservas para depreciación (31 %) y de fondos obtenidos por las firmas norteamericanas en el mercado de capital canadiense (12 %). Según una encuesta realizada sobre las firmas norteamericanas de inversión directa que operaban en Canadá durante el período 1950-1959, el 79 % de las firmas consiguió alrededor de un 25 % del capital destinado a sus operaciones allí, el 65 % de las firmas consiguió un 50 % aproximadamente, y un 47 % de las firmas norteamericanas con inversiones en Canadá obtuvo todo su capital operativo canadiense en este propio país y no en Estados Unidos. Hay razones para creer que este aprovechamiento norteamericano del capital extranjero para financiar la "inversión extranjera" norteamericana, es mucho mayor aún en los países subdesarrollados, mucho más débiles o indefensos que Canadá.

La principal contribución de las corporaciones metropolitanas a la empresa mixta es, pues, un bloque tecnológico de patentes, diseños, procesos industriales, técnicos superpagados y, lo que no es menos importante, marcas de fábrica y campañas de propaganda, la mayor parte del capital de financiación es latinoamericano, como son los impuestos, licencias de exclusividad y otras concesiones y, tal vez lo más importante, la protección aduanera. La corporación internacional monopolista procede entonces a tomar plena ventaja de su monopolio tecnológico, su reserva financiera y su poder político directo o indirecto, para derivar de la empresa común cada vez mayores beneficios que sus

socios latinoameicanos, reinvertirlos y ganar un mayor control sobre
la empresa, la economía y el país en que opera. Entretanto, los socios
latinoamericanos son políticamente castrados y luego utilizados para
inclinar a sus gobiernos a crear o mejorar el clima de inversión para
el capital "extranjero".

Esta asociación de los monopolios de la metrópoli con los negocios y gobiernos de América Latina —o, más exactamente, esta absorción de los últimos por los primeros— no se limita en ningún caso
a la industria manufacturera. Incluye la banca y negocios tales como los de seguros, por supuesto, y se extiende al comercio al por
mayor, internacional y doméstico, y al comercio minorista, que se
monopolizan cada vez más; a la producción agrícola para el mercado
nacional y mundial, atendiendo a la financiación de sus gastos y al
control de su producción; a toda clase de servicios, cine, música
grabada, noticias para la prensa, radio, televisión y, lo que no es menos importante, a la propaganda (como cualquiera puede comprobar
para su placer o su disgusto, ya que el 95 % de los productos que se
anuncian por las pantallas de televisión de México y otros países de
América Latina son de marcas norteamericanas, empaquetados en programas del oeste, del FBI y de contraespionaje de contenido ideológico no precisamente incierto).

La integración vertical y horizontal de una corporación que opera y aún controla varios de estos sectores del mercado latinoamericano —para no hablar del mundial—, permite por supuesto mayores
utilidades en cada uno de los renglones tomado individualmente y en
el total de las operaciones. Lo mismo puede decirse de las firmas
norteamericanas que operan en América Latina, ya que los bancos de
América del Norte les prestan los depósitos latinoamericanos a dichas
corporaciones, que compran y venden entre sí y colocan sus avisos
en agencias de publicidad norteamericanas, que utilizan su influencia
sobre los medios masivos de comunicación de América Latina para
presionar por la adopción de medidas económicas y administrativas
favorables a los intereses de la metrópoli y contrarias a los intereses
populares. El monopolio capitalista integrado genera de este modo
en América Latina economías exteriores en varios sentidos: exteriores
a cualquier sector económico, exteriores a cualquier monopolio metropolitano, y exteriores a cualquier economía latinoamericana, que
por consiguiente se descapitaliza aún más en favor de la metrópoli.

Hoy, el desarrollo capitalista está dando un paso más. Habiendo
ya evolucionado desde exportador de capital para inversión hasta

monopolio que absorbe las economías nacionales de América Latina en el imperio de una corporación, está preparándose ahora para absorber el continente latinoamericano en su conjunto en el monopolio de las corporaciones metropolitanas. Estados Unidos ha comenzado recientemente a fomentar la integración económica latinoamericana, y trata de lograr la formación de un Mercado Común Interamericano, que incluiría a Estados Unidos y Canadá. Aun sin el último, la mayor parte del comercio interlatinoamericano de manufacturas bajo el tratado de Montevideo, es de corporaciones norteamericanas tales como la Kaiser y la General Electric, que pueden así fabricar en un país latinoamericano para exportar a otro. Más allá de estos acuerdos multilaterales de comercio exterior, la metrópoli norteamericana está entrando también en acuerdos bilaterales, que son una especie de subimperialismo. Estados Unidos parece haber escogido a Brasil en América del Sur —desde el golpe militar de 1964— y en menor grado a México en América Central, como una quinta columna o cabeza de playa económica y política en el continente americano, desde la cual los monopolios norteamericanos y su gobierno se apropian de los mercados y gobiernos de los países menores, después que su tecnología, su capital y su influencia política han creado allí las condiciones expansionistas necesarias. Este desarrollo integracionista o subimperialista agrava, por supuesto, el desequilibrio económico y político, tanto en el interior de estos países como entre sí, tal como lo hace en su conjunto la expansión mundial de los monopolios. (Véase Marini.)

El principal impulso a estas formas neoimperialistas de desarrollo mundial desigual y de subdesarrollo latinoamericano desequilibrado, viene de la expansión y monopolización incesante de las corporaciones internacionales de base norteamericana y su nueva revolución tecnológica. Las consecuencias de este desarrollo capitalista en América Latina van mucho más allá de una benévola inversión de capital y una provechosa introducción de adelantos tecnológicos.

La revolución tecnológica de la automatización, la cibernética y la unificación de todo el proceso industrial del monopolio, con el consiguiente y rápido envejecimiento de la maquinaria, su decreciente eficiencia relativa, y el exceso de equipo industrial, conducen a la transferencia de equipo ocioso o recientemente obsoleto de la metrópoli a América Latina a menudo sin cambiar de dueño (pero que, para efectos impositivos, se descarga de la casa matriz y se carga a las subsidiarias a exorbitantes precios de contabilidad, lo que aumenta artificialmente los costos, disimula sus ganancias reales, y ayuda a extraer capital del país receptor).

En América Latina, el monopolio internacional utiliza este equipo y tecnología para competir con los rivales locales y eliminarlos o absorberlos, pues carecen de fondos o proveedores para comprar de los mismos, o no pueden obtener licencias para importarlos. A esto se le llama elevación del nivel tecnológico de la economía latinoamericana y eliminación de la ineficiencia.

De hecho en todas partes del mundo capitalista, la tecnología norteamericana se hace la nueva fuente del poder monopolista y la nueva base del colonialismo económico y del neocolonialismo político. Así la revista de negocios norteamericana, *US News and World Report* (69), informa: "De repente el temor es muy real que Europa —que se está quedando cada vez más atrás de Estados Unidos en lo que a tecnología se refiere— terminará dentro de un decenio como una «región subdesarrollada»... El resultado, dicen los europeos, es que el continente se está trasformando, tecnológicamente hablando, en una "colonia norteamericana"... Dice un destacado ingeniero alemán: «Como van las cosas, seremos una región atrasada dentro de 10 años. Entonces nos encontrarán golpeando la puerta de Estados Unidos pidiendo limosnas, igual que cualquier otro país subdesarrollado» ".

La corporación internacional que controla esta tecnología aumenta así su poder monopolista sobre sus socios latinoamericanos en las empresas mixtas, sobre sus rivales en otras firmas y sobre la economía de América Latina en general. En la última, como resultado, la razón capital-trabajo se eleva, aumenta la superproducción y declina el nivel general de salarios. Por estas razones y porque esta inversión se multiplica grandemente desde el extranjero sin incrementar correspondientemente el poder doméstico de compra, es que se hacen más frecuentes y prolongadas las crisis periódicas de sobreinversión, en tanto que el desempleo estructural y cíclico aumenta en América Latina. Cuando ocurren, las firmas latinoamericanas débiles son devoradas por sus compatriotas más fuertes, y éstas a su vez son absorbidas a precios reducidos por los monopolios de la metrópoli, aún más grandes y fuertes, para incrementar todavía más el grado de monopolio y de deslatinoamerización. En tanto que durante 1964 el ingreso nacional *per capita* bajó un 6 % en Brasil, su más grande productora de acero fue absorbida por la Bethlehem Steel. (Frank 1965b.) De esta manera, el empleo del equipo existente en América Latina, la dirección de sus nuevas inversiones y la selección de sus importaciones están determinadas aún más por las necesidades y conveniencias de la metrópoli; y corresponden cada vez menos a las necesidades del desarrollo de América Latina y a las necesidades sociales de su pueblo. (Frank 1966c.)

Este capital monopolista, a más de reditar los beneficios con que la economía latinoamericana es acaparada por la metrópoli, genera por supuesto una remisión aún mayor de utilidades por parte de estas firmas extranjeras y un mayor flujo de capital de América Latina hacia Estados Unidos.[1]

En efecto, las estimaciones conservadoras del Departamento de Comercio de Estados Unidos muestran que entre 1950 y 1965, el flujo total de capital destinado a inversiones salido de Estados Unidos hacia el resto del mundo, ascendía a 23,9 mil millones de dólares, mientras que la correspondiente entrada de ganancias ascendía a 37 mil millones, dejando una entrada neta, hacia Estados Unidos, de 13,1 mil millones. De este total, 14,9 mil millones afluyó de Estados Unidos a Canadá, mientras que 11,4 se dirigía en la dirección opuesta, con un flujo neto para Estados Unidos de 3,5 mil millones. No obstante, la situación existente entre Estados Unidos y todos los demás países en su mayoría los pobres y subdesarrollados, es totalmente opuesta: 9 mil millones de inversión fluye a esos países, mientras que 25,6 mil millones de ganancias de capital salen de ellos hacia Estados Unidos, con una *entrada neta de los pobres hacia el rico* de 16,6 mil millones.

El flujo correspondiente del capital de Estados Unidos hacia América Latina fue de 3,8 mil millones de dólares y el flujo desde América Latina hacia Estados Unidos fue de 11,3 mil millones, dejando un saldo desfavorable para América Latina de 7,5 mil millones de dólares. (Magdoff, 29.) Como las corporaciones internacionales evaden impuestos y restricciones cambiarias mediante la sobrefacturación regular de las ventas de la casa matriz y la subfacturación de sus compras

[1] La tasa de utilidades de los monopolios de la metrópoli en América Latina es desconocida, pero ciertamente superior al 5 % que a menudo se pretende. Los siguientes hechos pueden darnos una idea: la ganancia media sobre el capital invertido en manufacturas en Estados Unidos es superior al 10 %. Las 200 corporaciones más grandes de Estados Unidos poseen el 57 % de los activos pero reciben el 68 % de las utilidades; por consiguiente, ganan por encima de la tasa media de beneficio. Las corporaciones que operan en el exterior, que son las más grandes, ganan de dos a cuatro veces más con su capital en el exterior que con el mismo capital en casa; y obtienen un múltiplo aún más alto de ganancias por sus operaciones, en América Latina que el obtenido por sus operaciones en el exterior (incluidos Europa y Canadá) tomadas en conjunto. (Para fuentes véase Baran y Sweezy, 87, 194-199; Michaels, 48-49; Mandel 11, 86-87; Gerassi calcula las utilidades de las firmas a partir de los balances financieros que se publican. Véase también Magdoff.)

a sus subsidiarias de América Latina, parte de sus utilidades quedan ocultas bajo el renglón de costos; y la remisión real de utilidades de América Latina a la metrópoli es mayor que la que se registra por los gobiernos latinoamericanos y el de la metrópoli.

Pero las operaciones en el exterior sobrepasan las inversiones correspondientes. La remisión de beneficios de inversiones directas de las corporaciones extranjeras le cuesta a América Latina (con la excepción de Cuba) alrededor del 14 % de sus ingresos por concepto de exportación de mercancías y servicios. Pero otras transferencias de capital registradas y ocultas están representadas por otro 11 % de sus ingresos en divisas, más un 15 % adicional por el servicio de su deuda externa, lo que eleva al 40 % de sus ingresos en divisas el escape anual de capital latinoamericano. Los pagos de América Latina por otros servicios exteriores, tales como trasporte (10 %), viajes al exterior (6 %) y otros, absorben un 21 % más de su rendimiento, para un gran total de un 61 % de las utilidades por comercio exterior de la América Latina —más de 6.000 millones de dólares por año, o sea el 7 % de su producto nacional bruto, y casi la mitad de su inversión bruta (probablemente más que toda su inversión neta)— que se pagan a los extranjeros —casi enteramente de la metrópoli— por estos servicios invisibles prestados, que no incluyen un solo centavo de mercancías físicas para América Latina. No es de extrañar el déficit crónico de la balanza de pagos a pesar del hecho de contar con los recursos adecuados. (Frank 1965a.)

Las facilidades comerciales de pago en América Latina han declinado al mismo tiempo y en parte como resultado del capitalismo monopolista examinado arriba, ya que la política de precios de las corporaciones monopolistas internacionales y su determinación de la estructura económica de América Latina afecta negativamente las condiciones comerciales de la última. Entre 1950 y 1962, los precios de las importaciones latinoamericana, se elevaron en un 10 %, pero los precios de sus exportaciones cayeron en un 12 %; de modo que, en tanto que sus importaciones se elevaban un 42 %, sus exportaciones tenían que hacerlo un 53 %. (Naciones Unidas, CONF.: 32.) En consecuencia, América Latina perdió el 25 % del poder de compra que deriva de sus exportaciones, equivalente al 3 % de su PNB. (Naciones Unidas, CEPAL 1964b: 33.) Esta pérdida del 3 % de su PNB por concepto de comercio, agregada a la de 7 % del PNB por concepto de servicios, o aun solamente el 5 % (40 % de utilidades sobre divisas) por concepto de pagos financieros a extranjeros, equivale del 8 al 10 % de su PNB, que duplica o triplica probablemente el monto del capital que América Latina está dedicando a inversiones netas. Como base de comparación, el desembolso total para la educación desde el kindergarten hasta la universidad, pública y privada, asciende en América Latina a solamente 2,6 % de su PNB. (Lyons, 63) Si se agrega, además, el porcentaje de PNB y el múltiplo de inversión neta que adicionalmente se pierde por concepto de mano de obra y recursos ociosos actualmente en América Latina —comparados con los que se hubieran obtenido con la continuación de su industrialización de los años 30 y 40 y el período de la guerra de Corea—, tenemos que las pérdidas de exceso invertible de América Latina, causadas por el neoimperialismo, se elevan aún más, quizá duplicándolas otra vez. Y si pudiéramos además calcular la desviación y abuso del trabajo y capital latinoamericanos engendrados por la absorción neoimperialista de la economía de América Latina y su dedicación al desarrollo monopolista mundial de la metrópoli —en lugar de serlo al desarrollo económico propio—, tendríamos una medida más exacta del desvío que sufren los recursos latinoamericanos, de su desarrollo económico perdido y del subdesarrollo estructural que el capital monopolista del neoimperialismo ha generado en la América Latina de hoy.[1]

[1] Novik y Farba han calculado las pérdidas del excedente económico de Chile en razón de lo siguiente: a la metrópoli, por cuenta de producción y exportación de cobre solamente, 5 % del ingreso nacional; por desempleo, 15 %; capacidad industrial ociosa, 8 %; producción agrícola inferior al potencial inmediato, 3 %, más o menos el 30 % del ingreso nacional sacrificado a estos factores de subdesarrollo estructural. Pero, con mucho, la pérdida mayor de exceso económico corresponde a la mala distribución del ingreso: la renta percibida por encima del ingreso anual medio representa el 37 % del ingreso nacional de Chile y, comparada con el nivel de los ingresos bajos, el 50 %. Esta distribución del ingreso en Chile y América Latina, que se hace cada vez más desigual, es al mismo tiempo reflejo y causa del alto grado creciente de monopolio económico y político, sostenido y generado por la presencia de la metrópoli en América Latina. Como todo monopolio, produce una vasta distorsión de la distribución de los recursos del todo económico, base de la concentración del ingreso de que gozan unos pocos. Esta torpe distribución de los recursos se extienden no sólo a la clase de mercancías que se producen —automóviles en vez de camiones, ómnibus y tractores— sino también al medio cómo se producen: tres docenas de fabricantes extranjeros producen ahora automóviles ensamblados en América Latina para un mercado anual de cerca de 500.000 automóviles, o sea, un promedio de 13.000 unidades anuales por fabricante. Doce firmas montaron ensambladoras en Venezuela, para un mercado nacional de automóviles de 30.000 unidades. En Europa, el mercado promedio por fabricantes es de 250.000 y en Estados Unidos, por supuesto, de una cifra aproximadamente diez veces mayor.

Este desarrollo neoimperialista de condiciones desmejoradas de comercio, déficits crónicos y crisis recurrentes en la balanza de pagos de América Latina, así como la creciente necesidad de carreteras, energía y personal técnicamente entrenado para el servicio de los establecimientos de la metrópoli en ella, la ha llevado a crear toda una sopa de letras con las instituciones financieras que manejan estas situaciones y atienden estas necesidades. Algunas de ellas son organizaciones de las Naciones Unidas, como el Banco Mundial (BIRF) y el Fondo Monetario Internacional (FMI). Otras son independientes, como el GATT; y varias, formal o efectivamente dependencias de Estados Unidos, como el Eximbank, el Banco Interamericano de Desarrollo (BID), etc. Aunque hay entre ellas alguna especialización de trabajo, todas ejecutan esencialmente las mismas funciones en América Latina: apoyar la incorporación de la inversión financiera de ese continente a la estructura del capitalismo monopolista de la metrópoli, sin pagar por ella, pero financiando los inevitables déficits resultantes, o las nuevas necesidades de infraestructura y personal técnico, atendidas por la Alianza para el Progreso en el desarrollo social del capital humano (última especulación económica de la metrópoli que ahora lo recomienda como lo más importante en todo desarrollo); y a menudo financiando también los costos de inversión en América Latina de las corporaciones que total o parcialmente pertenecen a la metrópoli, que reciben directamente estos empréstitos, o indirectamente a través de los gobiernos. Algunos observadores autorizados han caracterizado algunas de estas instituciones. La Comisión Económica para América Latina de las Naciones Unidas, dice: "Las operaciones de crédito del Eximbank [o del gobierno de Estados Unidos] y del BIRF [o Banco Mundial de las Naciones Unidas] siguen restringidas a empréstitos para proyectos concretos. Se sostiene que esto se debe al deseo de ambos bancos de combinar su conocimiento técnico con los de los prestatarios en la necesaria investigación y estudio previos..., también para posibilitar un control más estricto sobre el empleo de los fondos... En tercer lugar,

(*Visión* 100.) El capitalismo monopolista que ocasiona esta clase de distribución de los recursos —12 firmas para producir 30.000 unidades en total— y una pérdida del excedente que equivale al 50 % del ingreso nacional, va ciertamente en interés de los supermonopolios de la metrópoli. Pero, contrariamente a lo que a veces se proclama, el mantenimiento y desarrollo de este subdesarrollo de América Latina por parte de los monopolios, es también evidentemente la base inmediata de la supervivencia económica y política de los más grandes sectores de la burguesía latinoamericana, que es la primera en defenderlo.

el Eximbank y el BIRF han tratado por largo tiempo de evitar hacer préstamos que puedan competir con el capital privado extranjero. Esto redundó en un plan de créditos concentrado sobre todo en la infraestructura más bien que en la industria." (Naciones Unidas, CEPAL 1964a: 239-240.) En su obra *Inversión privada y oficial de Estados Unidos en el exterior*, Raymond Mikesell (477,482) llega a afirmar que "el Banco [Eximbank] es fundamentalmente un instrumento de la política de Estados Unidos... Las consideraciones políticas pesan demasiado en la concesión de los empréstitos e incluso en las investigaciones iniciales u oficiales de los prestatarios extranjeros". Después de citar a Mikesell, las Naciones Unidas observan que "es por tanto evidente que el Eximbank debe ser considerado como un instrumento básico de la política exterior de Estados Unidos". (Naciones Unidas, CEPAL 1964a: 252.) Por muy diplomáticamente que quisieran, estos observadores calificados hablan muy claramente de cómo y por qué estas instituciones metropolitanas controlan y dirigen la economía y la política de América Latina. Bajo la amenaza de suspender esta financiación creando balanzas de pago insostenibles y crisis políticas, estas agencias de crédito de la metrópoli literalmente chantajean a los gobiernos de América Latina, cada vez más dependientes, para obligarlos a adoptar políticas monetarias y fiscales y planes de inversión prescritos para ellas por la metrópoli, en beneficio de la última.

Ésta es la principal actividad en América Latina del Fondo Monetario Internacional de las Naciones Unidas. Durante dos décadas, el FMI ha impuesto en decenas de casos devaluaciones y políticas monetarias asfixiantes, estructuralmente inflacionistas, a los gobiernos latinoamericanos. Mientras el FMI se sirve de justificaciones basadas en la teoría clásica del comercio internacional y de la política monetaria, para oscurecer su política chantajista —a la que se llama exigir responsabilidad de los gobiernos latinoamericanos— los principales efectos evidentes de esta política en América Latina han sido las devaluaciones recurrentes de sus monedas que alteran en contra de América Latina las reglas comerciales del juego y rebajan para los monopolios de la metrópoli el precio del acaparamiento de la economía latinoamericana a través de la inversión; la convertibilidad forzosa de las monedas latinoamericanas, que permite a los monopolios internacionales convertir fácilmente sus utilidades en América Latina en dólares y oro; los obligados empréstitos de otras instituciones de la metrópoli, aparte de los empréstitos compensatorios a corto plazo del FMI y de los créditos que vienen atados con cuerdecitas económicas y políticas; simultáneamente, el desempleo y la inflación estructurales de la economía de América Latina que, con las devaluaciones, favorecen a los propietarios nacionales y extranjeros a costa de los obreros y empleados, cuyos ingresos reales se ven reducidos; y, por último, pero lo que no es menos importante, el consecuente deterioro de sus términos de intercambio y el empeoramiento de sus déficits de la balanza de pagos, que hace repetir el ciclo y aumentar la dependencia del FMI y otros instrumentos de inversión y crédito de la metrópoli, acompañada de una más fuerte dosis de remedios del FMI y de política neoimperialista básica para América Latina, en una viciosa espiral interminable.

Esta espiral se refleja en el hecho de que la cuota que América Latina debe dedicar al servicio de su deuda externa se eleva cada vez más, del 5 % de sus ingresos de divisas en 1951-1956, al 11 % en 1956-1960; al 16 % en 1961-1963 (Frank 1965a.) Gracias a la Alianza para el Progreso, el servicio de la deuda latinoamericana es hoy indudablemente aún más gravoso, y se elevará inevitablemente en el futuro; aunque, de acuerdo con un comunicado de la Associated Press de 5 de abril de 1965, "el Eximbank está retirando anualmente de América Latina 100 millones de dólares más de los que presta".

Dondequiera que las contradicciones económicas y políticas internas de los países de América Latina, creadas por este desarrollo neoimperialista, no pueden ser sostenidas por más tiempo dentro de los límites del estado democrático burgués (en el que cada país se encuentra ahora ocupado por su propio ejército y policía, que —con entrenamiento técnico, orientación política, asesores y equipos[1] militares de de Estados Unidos— reprimen las demostraciones de obreros, estudiantes y otros grupos contra la orientación económica y política del gobierno), o donde su solución lesione demasiado los intereses de la metrópoli, la misión de resolverlas se asigna a una dictadura militar. Ésta, invariablemente, procede a rebajar el ingreso de la mayoría y a ampliar aún más las concesiones a los intereses metropolitanos y los privilegios de sus socios comerciales y aliados políticos de América La-

---

[1] No puede pasarse por alto que el equipo norteamericano para la policía y las fuerzas antiguerrilleras de América Latina, encargadas directamente de reprimir los movimientos populares, es siempre el más moderno y eficiente dentro del modelo general obsoleto y aún consta de armas o aviones defectuosos, que Estados Unidos deja de emplear pero cuya venta a América Latina pesa en la balanza de pagos, como tan orgullosamente lo señala el secretario de defensa McNamara. (Para esta observación, estoy agradecido a mi esposa, Martha Fuentes de Frank.)

tina y a contener la resistencia popular mediante el asesinato, el exilio o la prisión de sus líderes y el terror sobre el pueblo mismo. Que estas medidas económicas y políticas en América Latina son parte integrante del desarrollo y la política neoimperialista, queda atestiguado con las propuestas metropolitanas de ayuda militar a América Latina (que se duplicó por el presidente Kennedy en el primer año de su administración) y por las declaraciones de los funcionarios del gobierno norteamericano (tales como las de los expertos en asuntos latinoamericanos del Departamento de Estado del presidente Johnson) de que no todos los golpes militares son iguales: unos son más iguales que otros.

El capitalismo monopolista neoimperialista ha penetrado o incorporado rápida y efectivamente la economía, el gobierno, la sociedad y la cultura de América Latina. Al igual que el colonialismo y el imperialismo que le antecedieron, esta penetración neoimperialista en América Latina ha encontrado, ahora en mayor grado, viejos grupos de intereses creados, aliados y sirvientes de los intereses de la metrópoli. Monopolizan cada día más la economía latinoamericana y reparten entre sí los despojos de la explotación del pueblo de América Latina, y en menor grado los del pueblo de la metrópoli. Pero el neoimperialismo ha ido más lejos. La satelización económica de la industria latinoamericana conduce inevitablemente también a la satelización de su burguesía. La política industrial nacionalista de los años 30 y 40 ya no existe, porque un número creciente de industriales latinoamericanos son ya, o lo serán próximamente, socios, funcionarios, abastecedores y clientes de las empresas y grupos mixtos, que nublan y oscurecen los intereses nacionales de América Latina y —lo que es más importante— atan cada vez más fuertemente sus intereses personales a la cola del perro neoimperialista, que la mueve. La mal llamada burguesía nacional latinoamericana, lejos de hacerse más fuerte e independiente, a medida que la industria se desarrolla bajo la dirección de la metrópoli, se hace más débil y más satelizada o dependiente cada año.

Sin embargo, el desarrollo del capitalismo monopolista no sólo ata económicamente a la metrópoli la burguesía de América Latina mediante la satelización de sus establecimientos industriales comerciales y financieros. El neoimperialismo, como vimos arriba, sateliza la economía latinoamericana en su conjunto y la hunde cada vez más en el subdesarrollo estructural. Como la metrópoli se apodera de una porción creciente de los más lucrativos negocios de América Latina y somete al resto a tremendas dificultades económicas, a la burguesía que vive de estos negocios menos lucrativos no le queda otra alternativa que luchar —aunque en vano— por su supervivencia, agravando en precios y salarios el grado de explotación de su pequeña burguesía, obreros y campesinos, con el fin de exprimir alguna sangre adicional; y a veces, tiene que recurrir a la coacción militar directa para lograrlo. Por esta razón, casi toda la burguesía latinoamericana se ve obligada a contraer alianzas políticas con la burguesía metropolitana, esto es, someterse: tienen algo más que un interés básico común en defender el sistema de explotación capitalista. Es que no puede ser nacional o defender intereses nacionalistas y oponerse a la usurpación extranjera en alianza con los obreros y campesinos de América Latina —como lo indica la idea del Frente Popular—, porque la misma usurpación neoimperialista está forzando a la burguesía latinoamericana a explotar aún más a sus supuestos aliados obreros y campesinos, obligándola así a privarse de este apoyo político. En tanto que la burguesía de América Latina persista en esa política de precios y salarios que explotan a los trabajadores y reprima sus legítimas demandas para alivio de esta creciente explotación, no podrá recobrar su apoyo para enfrentarse a la burguesía de la metrópoli; así como la ineficiencia económica de esta explotación impide el ahorro doméstico para inversión y obliga a la burguesía a mirar hacia el exterior en busca de capital.[1]

Por consiguiente, el neoimperialismo y el desarrollo del monopolio capitalista están empujando a toda la clase burguesa en América Latina a una alianza económica y política y a una dependencia aún más estrechas respecto a la metrópoli imperialista. La tarea política de invertir el desarrollo del subdesarrollo latinoamericano corresponde por tanto a los pueblos mismos, y la ruta del capitalismo nacional o estatal

---

[1] Como se observó arriba, la burguesía de Brasil ha estado tratando de encontrar una salida adicional, a través de la política exterior "independiente" de los presidentes Quadros y Goulart (que buscaron nuevos mercados en África, América Latina y los países socialistas) después que esto era imposible en un mundo ya imperializado, a través de la política exterior subimperialista "interdependiente" iniciada por el actual gobierno militar como socio menor de Estados Unidos. El subimperialismo brasileño requiere también bajos salarios en Brasil para que su burguesía pueda entrar en el mercado latinoamericano sobre una base de bajos costos, ya que es además el único que tiene un equipo norteamericano obsoleto, aunque aún moderno. En los países subimperializados de América Latina, la invasión brasileña también conduce a la baja de salarios, ya que es la única reacción defensiva posible de la burguesía local. De este modo, el subimperialismo también ahonda las contradicciones existentes entre la burguesía y los sectores trabajadores de cada uno de estos países. (Para mayores análisis, véase Marini.)

hacia el desarrollo económico está ya destruida para ellos por el neoimperialismo actual.

D. Sumario y conclusiones

Lo esencial de la inversión y ayuda extranjera bajo el neoimperialismo, el subdesarrollo latinoamericano y la necesidad de sus implicaciones políticas arriba esbozadas, se sintetiza en las declaraciones autorizadas y en la conducta inequívoca de los más altos representantes de las burguesías en Estados Unidos y en América Latina como sigue: la Comisión Política Económica Exterior de Estados Unidos ha declarado que la inversión en el exterior "es un medio de abrir mercados para la industria y la agricultura norteamericanas, a la larga contribuye al crecimiento general del comercio exterior y a la prosperidad por su influencia en la elevación de la productividad y el ingreso en el exterior; es un instrumento de primera línea para fomentar la producción de materias primas en otros países, así como para satisfacer las crecientes necesidades civiles y militares de la economía norteamericana; y es, a la vez, un medio cuya importancia para elevar el ingreso nacional de Estados Unidos debe incrementarse, a través de las más amplias y lucrativas oportunidades de inversión para el capital norteamericano" (citado en *Cámara Textil*, 48).

El economista mexicano Octaviano Campos Salas resume las consecuencias de la inversión extranjera para los países de América Latina: "a) El capital privado extranjero se apodera permanentemente de los sectores de altos rendimientos, expulsando el capital doméstico o impidiéndole la entrada, apoyándose en los amplios recursos financieros de sus casas matrices y en el poder político que a veces ejerce; b) el apoderamiento permanente de importantes sectores de la actividad económica impide la formación de capital doméstico y crea problemas de inestabilidad en la balanza de pagos; c) la inversión privada extranjera y directa perturba la política monetaria y fiscal anticíclica, afluye en las expansiones y se contrae en las depresiones; d) las exigencias de los inversionistas privados extranjeros para crear un 'clima favorable' a la inversión en los países receptores son ilimitadas y excesivas; e) resulta mucho más barato y consistente para las aspiraciones de independencia económica de los países subdesarrollados, contratar técnicos extranjeros y pagar derechos por el uso de patentes, que aceptar el control permanente de sus economías por parte de poderosos consorcios extranjeros; f) el capital privado extranjero no se ciñe al planeamiento del desarrollo" (citado en *ibid.*, 48).

Arturo Frondizi fue sustancialmente de la misma opinión: "No sobra recordar que el capital extranjero actúa generalmente como agente perturbador de la moralidad, la política y la economía de Argentina... Una vez establecido gracias a concesiones excesivamente liberales, el capital extranjero obtuvo créditos bancarios que le permitieron expandir sus operaciones y por tanto sus utilidades. Estas utilidades fueron inmediatamente exportadas, como si todo el capital invertido hubiese sido importado por el país. De este modo, la economía doméstica vino a fortalecer la capitalización extranjera y a debilitarse a sí misma... La tendencia natural del capital extranjero en nuestro país ha sido, en primer término, medrar en áreas de alta rentabilidad... Cuando el esfuerzo, la inteligencia y la perverancia argentinos crearon una oportunidad de economía independiente, el capital extranjero la destruyó e intentó crearle dificultades... El capital extranjero tuvo y tiene una influencia decisiva en la vida social y política de nuestro país... La prensa es también generalmente un instrumento activo de este proceso de sumisión... El capital extranjero ha tenido especial influencia en la vida política de nuestra nación, aliándose con la oligarquía conservadora..., los que están atados al capital extranjero por lazos económicos (directivos, personal burocrático, abogados, periódicos que reciben propaganda, etc.), y los que, sin tener relaciones económicas terminan siendo dominados por el clima ideológico y político creado por el capital extranjero" (Frondizi, 55-76).

Todo el significado de estos análisis de la realidad de la inversión imperialista y neoimperialista y sus consecuencias para América Latina sólo se hace enteramente claro si tomamos en cuenta algunas observaciones adicionales de Frondizi y seguimos su posición y conducta posteriores respecto a la inversión imperialista, así como las de Campos Salas. Frondizi siguió advirtiendo a sus compatriotas en su libro de campaña electoral atrás citado *Política y petróleo*: "En asuntos de política económica, las buenas intenciones —cosa subjetiva— no interesan; lo que cuenta son los resultados concretos de la política trazada, su aspecto objetivo... El capital extranjero mantiene un especial estado de conciencia que predispone a la entrega o a la sumisión. Este estado de conciencia invade todos los rincones del país, todos los sectores sociales actuantes económica y políticamente; se refleja en todos los aspectos de la vida nacional, como si fuese un fatalismo histórico frente al cual no hubiese otra alternativa que inclinarse. Se renuncia a las posibilidades nacionales. Lo más terrible en este proceso de captura sociológica creado por el imperialismo es que personas de buena fe, sean ellas conocedoras o ignorantes, a sabiendas o no, sirven al imperialismo por defender sus intereses y la necesidad de mantener su continuada presencia. Por esta vía, los individuos y el pueblo pierden la conciencia de su propia personalidad y de la misión que deberían cumplir como su obligación histórica" (Frondizi, 123, 76).

El aplastante peso de la realidad histórica objetiva sobre las buenas intenciones subjetivas, fue confirmado plenamente por el propio Arturo Frondizi cuando, como presidente de Argentina que había sido elegido sobre la plataforma expuesta, sucumbió a esta situación de captura económica, política y psicológica creada por el imperialismo, renunció a las posibilidades nacionales de Argentina, y pasó a la historia como el hombre que entregó a los monopolios norteamericanos todo el petróleo de su país y la mayor parte de lo que restaba de su economía. Por su parte, el atrás citado economista mexicano, Octaviano Campos Salas, ministro de industria del actual gobierno de México, ahora otorga al capital monopolista norteamericano las concesiones que una vez llamara "ilimitadas y excesivas" y preside —como lo observó entonces— sobre "el progreso y permanente apoderamiento por parte de la metrópoli de importantes sectores de la actividad económica, lo que impide la formación de capitales domésticos".

Dejando a un lado la propaganda y los buenos deseos, la tendencia real del aumento y descenso anual del producto nacional bruto *per capita* (y del ingreso nacional *per capita*) en América Latina es: 1950-1955: 2.2 % (1,9 %) de aumento; 1955-1960: 1,7 % (1,4 %) de aumento; 1961-1962: 0,8 % (0,0 %) de aumento; 1962-1963: menos 1,0 % (menos 0,8 %), esto es, una baja absoluta (Naciones Unidas, CEPAL, 1964b: 6).

En tanto que desde antes de la segunda guerra mundial la producción *per capita* de alimentos se elevó en un 12 %-en el mundo entero hasta 1963-1964, y un 45 % en la Unión Soviética y Europa oriental (cuyos fracasos agrícolas son conocidos universalmente), la producción latinoamericana de alimentos *per capita* descendió un 7 % y su distribución entre el pueblo es cada día más desigual: el nivel absoluto de vida de la mayoría de los latinoamericanos está descendiendo (Frank, 1966b). Para el pueblo latinoamericano la única salida del subdesarrollo es, se entiende, la revolución armada y la construcción del socialismo.

LA DEPENDENCIA HA MUERTO
VIVA LA DEPENDENCIA Y LA LUCHA DE CLASES

Una respuesta a críticos

> Los filósofos hasta ahora solamente han interpretado el
> mundo; de lo que se trata, sin embargo, es de transformarlo.
>
> KARL MARX, *Tesis sobre Feuerbach*

> La muestra de una contribución importante, sea en las cien-
> cias naturales o sociales, no es que revela alguna verdad eter-
> na. Es, más bien, que el conocimiento y análisis existentes
> son articulados de maneras nuevas, planteando preguntas y
> ofreciendo conclusiones que permitan y obliguen tanto a
> amigos como a enemigos a dirigir su propia investigación
> y análisis en direcciones distintas.
>
> DOUG DOWD, con respecto a C. Wright Mills

> Para los científicos sociales constituye un esclarecedor y
> útil ejercicio para entenderse a sí mismos el tratar de ver
> claramente cómo la dirección de nuestros esfuerzos cientí-
> ficos, en especial de la ciencia económica, es condicionada
> por la sociedad en la cual vivimos y lo más directamente
> por el clima político (que a su vez está ligado a todos los
> demás cambios en la sociedad). Raras veces, si es que algu-
> na, el desarrollo de la ciencia económica por sí sola ha
> abierto el camino a nuevas perspectivas. La señal para la
> continua reorientación de nuestro trabajo nos ha llegado
> normalmente de la esfera de la política; y en respuesta a
> esta señal, los estudiosos dirigen su investigación hacia aque-
> llos problemas que han adquirido importancia política...
> Siempre ha sido así. Todas las principales reformulaciones
> del pensamiento económico han sido todas respuestas a las
> cambiantes condiciones y oportunidades políticas.
>
> GUNNAR MYRDAL, en *Asian Drama*

I

El desarrollo en América Latina de la "teoría de la dependencia" del
subdesarrollo en la época de la posguerra fue la respuesta a las cam-

307

biantes condiciones y oportunidades políticas que se habían dado, por razones históricas, en especial en esta región del mundo o en determinadas partes de la misma, por la crisis del capitalismo mundial durante las décadas del 30 y 40. Análogamente al surgimiento de los frentes populares (comprendido el New Deal en los Estados Unidos) y el keynesianismo en la metrópoli imperialista, determinados países latinoamericanos experimentaron el surgimiento de regímenes burgueses populistas y nacionalistas que se dedicaron a la tarea económica de la industrialización a través de la sustitución de importaciones, a la política del desarrollismo, y a su legitimación ideológica a través del "estructuralismo" y la "dependencia". En última instancia, éste encontró su expresión más importante e influyente en el trabajo de la Comisión Económica para América Latina de las Naciones Unidas (CEPAL) bajo la dirección del ex ministro de Hacienda de la Argentina, Raúl Prebisch, quien posteriormente llegó además a inspirar la formación y a guiar la suerte de la Conferencia sobre Comercio y Desarrollo de las Naciones Unidas (UNCTAD).

Nacida aparentemente de —e impulsada por— aspiraciones nacionalistas progresistas, la nueva ideología desarrollista y la teoría de la dependencia inmediatamente encontraron una fuerte oposición y rechazo "científico" por parte de los "monetaristas" ortodoxos dentro y fuera de Latinoamérica, que se expresó a través de su largo debate con los "estructuralistas". Además, en el curso de dos décadas la doctrina cepalista encontró cada vez más aceptación y se benefició de, o sufrió, diversas modificaciones en respuesta a las dificultades acumulativas de la sustitución "fácil" de importaciones, así como la expansión de la corporación multinacional, la promoción de "reformas estructurales y planificadas" con "ayuda extranjera" y endeudamiento que fueron patrocinadas por la Alianza para el Progreso, y después la vuelta hacia la "integración económica" a través de la ALALC y sus derivados regionales centroamericano y andino, que debida y automáticamente recibieron el visto bueno de los gobiernos latinoamericanos (exceptuando el cubano) en sucesivas conferencias en Punta del Este. Al margen de las intenciones y autopercepciones subjetivas de los prominentes economistas cepalinos-ideólogos desarrollistas como Raúl Prebisch, Aldo Ferrer (Argentina), Celso Furtado, Antonio Barros de Castro, María Conceição Tavares (Brasil), José Mayobre (Venezuela), Horacio de la Peña (México), Aníbal Pinto, Osvaldo Sunkel (Chile), y muchos otros, se dieron dos importantes acontecimientos desde mediados de los años 60. Por un lado, evidentemente, el desarrollismo topó con una crisis económica y política cada vez más aguda en un país latinoamericano tras otro (tal como se refleja en los propios escritos de la CEPAL, reseñados por el autor en *Lumpenburguesía: Lumpendesarrollo* y en *Punto Final*, Nº 89), mientras que la Revolución Cubana señaló una estrategia alternativa y radicalmente diferente (reflejada también en algunos otros escritos del autor, en especial en algunos ensayos compilados en *Latinoamérica: Subdesarrollo Capitalista o Revolución Socialista*, por aparecer en México, Ediciones Era). Por otra parte, aunque menos perceptiblemente, en especial para los cepalinos y sus seguidores, su nacionalismo aparentemente progresista en sus manifestaciones económicas, políticas e ideológicas había sido de hecho corresponsable por el desarrollo de la crisis del desarrollismo. Mientras tanto, un grupo más joven de científicos sociales y su creciente público, especialmente entre la juventud, en América Latina (y en otras partes) se mostraron crecientemente insatisfechos con el desarrollismo y la dependencia de inspiración cepalina, que les parecieron cada vez más conservadores, con el resultado que ellos buscaron y dijeron ofrecer una "teoría de la dependencia" y una estrategia revolucionaria críticamente alternativas, inspiradas por la Revolución Cubana y el debate chino-soviético.

Es notable que esta apertura crítica no surgió de la vieja izquierda y menos aún de los partidos comunistas, sea en Latinoamérica o en Europa. Al contrario, con las notables excepciones de Mariátegui en Perú y Aníbal Ponce en la Argentina, durante el medio siglo transcurrido desde la muerte de Lenin estos partidos no produjeron sino el Comintern y el browderismo de la época de Stalin, y la existencia pacífica "no capitalista" de los años de Jruchov (su "progresivo" alejamiento del leninismo y su relación con las tendencias posteriores bajo reseña son examinados por Alberto Filippi en su Prólogo a la edición italiana de *Lumpenburguesía*). Durante todo este tiempo, y hasta fines de los años 60, los partidos comunistas latinoamericanos y sus ideólogos (siempre exceptuando al actual Partido Comunista Cubano) no han hecho ninguna contribución a la teoría marxista u otra que se haya podido descubrir (sea antes o después que, con motivo de OLAS en 1967, Fidel Castro ridiculizó sus arcaicos modelos 14, 13, 12). Programáticamente estos partidos han sido apenas tan avanzados como los desarrollistas burgueses, de los cuales se diferenciaron a lo más en su posición —principalmente propagandística e inspirada por los soviéticos— ante el imperialismo norteamericano y políticamente entre ellos han sido poco más que cola movida por el perro burgués nacional, quien se aprovechó de los partidos comunistas —temporariamente exceptuando los de Guatemala, Venezuela y Colombia— para mantener atados a los movimientos obreros. Frente al desafío de los teóricos de la nueva dependencia, los partidos comunistas en y fuera de América Latina se plegaron lealmente a la oposición.

Los numerosos publicistas, reseñadores y clasificadores de la teoría de la dependencia (Olmedo, Graciani, Filippi, Sechi, Martinelli, Valenzuela Bodenheimer, Murga, Acevedo, Guzmán, etcétera) están casi totalmente de acuerdo entre sí al distinguir un "viejo" grupo "de derecha" de teóricos desarrollistas de la dependencia mencionados anteriormente, y un "nuevo" grupo "de izquierda", entre los cuales ellos nombran primordialmente a Dos Santos, Quijano, Cardoso y Faletto, Marini y Gunder Frank, entre otros. Este último grupo se distingue supuestamente del anterior por rechazar su "dualismo" tanto en el plano nacional como internacional, reemplazándolo por un análisis insistente del conjunto de las relaciones imperialistas y de la participación activa, consciente y voluntaria de América Latina en el plan económico y político nacional en el sistema imperialista bajo el liderazgo burgués —incluida la burguesía nacional progresista—, tal como se manifiesta en la "nueva dependencia" de los años 60. *Capitalismo y Subdesarrollo en América Latina*, escrito por André Gunder Frank entre 1963 y 1965, y algunos otros de los primeros ensayos del autor compilados en su *Latinoamérica: Subdesarrollo Capitalista o Revolución Socialista*, se mencionan, frecuentemente, como el disparo de partida de esta "nueva apertura". El autor ahora considera a su *Lumpenburguesía: Lumpendesarrollo*, escrito en 1969, como un (aunque quizás no el) canto de cisne de este concierto, aunque algunas nuevas estrellas en América Latina aún cantan nuevas variaciones de esta melodía (y ecos de la misma han empezado a ser grabados o tocados recientemente en otras partes del mundo).

Dentro de ciertos límites, y dentro de sus limitaciones, la importancia de la teoría de la dependencia del subdesarrollo es innegable en términos de los ya citados criterios de Myrdal, Dowd y Marx. Representó, sin duda, una importante reorientación en respuesta a cambiantes condiciones y oportunidades políticas. Sin duda, permitió y obligó tanto a amigos como a enemigos a plantear preguntas diferentes y a ofrecer otras soluciones. Ha sido hasta coinstrumental en cambiar el mundo, aunque no lo revolucionó como algunos de sus proponentes habían esperado y algunos de sus opositores habían temido. Lo mismo puede probablemente decirse de la nueva teoría de la nueva dependencia, tanto con respecto a su abuelo positivista como respecto a su padre reformista desarrollista. Pero implícito en el surgimiento de la "dependencia" en respuesta a cambiantes condiciones políticas (y éstas en relación a cambiantes condiciones económicas), está la posibilidad, o la probabilidad, o más aún, la necesidad de su posterior decadencia para despejar el camino a nuevas explicaciones científicas y orientaciones ideológicas, en la medida en que las condiciones económicas y políticas vuelven a cambiar. Mientras más importante ha sido una teoría en vista de su relación con la realidad concreta, tanto menos será ella eternamente verdadera, condición que en el mejor de los casos se reserva a tautologías vacías.

Se está acumulando la evidencia de que la "dependencia" —tanto la vieja como la nueva— ha terminado o está en vías de completar el ciclo de su vida natural, por lo menos en Latinoamérica, que le dio vida. La razón es la nueva cambiante realidad económica y política mundial, que en una palabra puede resumirse como la *crisis* de los años 70. Sean cuales fueren su causa y su naturaleza, así como su destino o resolución —cuestiones y respuestas, precisamente, que habrán de codeterminarse por la alternativa necesaria a la "dependencia" y el "keynesianismo"—, la realidad de esta nueva crisis se hace cada vez más evidente en el mundo. Tasas decrecientes de crecimiento económico y aún más (y más importante) de utilidades y de inversiones en los países capitalistas industrializados, y la lucha intensificada entre ellos por mercados nacionales e internacionales —manifiestas en la "crisis financiera" y la devaluación del dólar entre otros— constituyen evidencias de una nueva crisis en el proceso histórico de la acumulación capitalista de capital. Modificaciones recientes en la política nacional y extranjera de algunos países socialistas indican que allí también el proceso de acumulación de capital está cambiando de velocidad o rumbo, y que ellos están intentando colocar su participación en la recientemente emergente división internacional del trabajo sobre una base modificada y más amplia. Las concomitantes negociaciones y el paso de la "bipolaridad" de la guerra fría a la "multipolaridad" reemergente son acompañados por un nuevo "diálogo" (para tomar prestado una palabra de las relaciones antes inimaginables entre Sudáfrica y un creciente número de nuevos estados africanos) que se hace oír en todo el mundo, tanto dentro como entre muchas de sus regiones. Movimientos neosocialdemócratas y amenazas neofascistas para el caso de que aquéllos fracasen (para tomar en préstamo y modificar algunos términos de la última gran crisis mientras el análisis contemporáneo no nos ofrezca una terminología más adecuada o quizás una ideología de falsa conciencia) se difunden en los países capitalistas industrializados. Ello constituye una respuesta a la movilización de masas generada por la crisis, y así con la Alemania de Brandt, con la dificultad de Heath para invocar la ley de Relaciones Industriales que su predecesor laborista no había podido imponer en Gran Bretaña, con la promoción de "Chile con salsa de *spaghetti*" y de la "apertura a *destra*" en Italia, con la copia de la fórmula de la Unidad Popular chilena y la reacción "gaullista" a la misma por Pompidou en Francia, con la nominación por el Partido Demócrata de Mc Govern en los Estados Unidos y su flirteo con el electorado adicto a George Wallace, etcétera. Están, además, el desarrollo del social-imperialismo (para servirse de la terminología china) y su ofensiva económica y diplomática en importantes regiones subdesarrolladas. Una importante modificación de la anterior división del trabajo también es el desarrollo subimperialista de Brasil, Sudáfrica, Irán, India y quizás otros contendores por rutas tanto similares como diferentes de las que Japón e Israel trazaron antes que ellos. Y en otras partes del mundo subdesarrollado (para de nuevo tomar en préstamo temporal un término del pasado), tendencias corporativas neofascistas compiten con tentativas nacionalistas y neopopulistas de trazar el camino hacia el socialismo, desde Bangla Desh y Ceilán, pasando por Tanzania y Zambia, a Perú y Chile. Una nueva o renovada dimensión es la guerra o su amenaza entre estados del tercer mundo que vuelven su "nacionalismo" no solamente contra los países imperialistas sino, con el apoyo imperialista, contra sus propios vecinos.

En vista de esta crisis mundial y de los críticos problemas concomitantes surgidos en América Latina y otras partes, la vieja teoría de la dependencia desarrollista, y aun su ideología, parece haber entrado en bancarrota. Puede sospecharse lo mismo de la antaño revolucionaria teoría de la nueva dependencia, que si no en bancarrota, por lo menos se encuentra escasa en efectivo como para enfrentar las demandas inmediatas en lo económico, político e ideológico que le hacen los revolucionarios que tienen que formular estrategia y tácticas en las actuales circunstancias. Así parece suceder en Brasil, Uruguay, Argentina, Chile, Perú, Venezuela y México, entre otros, y quizá también en Cuba. (Esto pone también en duda lo aconsejable de la exportación tardía de la "dependencia" hacia Asia y Africa, cuando, además, el "tercermundismo" ya alcanzó la cima de su influencia en las revueltas estudiantiles metropolitanas de 1968-1969.) Además, la aparente simultaneidad de la crisis de la vieja y nueva teorías de la dependencia plantea el interrogantes de cuán radicalmente diferentes realmente fueron o son. Quizá menos de lo que algunos de nosotros hubiésemos querido. Podemos observar con Juvencio Wing —en su reseña del Nº 150 conmemorativo de *El Trimestre Económico*— que aquellos que una vez fueron radicales desarrollistas, y aprovecharon gran parte del aún más radical análisis de la nueva dependencia, ahora conmemoran la dependencia desde las páginas de la revista económica más prestigiosa del continente latinoamericano, y muchos de ellos incluso ocupan puestos ministeriales en sus respectivos países. Hasta tal punto una parte del análisis de la nueva dependencia ha sido recogida por el *establishment* burgués que —como se cita en *Lumpenburguesía*— los cancilleres latinoamericanos reunidos en Viña del Mar delegaron a uno de ellos para elevar una presentación al presidente Nixon en la Casa Blanca en el sentido de que la ayuda extranjera estaba fluyendo desde Latinoamérica hacia los Estados Unidos. Gran parte de la crítica a la inversión extranjera propuesta por los analistas de la nueva dependencia fue incorporada en las restricciones puestas a la inversión extranjera en el código del Pacto Andino y se recomienda ahora a otros países subdesarrollados por parte del secretario de la UNCTAD. Y en la III Conferencia de la UNCTAD la nueva dependencia, el desarrollo del subdesarrollo y hasta el subimperialismo cobraron vigencia en las declaraciones oficiales de varios delegados. Esto es bastante más motivo de preocupación que de orgullo para los inventores de estos términos. Dejaremos para los críticos que siguen otras reflexiones sobre las relaciones y diferencias entre la vieja y nueva teoría de la dependencia.

La nueva teoría de la nueva dependencia ha sido, por supuesto, objeto de diversos críticos y críticas. Aquí podemos examinar, clasificar y reseñar —si no contestar exhaustivamente— las principales tendencias reflejadas en quienes han hecho referencia especial al trabajo o a la persona de Andre Gunder Frank. Antes de seguir adelante, sin embargo, puede observarse que —aunque este trabajo no ha sido más que la parte socialmente determinada de una corriente más amplia, tal como se reseñó recién— muchos críticos han otorgado un tratamiento especial o a menudo exclusivo a AGF o a su trabajo, suponiéndolo representativo del resto, y llegando a veces al extremo de sostener, explícita o implícitamente, que una crítica (exitosa) de este único ejemplo vale y abarca a todos, criterio —este último— bastante discutible. Quizás esta preferencia (negativa) pueda derivarse del supuesto de los críticos de que AGF les ofrece un blanco más vulnerable o destructible, o uno más visible, o uno descubierto antes, o uno que se supone más extremo, o una combinación de todas estas razones. Una cosa es segura, y ésta ha sido francamente clarificada por el autor y universalmente apreciada tanto por amigos como enemigos: que el trabajo ha sido intencional y conscientemente político y sustancialmente inspirado por la Revolución Cubana. Sea como fuere, existe evidente motivo para que el autor se haga cargo de las críticas, especialmente de las que afectan a las "tesis frankianas".

Las críticas, y en especial los críticos (véase lista de referencias en el apéndice), parecen dividirse en tres principales tendencias: las retrospectivas de derecha y de la izquierda marxista tradicional, y la prospectiva de la nueva izquierda, cada una de las cuales dividida a su vez en dos subgrupos (A y B). La publicación tardía (en relación a su redacción) del libro completo *Capitalismo y Subdesarrollo en América Latina*, en 1967 y 1969 en inglés, francés e italiano, y en 1970 en español, encontró en un principio una recepción favorable, si bien poco crítica, en diversos círculos de izquierda, la cual en alguna medida aún subsiste (véase Amin, Palloix). Pero también estimuló una reacción crítica que no tardó mucho en aparecer, empezando especialmente (I. A) en la derecha reaccionaria y liberal (*American Opinion*, de la John Birch Society norteamericana y King), luego por (I. B) los demás liberales y socialdemócratas de diversa índole (Halperin, de Kadt, Sauvy, Morner, Dedijer, Dalton, Alba, *Aportes*, Pinto y, en general, varios colaboradores del simposio sobre "responsabilidad" en *Current Anthropology* y diversos autores de reseñas en revistas académicas norteamericanas).

Estos críticos de derecha carecen de la perspectiva, o de la capacidad o del interés, o los tres, como para examinar el argumento en su propio nivel, para no decir, por supuesto, para llevarlo a un nivel más alto. Su interés académico y político es descalificar el argumento —y a través de sus reseñas, prevenir a los no entendidos contra el mismo— recurriendo a los "descalificativos" que el positivismo ha inculcado en las mentes de sus víctimas, a saber el "error" empírico y la falta de "objetividad". Con pocas excepciones, los críticos de la derecha conservadora, liberal y socialdemócrata se limitan, en sus reseñas y críticas de la argumentación, a insistir en desacuerdos empíricos menores que nada tienen que ver con el argumento central, o de desviar la discusión totalmente fuera del punto en contienda, alegando que el compromiso político de AGF —no así el propio— excluye la objetividad, y por tanto la credibilidad o validez. Según ellos, el trabajo constituye la restauración repetitiva de una tesis del imperialismo (que ellos suponían muerto hace tiempo). Es dogmático (su palabra favorita), ideológico en vez de empírico, profético en tono, en vez de analítico en contenido —aunque (según otro autor) el trabajo es catastrofista—, y constituye un tipo especial-

314

mente rígido de leninismo (no obstante que el mismo autor alega que el trabajo es dirigido contra los comunistas). En cuanto condena objetiva (¿quién se propuso hacer una condena?), el libro sería evidentemente inadecuado, ya que la defensa (del capitalismo) no se examina, y menos aún se destruye —según Timothy King del Queen's College, Cambridge, Inglaterra, escribiendo en el *Economic Journal* que se edita en la biblioteca Marshall—, y continúa, solamente aquellos que ya están persuadidos en el fondo de su corazón de que el sistema capitalista tiene solamente explotadores y explotados, se dejarán convencer de la veracidad de la tesis general expuesta en este libro sobre la base de la evidencia proporcionada. Y en "respuesta" a la crítica que el que escribe hace del trabajo de George Dalton y otros sobre antropología económica, este autor escribe: "Frank odia a toda ciencia social que no sirva para justificar la revolución. Su comentario no es sobre antropología económica. Es una denuncia bombástica de casi todos los que no comparten su rabia revolucionaria. No tiene sentido responder más a escritos tan llenos de ira e ideología". (¡Amén!) Un lector escribió a la sección "discusión y crítica" de la revista para observar que alguien que necesita servirse de este tipo de respuesta tan sólo demuestra que carece de los recursos como para enfrentar la argumentación. Esto en lo que se refiere a los críticos desde la derecha.

Una segunda tendencia principal entre críticos y críticas deriva de (II) los principales partidos marxistas y sus portavoces o seguidores oficiales y no oficiales. Entre éstos pueden distinguirse especialmente (A) los comunistas inspirados por o alineados con Moscú, y (B) los maoístas y trotskistas.

II

A. Entre los primeros, el trabajo y tesis —o a menudo más bien la persona— de AGF han sido objeto de crítica, entre otros, por Víctor Volski, director del Instituto de Asuntos Latinoamericanos de la Academia de Ciencias de la U.R.S.S.; B. N. Brodovich, escribiendo en *Latinskaya America* (Moscú); L. Becerra en *Revista Internacional - Problemas de la Paz y el Socialismo* (Praga); Renato Sandri, especialista en asuntos latinoamericanos del Comité Central del Partido Comunista de Italia; Ruggiero Romano en media docena de publicaciones de Europa y América Latina; quizás Eugene Genovese, uno de los principales historiadores marxistas de los Estados Unidos y Canadá; y en América Latina, Mauricio Lebedinsky de Argentina, Armando Córdova de Venezuela y José Rodríguez Elizondo en Chile.

Estas críticas ligadas a los partidos comunistas en cierta medida caen entre las del ala derecha de la primera tendencia y las críticas de la tercera tendencia de la nueva izquierda, compartiendo algunas características de la primera y otras de la otra. Con la tercera tendencia, la crítica comunista comparte el reiterado juicio de que AGF no es marxista porque hace hincapié en la circulación con exclusión total o virtual de la producción, o que confunde las dos al construir su argumento sobre el capitalismo. Los méritos de esta crítica, que se construye con mucho más seriedad por parte de la nueva izquierda, bien pueden reservarse para el comentario que se hace, casi al final, sobre la tercera tendencia, dejando para interrogarse aquí acerca de los *motivos* comunistas en escoger esta línea de ataque. Parecen relacionarse a una segunda característica que las críticas comunistas comparten con las de la nueva izquierda: la selección del momento oportuno para su contraofensiva. Es notable que, aunque estos artículos de AGF circularon y han sido el objeto de algún fuego de francotiradores comunistas desde 1963, ellos no empezaron a dirigir su artillería pesada contra este trabajo hasta 1969 y especialmente desde 1970.

Lejos de ser una coincidencia o de deberse siquiera a una demora "natural" entre publicación y crítica, puede sugerirse que el momento escogido para esta crítica es consecuencia y reflexión de la crisis antes mencionada, y que está destinado a ayudar —aunque sea en pequeña medida— a la resolución de dicha crisis de una manera u otra. Por qué y cómo la nueva izquierda responde a la misma crisis con su crítica constructiva puede examinarse más abajo. Aquí puede preguntarse por qué camino o en qué dirección quieren dirigirnos los partidos comunistas. Durante gran parte de los años 60 el avance de la Revolución Cubana y su atracción y prestigio cada vez mayores en América Latina y otras partes obligaron a los partidos comunistas tradicionales —que simultáneamente se estaban batiendo en otro frente ideológico con los chinos— a adoptar una actitud relativamente conciliadora hacia la política cubana y las posiciones vinculadas a ella en América Latina. En algunos casos ellos aceptaron temporariamente la lucha armada; y en muchos casos cambiaron su línea o por lo menos su lenguaje táctico. Empezó a desaparecer de los programas de los partidos comunistas la ya clásica fórmula de la lucha "democrática" contra un imperialismo solamente "externo" y un "feudalismo" interno —nótese, por ejemplo, el cambio del programa electoral en Chile desde el del FRAP en 1964 al de la Unidad Popular en 1970—. Algunos partidos comunistas de América Latina enviaron representantes a OLAS en 1967, y otros —inclusive los de Brasil, Argentina y Chile— enviaron sus secretarios generales a Moscú para que allí se hicieran referencias oblicuas pero bastante transparentes a OLAS en el sentido de que "nacionalistas pequeño-burgueses que niegan la significación internacional del marxismo-leninismo han creado una concepción del excepcionalismo local o continental . . . , mientras que se denomina como tradicionalistas, ortodoxos y moderados a aquellos partidos que se mantienen leales a los principios del marxismo-leninismo". No fue sino hasta el fin de la década y quizá no accidentalmente, hasta un tanto después de la muerte del *Che* Guevara, que los partidos comunistas de América Latina nuevamente lograron una unidad sustancial en el marxismo-leninismo internacional —y que lanzaron una contraofensiva general en un frente amplio, incluyendo a blancos tan diminutos como AGF.

Puede preguntarse, ¿en qué dirección apunta esta contraofensiva comunista? Políticamente, ella está marcada por el acercamiento económico y político cada vez mayor entre la U.R.S.S. y el imperialismo que parece obstaculizado solamente por la sucia guerra en Vietman y el enfrentamiento en el Medio Oriente. El Partido Comunista francés —el secretario general del PC chileno dijo en cierta oportunidad que es el partido que más se parece al propio— declaró, y es más, demostró, ser el "partido del orden" durante la revuelta de 1968 que, más allá de los estudiantes, movilizó 10 millones de obreros en Francia. En Italia, el "mayo" de un año de duración, de 1969-70, en Turín, Milán y otras ciudades obligó al Partido Comunista a seguir, más bien que liderar, la movilización masiva de los obreros. Más recientemente, como ya se observó, los dos partidos mencionados se hicieron admiradores —y para sus propios fines grandes propagandistas— de la "vía chilena". En América Latina, el Partido Comunista de Venezuela volvió a la "paz democrática" antes de dividirse. En otros países latinoamericanos y en vista del aumento de la movilización de masas generada por la crisis, los partidos comunistas se han plegado, han promovido y en donde ha sido posible han liberado viejos o nuevos frentes populares, unidos o amplios. Estas iniciativas, o más correctamente estas respuestas comunistas, ¿son para movilizar a obreros y campesinos hacia la revolución socialista, o son para guiar esta movilización objetivamente generada hacia el camino pacífico "al socialismo"? La autocrítica pública del Partido Comunista brasileño después del golpe militar de 1964 expresó, no su pesar porque durante el régimen "progresista" de Goulart ellos hubieran sido demasiado moderados, sino que ellos habían contribuido a desencadenar el golpe ¡al ser demasiado izquierdistas! El presidente

317

del Partido Comunista de Ceilán me contó recientemente que sería bueno que ellos dejaran o fueran expulsados de la coalición gubernamental "progresista" de la señora Bandaranaike porque la movilización popular (al margen o contra el gobierno) se estaba volviendo "demasiado caótica" y porque su partido podría hacerse cargo de ella con más autoridad si estaba fuera en vez de dentro del gobierno. El Partido Comunista de Chile públicamente echó la culpa del derrocamiento del gobierno de Torres en Bolivia, no a una movilización obrera inadecuada o incorrectamente organizada, sino al "ultraizquierdismo" de la Asamblea Popular y su constitución.

El Partido Comunista de Chile primero participó en escribir en una parte destacada del programa de la Unidad Popular la formación de una Asamblea Popular y la promesa de que sus Comités de Unidad Popular (CUPs.) se transformarían después de la victoria electoral de simples comités electorales en comités para una movilización de masas continuada y cada vez mayor. Pero luego este partido dejó de aprovechar su capacidad organizativa para desarrollar dichos comités y no hizo nada para evitar el desgaste de casi todos los 15.000 CUPs. del país. Sin embargo, la movilización de masas, lejos de disminuir, aumentó a niveles jamás conocidos en Chile. Cuando en Concepción, centro que tradicionalmente es el de mayor conciencia y organización política del país, todos los partidos de izquierda dentro y fuera de la Unidad Popular, no menos el Partido Comunista organizaron primero una movilización de masas y después el primer encuentro de una Asamblea del Pueblo, el Partido Comunista de Chile designó a su principal ideólogo para descalificar a sus compañeros de la UP por termocéfalos irresponsables que han perdido todo contacto con la realidad. ¿Cuál es entonces la realidad según el Partido Comunista de Chile? Que el descenso del apoyo electoral, y quizás otros experimentados por el gobierno de la Unidad Popular durante los últimos meses (o desde las elecciones de abril de 1971)*, no se deben a no haber cumplido partes importantes del Programa de la UP ni a no haber cumplido ni siquiera con la mitad o algo más de las "40 medidas" prometidas por él mismo. Al contrario, el mal reside —según el PC chileno— en las presuntas y excesivas transgresiones del programa de la UP y en los "ultraizquierdistas infantiles", quienes, en alianza con la CIA y el imperialismo, presuntamente impulsan tales transgresiones. Por otro lado, más allá de movilizar su considerable poderío organizativo para desmovilizar la masa en miles de

* Este artículo fue escrito en agosto de 1972.

luchas cotidianas menores (y algunas mayores), el Partido Comunista de Chile se ha valido de sus parlamentarios para promover y concertar innumerables convenios con la oposición Demócrata Cristiana a puertas cerradas y a espaldas de las masas —y los ha empleado para anunciar su política oficial para el futuro previsible: ¡ganar a las clases medias para las próximas elecciones!

Poco antes de ser nombrado ministro de Hacienda, Orlando Millas escribió el documento político más comentado —dentro y fuera del PC— de los últimos tiempos, intitulado "La clase obrera en las condiciones del gobierno popular". Después de repetir algunas palabras acerca de la importancia de la movilización obrera y de hacer hincapié en las diferencias entre el Chile contemporáneo y la NEP leninista en la Unión Soviética —pero sin especificar ninguna diferencia en particular, por ejemplo cómo detenta el poder político— Millas revela el meollo de su argumentación y de la estrategia de su partido: "Lo característico de la coyuntura de hoy en nuestra experiencia es que la correlación de fuerzas ha sido afectada, en contra de la clase obrera y del gobierno popular, por errores políticos y económicos que podemos resumir deciendo que constituyen transgresiones al programa de la Unidad Popular. Cabe, entonces, poner el acento en la defensa del gobierno popular, en su mantenimiento y en la continuidad de su obra. Sería funesto seguir ampliando el número de los enemigos y, por el contrario, debería hacerse concesiones y, al menos, neutralizar a algunas capas y determinados grupos sociales, enmendando desaciertos tácticos". Para el Partido Comunista de Chile la consigna llegó a ser "consolidar avanzando", cuyo significado en la práctica muchos han comprendido como "avanzar consolidando".

Estas circunstancias y políticas también sirven de base y determinan la contraofensiva del Partido Comunista en el frente ideológico, inclusive contra AGF y la nueva dependencia. La "vía chilena" ya tiene en sí bastante importancia. Pero ella ha alcanzado también amplias implicaciones para la suerte de los movimientos de frentes unidos —no importa cuán diferentes puedan ser del chileno— en varios otros países latinoamericanos. Y en una coyuntura histórica en la cual el "tercermundismo" parece haber retrocedido a un lugar secundario con respecto al centro de gravedad política mundial, a Chile se lo considera como una pieza vital para los partidos comunistas que se encuentran en una seria contienda cuyo rey y reina, o por lo menos torre y alfil, están en Francia e Italia. No es accidental la atención que algunos ideólogos comunistas de Europa dedican a Chile, y aun a "aberraciones" ideológicas centradas en Chile, que en otras circunstancias serían insignificantes.

Estas circunstancias quizás explican, más que justifican, la táctica principal empleada por estos "compañeros" —uno de ellos ha escrito que él no es compañero de AGF— para combatir las "contenciones" —así llamadas por otro que dice que no pueden llamarlas "tesis"— de AGF, quien es un eminente sabio de papel (todo entre comillas, se entiende) con un talento y una pasión dignos de mejor causa; es un teorizante conspicuo de una izquierda anárquica, un provocador, desviacionista, confusionista y divisionista; este investigador (sic) marxista (nuevamente, sic) lleva su ligereza a límites extremos bajo un pretexto seudomarxista, en una tentativa deliberada de crear confusión; su ligereza, trivialidad y superficialidad intelectual y su superficialidad y trivialidad científica no pueden dar lugar sino a la inconsistencia (¿será mejor decir deshonestidad?) política, que es el producto natural del trabajo de un pequeñoburgués con pretensiones de marxista revolucionario (Romano). No, no hay ilusión posible. Gunder Frank termina su trabajo proponiendo como la única y correcta estrategia del desarrollo la revolución armada y la construcción del socialismo. La verdad es que en Chile, Perú y Bolivia la liberación sólo puede ser el resultado de un proceso articulado y laborioso de lucha antioligárquica y antiimperialista... (Sandri). El marxismo-leninismo hace centro, dada la estructura, en la alianza clave del proletariado y el campesinado en un frente con la pequeña burguesía, las capas medias y sectores progresistas de la burguesía nacional, para resolver el problema agrario como eje de la revolución necesaria. En la revolución socialista, que proclama Frank y los que aceptan sus puntos de vista, la clase obrera marcharía sola. Por lo tanto no habría que trabajar en el seno del campesinado. Tampoco habría que tender a que participen en la lucha la pequeña y mediana burguesía, sectores más avanzados de la burguesía nacional. No habría tareas inmediatas que realizar antes de plantearse la revolución socialista. No se trata, pues, de un pequeño "detalle": se trata nada menos que del tipo de revolución necesaria, del problema de las alianzas (Lebedinsky).

La CIA y la pata del gato. Naturalmente, no es Gunder Frank, sino lo que representa, lo que está en el centro del debate. Él representa, básicamente, la existencia de un pensamiento de ultraizquierda en la política internacional, sumamente proporcionado. Un pensamiento que mientras más difusión tiene, más facilita la labor del imperialismo con respecto a los procesos revolucionarios... En efecto, la sola presencia de este tipo de teóricos significó... la tendencia de dividir a antiimperialistas en dos bloques: el de los marxistas e intelectuales revolucionarios, por un lado, y el de los comunistas, por el otro... este puñadito de intelectuales amorfos, anárquicos e hipercríticos... defienden las posiciones del imperialismo concurriendo a las trincheras del antiimperialismo" (Rodríguez Elinzondo).

No se trata de estar o no de acuerdo; es que incluso se disminuye la posibilidad de discusión. Porque digamos, para terminar, que discutir significaría hacerse cómplice de Andre Gunder Frank, el cual, objetivamente —y a nivel político— no es más que un verdadero provocador. Se podrá preguntar que si todos estos escritos son tan inútiles, ¿por qué hablamos de ellos? Porque desenmascarar su aspecto provocador me parece una obligación. Un deber de moralidad científica, de higiene intelectual, de profilaxis política. Ante un exceso de incapacidad en la presunción de este calibre, se tiene el deber de reaccionar y de indicar que tras todo este oropel conceptual de pacotilla no existe sino el más total vacío. (Romano) (¡Amén!)

En estas circunstancias, podemos preguntar, ¿qué queda por discutirse con o en relación con estos camaradas? El lector habrá observado por sí sólo uno de los aspectos críticos que esta segunda tendencia tiene en común con el nivel de debate empleado por la primera, anteriormente reseñada. La otra similitud con ésta reside en la dirección hacia donde dirigen su argumentación —en el grado limitado de profundidad (aunque quizá no de extensión) en que nos ofrecen alguna dirección: la retrospectiva.

La resurrección por otra parte del Partido Comunista contemporáneo del fantasma de su programa político "antioligárquico" y "antiimperialista" de antaño, y que algunos pensaron ya muerto y sepultado con el Comintern, se complementa —y según ellos se apoya— con sólo retocar los mismísimos antiguos argumentos científicos e ideológicos. Al margen de su cargo acerca de la debilidad científica de AGF por no lograr hacer un análisis satisfactorio de las relaciones productivas o del modo de producción (cuestión a ser todavía examinada), puede observarse ya que los teóricos del Partido Comunista tampoco lo han hecho mejor. Ellos no tratan y menos logran llevar el análisis más allá de lo logrado en los años 60, aprovechándose del renacimiento latinoamericano y mundial —aunque sea limitado— de los estudios marxistas durante el decenio pasado, para reorientar nuestro trabajo planteando nuevas preguntas y ofreciendo otras respuestas más apropiadas para las cambiantes condiciones y oportunidades políticas (tal como lo hacen algunos de los críticos de la nueva izquierda que se reseñan a continuación). No: en vez de esto los voceros del Partido Comunista se limitan a hacer un llamado a la generación pasada para retroceder a los mismos ya viejos sustitutos esquemáticos que no lograron hacer el verdadero análisis de la transformación del modo de producción en el proceso de acumulación de capital. Pero en realidad, para todos los efectos (salvo quizás alguno de ellos), éstos ya eran inservibles en aquel entonces y tanto más lo son ahora. ¿Evidencia? El mismo hecho de que se hiciera necesaria la renovación de estudios marxistas —que tuvo lugar sin ninguna contribución reciente que haya podido descubrirse— de ninguno de estos intelectuales marxistas que se mantuvieron fieles a la línea moscovita de su partido comunista. El camarada M. Lebedinsky reclama que "algunos de los apologistas de la teoría de la (nueva) dependencia prácticamente vienen a una tesis marxista, pero el primer esfuerzo es diferenciarse de los comunistas". Pero a esta altura, ¿quién se dispondría a seguir, o quién pondría unirse al camarada cuando haría suponer que estos "apologistas" se diferencian en que se quedan cortos de la teoría y praxis del Partido Comunista, en vez de avanzar más allá de ella? Sea cual fuere la respuesta objetiva, podría ser una indicación personal: yo mismo *jamás* he tenido la temeridad de proclamarme marxista. En ninguno de mis escritos publicados —o no publicados— podrá encontrarse tal pretensión personal. ¿Quién entonces formula esas falsas o "seudo" pretensiones?

B. Una parte de la crítica, pero mucho menor, ha emanado también de otros partidos marxistas maoístas (Arrighi, Circolo Lenin) y trotskistas (Novak, Deward y Bailly). Arrighi se identificó con la argumentación de AGF en el prefacio a su libro sobre África, escrito independientemente. Al volver a Italia para hacerse militante maoísta, Arrighi hizo pública una autocrítica de su anterior aceptación de esa argumentación. Reiterando y reafirmando su anterior reserva acerca de la carencia de un análisis suficiente de las relaciones de producción por parte de AGF, Arrighi ahora agregó el cargo de que el análisis no es marxista y menos aún maoísta, por cuanto presunta y erróneamente supone que las contradicciones "externas" en vez de las verdaderas "internas" determinan el curso histórico de los acontecimientos en América Latina y otras partes. En su conocido ejemplo, Mao observaba que a pesar de aplicarse la misma temperatura "externa" a un huevo y a una piedra, las diferentes condiciones "internas" hacen que nazca un pollito de uno y no de otro. A pesar de apoyarse en esta autoridad marxista, Arrighi no ha logrado —aun recurriendo adicionalmente a correspondencia personal y a su conversación amigable con el presente autor— clarificarle suficientemente a AGF cómo distinguir exactamente entre las contradicciones "externas" y las "internas" en el proceso, tal como se desenvuelve en una parte determinada del sistema imperialista. Sin duda, los límites del éxito de este esfuerzo residen en las limitaciones "internas" de AGF. Pero junto con el esfuerzo de otros, éste está empeñado en tratar de superarlos en su trabajo futuro. No son inmediatamente evidentes las conclusiones políticas a derivarse de la crítica en Italia. Pero en América Latina algunos maoístas han tenido reservas acerca de la argumentación en la medida en que no sirve de base, tal como ellos lo requieren, a la estrategia maoísta con respecto a los conocidos "cuatro grupos".

Entre los trotskistas, Ernest Mandel expresó cierta afinidad con nuestras argumentaciones en el posfacio a la edición mejicana de su *Tratado de economía marxista*. Pero luego su compañero dirigente de la IV Internacional, George Novack, repitió las mismas críticas acerca de las relaciones de producción, etcétera, y resumió: "El enfoque de Frank al desarrollo socioeconómico de América Latina es excesivamente simplificado. No deja lugar para situaciones históricas complejas, relaciones de clases, formaciones socioeconómicas contradictorias... Esto también explica por qué la tentativa por Frank de dividir el marxismo del trotskismo y de contraponer uno al otro no tiene fondo". Excesivamente simple, sí —podemos responder—; no deja lugar..., no. Y en cuanto a marxismo y trotskismo, jamás he alegado representar ni a uno ni a otro, ni de dividirlos, ni de contraponerlos, ni nada.

III

Puede distinguirse una tercera tendencia principal entre los críticos y críticas, que —no muy satisfactoriamente— puede denominarse el de la nueva izquierda independiente, aunque muchos de sus actores también vinculan su trabajo intelectual a la praxis política militante y partidaria. Lo que los distingue dentro del contexto actual es que sus críticas no son retrospectivas sino prospectivas. Estos críticos y críticas pueden a su vez subdividirse —quizás aún menos satisfactoriamente para ellos y el presente autor— en las (A) que se hicieron relativamente temprano y que, aunque prospectivas, aún no avanzan su trabajo crítico muy lejos hacia áreas distintas; y (B) las más recientes —y seguramente venideras— cuya contribución importante es que "a los conocimientos y análisis actuales se les compone de maneras nuevas, planteando preguntas y ofreciendo conclusiones que permiten y obligan, tanto a amigos como a enemigos, a dirigir su propia investigación y análisis en direcciones distintas" y que dan lugar a "reformulaciones principales del pensamiento económico... (que son) a las cambiantes condiciones y oportunidades políticas". ¡Mientras más éxito tengan en esta tarea, tanto más bienvenidos sean tales críticos y críticas!

A. La temprana crítica de Cabral et al. y de Dos Santos ya se citaron y se comentaron en el "mea culpa" que prolonga *Lumpenburguesía;* y en la medida entonces posible sus críticas prospectivas se aprovecharon y se incorporaron en la extensión y reorientación de la argumentación anterior que se intentó en el texto de dicho libro, y que hizo hincapié en la participación clasista activa e "interna" en la determinación del proceso histórico —y de algunas de sus variaciones entre países— a través de varias etapas. Por otra parte, no parecía y no parece preciso —según creo— enfrentar los cargos equivocados de "esquematismo geográfico" y de "estructural-funcionalismo", ni las contradicciones internas de sus propios argumentos (señalados en el "mea culpa"). De todas formas, el mismo Dos Santos ha aprovechado de su crítica para avanzar aún más en el análisis que él y sus compañeros de trabajo han hecho de la "nueva dependencia". Tanto este progreso como sus limitaciones —en la medida en que ha sido restringido esencialmente por la misma coyuntura política y concepción ideológica— ya han sido comentados por otros críticos, amigos y no.

La crítica de Weffort, en el sentido de que nuestra argumentación supondría una base *nacional* no existente del poder y de la política clasista, es dirigida simultáneamente a Cardoso y Faletto y a AGF. Pero Cardoso ya ha mostrado que dicha crítica carece de fundamento, y su respuesta plantea preguntas y ofrece conclusiones que son bastante más interesantes y trascendentales que las de Weffort. Rodríguez y Sechi, por su parte, se limitan a formular cargos de esquematismo excesivamente simplificado, que aun si fueran correctos en sí, no son muy útiles mientras no interpreten ni evalúan el esquema dentro del contexto económico, político, ideológico y científico en respuesta al cual primitivamente se planteó, y a menos que ellos mismos hagan una contribución a reformular las preguntas y conclusiones en respuesta al contexto recientemente emergente. Sempart divide su crítica en lo que en esencia son dos partes, en cuanto historiador, alega que los acontecimientos históricos no son los que aparecen en el ensayo de AGF que se basa en Chile. Pero —tal como Torres (véase más abajo) lo ha observado—, tal crítica empírica en sí queda necesariamente dentro del marco teórico de lo que critica y no alcanza para reformular el problema teórico, y tanto menos —puede agregarse— por cuanto en el ensayo original AGF explícitamente negó cualquier tentativa de escribir *historia* de Chile alguna, limitándose a expresar la esperanza de que pudiera ayudar a reformular la teoría. En la parte del ensayo de Sempart que efectivamente se dedica a la crítica teórica, se atribuye a AGF haber propuesto presuntas relaciones entre los lazos metrópoli-satélite y el desarrollo-subdesarrollo, que son precisamente los *inversos* de los sostenidos por AGF en el ensayo basado en Chile, así como en otros. Estas críticas —como cualquier lector puede comprobar— son prospectivas en intención, "tono" y en algunas sugerencias no centrales. Pero ellas aún no logran llevar adelante la crítica hacia una reformulación teórica sustancial de las preguntas y conclusiones.

B. Llegamos finalmente a una nueva apertura crítica. Este último año (desde 1971) ha sido testigo no tan solo de una extensión y profundización de la crisis económica, política e ideológica, tal como ya se reseñó. También ha invocado el trabajo nuevo por parte de estudiosos políticamente comprometidos que, por una parte, recibieron su formulación en los avances de la década anterior, pero que —siendo también crecientemente conscientes de las limitaciones de la misma— por otra parte tienen ahora la capacidad para colaborar en el enfrentamiento de dicha crisis al ofrecer aperturas críticas que prometen reorientar el pensamiento económico —y la praxis política— hacia un nivel nuevo y más alto. Lo que en estas críticas es especialmente importante y meritorio, en nuestra consideración, no es tanto el campo viejo que recorren —no importa *cuán* crítico pueda ser el de los que lo han trazado antes de ellos—, sino más bien el campo nuevo hacia donde estas críticas nos conducen, aprovechando lo viejo tan solo para construir lo nuevo. Es el caso, por ejemplo, de la serie de recientes críticas fundamentales de las tesis de A. Emmanuel acerca del intercambio desigual, como también de las críticas contra AGF y otros vinculados a la nueva dependencia. Sobresalientes entre las recientes críticas son las de Laclau, de Hinkelammert y Glauser (ambos del CEREN, de la Universidad Católica de Chile), y de Marini y Torres (ambos del CESO, de la Universidad de Chile, donde también se desempeña el presente autor). Pero no son tanto las críticas de estos autores de las cuestiones del subdesarrollo colonial y capitalista las que deben detenernos, como su progresiva reformulación de las cuestiones mismas y *por este medio* de las conclusiones.

La importancia del esfuerzo de Laclau, por tanto, no reside tanto en su crítica a eventuales fallas en los análisis del feudalismo y del capitalismo en América Latina por parte de Frank (como suena su título), y de ninguna manera (según creo) en su prueba de que AGF no puede decirse marxista (lo que nunca hizo), sino en la confirmación eventual de su creencia de que "es posible dentro de este cuadro teórico, de situar el problema de la dependencia en el nivel de las relaciones de producción" —cosa que los teóricos del Partido Comunista, por ejemplo, no se han nunca siquiera esforzado en intentar—. Laclau, por su parte, apenas empieza a hacerlo a través de un incipiente análisis de las cambiantes tasas de composición orgánica de capital y de plusvalía en el proceso de acumulación de capital.

Glauser se limita a hacer algunas referencias a los esfuerzos insuficientes de otros para pasar a analizar los regímenes coloniales de producción en Chile y en otras partes de Latinoamérica. Elabora una clasificación analítica de las relaciones de producción sucesivas y diversas para concluir que su análisis implica que "la necesidad de un desnivel en el grado de desarrollo de las fuerzas productivas entre una zona llamada centro y otra llamada periferia, parece ser una condición indispensable para que la producción capitalista exista... De todo lo cual, resulta que es la propia estructura interna de cada región periférica y precapitalista la que supone la existencia de la producción capitalista central... Estructuralmente, el centro es interior a cada región de la periferia y que, a su vez, toda la periferia es inmanente al centro". Así vuelve a plantear el antes mencionado problema puesto por Arrighi. Hinkelammert, por su parte, también encuentra insatisfactorio el análisis de AGF de transición al capitalismo industrial; pero lo hace tan solo para llevar su propio análisis de la dialéctica del desarrollo a través de la acumulación capitalista hacia la socialista.

Finalmente, Marini expresa similares y bien fundadas reservas acerca del fundamento teórico de los análisis de AGF y otros de las transformaciones del siglo XIX y de la dependencia —vieja y nueva— del siglo XX, tan solo para pasar a analizar toda la experiencia histórica de Latinoamérica desde la Conquista hasta hoy (y mañana) en términos del proceso de acumulación de capital mundial y local, y más recientemente del capitalismo de Estado. Mientras tanto, Torres se embarcó en una crítica metateórica y muy elaborada de toda la teoría de la dependencia, vieja y nueva, para despejar el camino para la reconstrucción propia —y es de esperarse por otros— de todo el proceso de acumulación de capital mundial tal como se ha manifestado en Latinoamérica. Por todos estos esfuerzos críticos y originales no podemos sino estar muy agradecidos. En cuanto a AGF, está tratando de expresar su agradecimiento a través de la preparación —durante los dos años pasados (quién sabe cuántos futuros)— de su propia tentativa de reescribir, si no de reanalizar, el proceso cíclico de la acumulación de capital en el mundo, con especial referencia a la participación en el mismo de Asia, el Medio Oriente, Africa y América Latina desde 1500 hasta la actualidad. Espera por este medio hacer cualquier pequeña contribución que esté a su alcance a la renovación ideológica, a la revolución política y social y a la futura acumulación socialista.

En fin, quizá no debería sorprender que la atención científica social vuelve a los problemas de la acumulación de capital —y desencadena una nueva apertura en su análisis— precisamente ahora que el proceso de acumulación de capital nuevamente parece problemático. Tal como el estudio de una de sus principales manifestaciones, que es el ciclo económico (que comúnmente se identifica solamente con la crisis y con la fase descendente del ciclo), la tendencia es analizar el proceso cíclico de la acumulación de capital en sí solamente en tiempos de crisis, y sus consecuencias (tal como lo hicieron, por ejemplo, Boehm-Bawerk y Joan Robinson durante cada una de las anteriores "grandes" depresiones). En tiempos de larga ascendencia cíclica, el proceso de acumulación de capital tiende a percibirse más bien como una tendencia natural y autónoma a largo plazo, si es que se la mira desde la metrópoli que está acumulando, y como una "dependiente" quizá, tal como se la ve desde la perspectiva de los países subdesarrollados. Pero habiendo cerrado el círculo, tanto en nuestra argumentación como en el ciclo económico, la *problemática* de la acumulación (cíclica) de capital nuevamente cobra vigencia como orden del día, sea para responder a las cambiantes condiciones políticas o a las correspondientes oportunidades políticas...

Estas condiciones y oportunidades también se manifiestan a través de la intensificación renovada de la lucha de clases y la concomitante renovación de los esfuerzos de analizar y de codeterminar —hacia una dirección u otra— la transformación contemporánea de la estructura de clases y del modo de producción subyacente.

CRITICAS DE OBRAS DE ANDRE GUNDER FRANK

I. Artículos y Ensayos

ARRIGHI, GIOVANNI: "Rapporti fra struttura coloniale e struttura di classe nell'analisi del sottosviluppo", *Problemi del Socialismo*, XIV, Nº 10, Roma, julio-agosto 1972, pp. 526-535.

ARRICHI, GIOVANNI: "Struttura di clase e struttura coloniale nell'analisi del sot tosviluppo", *Giovane Critica*, N⁰ 22-23, Milán 1970.

CABRAL B., ROBERTO Y OTROS: "Importancia y evaluación del trabajo de A. G. Frank sobre el subdesarrollo latinoamericano", Escuela Nacional de Economía, Universidad Nacional Autónoma de México, México, 1969 (mimeo), 40 pp.

CÓRDOVA, ARMANDO: "El capitalismo subdesarrollado de A. G. Frank", Instituto de Investigaciones Económicas y Sociales, Univ. Central de Venezuela (mimeo), 63 pp., y *Suhrkamp Verlag*, Frankfurt.

DOS SANTOS, THEOTONIO: "El capitalismo colonial según A. G. Frank", *Monthly Review-Selecciones en Castellano*, año V, N⁰ 52, nov. 1968, reimpreso en Th. Dos Santos, *Dependencia y cambio social*, CESO, Santiago, 1971, pp. 139-50.

FILIPPI, ALBERTO: "Un Modello Storico-strutturale del Sottosviluppo", *Problemi del Socialismo*, N⁰ 42, Roma, sept.-oct., 1969, pp. 945-959.

FILIPPI, ALBERTO: "Introduzione" a A. G. Frank, *Sociologia dello sviluppo e Sottosviluppo della Sociologia*, Lampugnani Nigri, Ed. Milán, 1970, pp. VI-XXVI.

LACLAU (H), ERNESTO: "Feudalism and Capitalism in Latin America", *New Left Review*, N⁰ 67, Londres, may.-jun., 1971, pp. 19-38, y *Problemi del Socialismo*, Roma.

MORENO, NAHUEL y NOVACK, GEORGE: *Feudalismo y capitalismo en la colonización de América, una respuesta a André Gunder Frank*, Ediciones Avanzada, Buenos Aires, 1972.

NOVACK, GEORGE: "Permanent Revolution in Latin America", *Intercontinental Press*, vol. 8, N⁰ 38, Nueva York, nov. 1970, pp. 978-983.

PINTO, ANÍBAL (LAUTARO, seudón.): "Diagnóstico y «catastrofismo» en el continente", *Panorama Económico*, N⁰ 252, Santiago, feb.-mar., 1970, pp. 15-19; reimpreso en A. PINTO, *Tres ensayos sobre Chile y A. Latina*, Ed. Solar, Buenos, 1971, pp. 10-20.

ROMANO, RUGGIERO: "Sobre las 'tesis' de A. G. Frank", *Marcha*, Montevideo, 12-19 de marzo de 1971; *Migajas*, Fed. Universal de Mov. Estudiantiles Cristianos (FEMUC), Lima 1971, 16 págs.; *Desarrollo Económico*, N⁰ 38, Buenos Aires; *Cahiers Wilfredo Pareto*, N⁰ 24, Ginebra, abril 1971, pp. 271-279.

SANDRI, RENATO: "Capitalismo e sottosviluppo nell'America Latina. A proposito dell'opera di Andre Gunder Frank", *Politica ed Economia*, N⁰ 2, Roma, sept. 1970, pp. 150-57.

SEMPART ASSADOURIAN, CARLOS: "Modos de producción, capitalismo y subdesarrollo en América Latina", *Cuadernos de la Realidad Nacional*, N⁰ 7, Santiago, marzo 1971, pp. 116-142.

SILVA MICHELENA, HÉCTOR: "Liminar" en A. G. Frank, *Lumpenburguesía: Lumpendesarrollo*, Editorial Nueva Izquierda, Caracas, 1970, pp. 7-10.

VALENZUELA FEIJOO, JOSÉ: "André Gunder Frank: Una teoría del subdesarrollo", *Pensamiento Crítico*, N⁰ 28, La Habana, mayo de 1969, pp. 101-120.

VASCOS, FIDEL: "Gunder Frank: Teoría del subdesarrollo". *Verde Olivo*, IX, N⁰ 48, La Habana, 29 de nov. 1970, pp. 26-28.

WEFFORT, FRANCISCO: "Notas sobre la teoría de la dependencia: Teoría de clase e ideología", *Revista Latinoamericana de Ciencia Política*, vol. I, N⁰ 3, Santiago, dic. 1970, pp. 389-401.

II. En Libros y Artículos (Páginas de discusión de tesis de Frank entre paréntesis)

Amin, Samir: *L'Acumulation a l'Echelle Condiale*, Anthropos, París, 1970, 589 pp. (9-47).

Arrighi, Giovanni: "Prefaziones" a *Sviluppo Económico e Sovrastrutture in Africa*, Einaudi Editore, Turín, 1969, 358 pp. (9-11).

Becerra, Longino: "Carácter y contenido del proceso revolucionario latinoamericano", *Revista Internacional - Problemas de la Paz y el Socialismo*, Nº 12, Praga, 1968, pp. 81-87.

Bodenheimer, Susanne: "Dependency and Imperialism: The Roots of Latin America Underdevelopment", in K. T. fann & D. C. Hodges (eds.), *Readings in U. S. Imperialism*, Porter Sargent Publisher, Boston, 1971, pp. 155-182 (165-169).

Circolo Lenin di Milano: *Teoría, Prassi e realtá Sociále del Movimiento Operatorio 1830-1929*, Sapere Edizione, Milán, 1971, 270 pp. (26-38).

Deward, Jeane-Jean Bailly: "Note sur la formation du sous developpment en Amérique Latine", *Critiques de l'Economie Politique*, Nº 3, París, abril-julio 1971, pp. 17-27 (18 ff.).

Genovese, Eugene: "The Slave Societies of the Americas in World Perspectiva", Allen Lane Penguin, Londres, 1970.

Glauser, Kalki: "Orígenes del régimen de producción vigente en Chile", *Cuadernos de la Realidad Nacional*, Nº 8, Santiago, junio de 1971, pp. 78-152, (78-79, 132-152).

Graciani, Giovanni: "Imperialismo e Sottovisluppo, il caso de América Latina", *Classe e Stato*, Nº 5 Bologna, dic. 1968, págs. 22-58. Traducción española: *América Latina, imperialismo y subdesarrollo*, Editorial Diógenes, México 1971, 70 pp.

Hinkelammert, Franz: *El subdesarrollo latinoamericano. Un caso de desarrollo capitalista*, Universidad Católica de Chile, Santiago, 1970, 134 pp. (78-79).

Kowaleski, Marcín: *Antropología de la guerrilla*, Ediciones Bárbara, Caracas, 1971.

Laclau, Ernesto: "Modos de producción, sistemas económicos y población excedente, aproximación histórica a los casos argentinos y chilenos", *Revista Latinoamericana de Sociología*, vol. V, Nº 2, Buenos Aires, julio de 1969, pp. 276-316 (279 ff.).

Mandel, Ernest: "Postfacio" al *Tratado de economía marxista*, Ediciones Era, México, 1970, espec. tomo II (pp. 336-337).

Martínez Alier, Juan: "¿Un edificio capitalista con fachada feudal? El latifundio en Andalucía y en América Latina", *Cuadernos de Ruedo Ibérico*, Nº 15, París, oct.-nov. 1967, pp. 3-54 (43-52).

Olmedo, Raúl: "Introducción a las teorías sobre el subdesarrollo", *Pensamiento Crítico*, Nº 36, enero de 1970, pp. 3-21 (16-20).

Paso, Leonardo: ¿Feudalismo o capitalismo en América Latina?, *Desarrollo Indoamericano*, Nº 19, Barranquilla, octubre 1972, pp. 58-67.

Rodríguez, Octavio: "Informe sobre las críticas a la concepción de la CEPAL", ILPES, Santiago, julio 1971 (CDP/27), 154 pp. (122-152).

Sandri, Renato: "Nazione e lotta di clase nell'America andina", *Rinascita*, Nº 32, Roma, agosto 1971, pp. 12-13.

Stein, Stanley J., y Shane J. Hunt: "Principal Currents in the Economic Historiography of Latin America", *The Journal of Economic History*, XXXI, Nº 1, Nueva York, marzo 1971, pp. 222-253 (241-253).

III. DEBATES

DALTON, GEORGE VS. A. G. FRANK: "Theoretical Issues in Economic Anthropology", *Current Anthropology*, vol. 10, Nº 1, Chicago, feb. 1969, pp. 63-102; vol. 11, Nº 1, feb. 1970; pp. 67-71; vol. 12, Nº 2, abril 1971, pp. 237-241.

DEDIJER, STEFAN VS. A. G. FRANK: "Scientific Research and Political Power", en LARS DENCIK (ed.): *Scientific Research and Politics*, Studentlitteratur, Lund, Suecia, 1969, pp. 84-90, 152-160, 166-173, 187-190, 195-200.

MORNER, MAGNUS Y ANDERS VS. STEFAN DE VELDER: "Debate" *Dagens Nyhetter*, Estocolmo, 18 de enero al 4 de febrero 1970.

PUIGGRÓS, RODOLFO VS. A. G. FRANK: "Los modos de producción en Iberoamérica", *El Gallo Ilustrado*, Suplemento Dominical de *El Día*, Nº 173, 175, 177, 179, 181, México, 17 de octubre - 12 de diciembre de 1965. Reimpreso en *Izquierda Nacional* Nº 3, Buenos Aires, oct. 1966.

SYMPOSIUM on "Social Responsability in Anthropology": *Current Anthropology*, vol. 9, Nº 5, Chicago, dic. 1968, pp. 391-435; y también en *Temps Modernes*, París, dic. 1970.

IV. RESEÑAS IMPORTANTES (Excepto reseñas cortas, resúmenes y notas).

AMERICAN ANTHROPOLOGIST (Menasha), por David Enstein, vol. 70, Nº 6, 1968, pp. 1243.

ANNALS OF THE AMERICAN ACADEMY OF POLITICAL SCIENCE, por Jau Mandle, vol. 395, mayo 1971.

CANADIAN DIMENSION (Winnipeg), por George Lermer, 1967.

COMERCIO EXTERIOR (México), por Renwardo García Medrano, vol. XVII, Nº 4, abril 1967.

CULTURES ET DEVELOPPMENT (Lovaina), por André Cortin, vol. 1, Nº 2, 1969.

DAGENS NYHETER (Estocolmo), por Gunnar Persson, feb. 1968.

ESTUDIOS LATINOAMERICANOS (Polonia), por Marcin Kula, 1971, págs. 317-321.

HISPANIC AMERICAN HISTORICAL REVIEW (Durham), por Warren Dean, agosto 1968; por Roland Ebel, nov. 1970.

HISTORISK TIDSKRIFT (Estocolmo), por Magnus Morner, 1970: 1, págs. 116-122.

IL POPOLO (Roma), por Manilo Lucaresi, dic. 1º, 1969.

INTERNATIONAL AFFAIRS (Londres), por Emmanuel de Kadt, abril 1969.

INTERNATIONAL SOCIALIST JOURNAL (Roma), por James Petras, Nº 22, agosto 1967.

JOURNAL OF ECONOMIC HISTORY (Austin), por Murdo MacLeod, XXXI, Nº 2, junio, pp. 477-9.

LE MONDE (París), por Alfred Sauvy, enero 3, 1970.

L' UNITA (Roma), por Mario Spinella, dic. 18, 1970.

MARCHA (Montevideo), por Hiber Conteris, feb. 19, 1965; por James Petras, junio 16, 1967.

NEW YORK REVIEW OF BOOKS, por Ernest Halperin, julio 13, 1967, págs. 36-37.

PENSAMIENTO CRÍTICO (La Habana), por Sebastián Elizondo, Nº 11, dic. 1967, p. 182-185.

PROBLEMS OF COMUNISM (Washington), por Víctor Alba, julio-agosto 1970.

REVISTA ESPAÑOLA DE OPINIÓN PÚBLICA (Madrid), Nº 20, abril-junio 1970, pp. 390.

SCIENCE & SOCIETY (Nueva York), por Kit Sims Taylor, vol. 34, N° 1, 1970, y vol. 35, N° 3, 1971.

THE ECONOMIC JOURNAL (Cambridge), por Timothy King, junio 1968, págs. 452-4; por Geoffrey Maynard, junio 1971, pp. 432-4.

V. ANEXO BIBLIOGRÁFICO

APORTES, N° 21, París, 1971: "Capitalismo y subdesarrollo en A. Latina".

BRODOVICH, B. N.: "Capitalism an Underdevelopment" en *Latinskaje Amerika*, N° ,6 Moscú, 1970, pp. 181-189 (en ruso).

CARR, RAYMOND: "What's wrong with Latin America?", *The Spectator Review of Books*, Londres, enero 1972.

CÓRDOVA, ARMANDO: El *"capitalismo subdesarrollado" de André G. Frank*, Ed. Nueva Izquierda, Caracas, 1972.

GUZMÁN, GABRIEL et al.: "Economía Latinoamericana", en *Información Comercial Española*, N° 460, Madrid, dic. 1970, pp. 33-136 (54-57, 65-73, 77- 80, 91).

LACLAU, ERNESTO: "Feudalismo y capitalismo en América Latina", *Sociedad y Desarrollo*, N° 1, Santiago, enero-marzo 1972, pp. 178-192.

LEBEDINSKY, MAURICIO: *América Latina en la encrucijada de la década 70.* Ed. Centro de Estudios, Buenos Aires, 1971, 198 pp. (76-9, 92-3).

MANDLE, JAY R.: "The Plantation Economy: An Essay in Definition", *Science & Society*, XXXVI, N° 1, Nueva York, 1972 (pp. 49-62).

MARINI, RUY MAURO: "Dialéctica de la dependencia: La economía exportadora", *Sociedad y Desarrollo* N° 1, Santiago, enero-marzo 1972, pp. 35-31 (37-39).

MURGA, ANTONIO: "Dependency: A Latin American View" en *NACLA Newsletter*, vol. IV, N° 10, Nueva York, feb. 1971, pp. 1-13 (5-8).

PALLOIX, CHRISTIAN: "Connaitre l'Imperialisme; de Karl Marx a A. G. Frank", en *L'Imperialisme, Colleoque d'Alger*, Université d'Alger, SNED, 1970.

PALLOIX, CHRISTIAN: "Echange inegal et polarisation dans la these d'Andre Gunder Frank", en *L'Economie Mondiale Capitaliste*, Maspero, París, 1971, vol. II, págs. 200-205, 228-236, 89-94; vol. I, pp. 215-222.

PINTO S. C., ANÍBAL: "Notas sobre desarrollo, subdesarrollo y dependencia", *El Trimestre Económico*, XXXIX (2) N° 154, México, abr.-jun. 1972, págs. 243-64.

RODRÍGUEZ ELIZONDO, JOSÉ: "El cerco contra Chile", *Principios*, N° 145, Santiago, mayo-junio 1972 (pp. 68-67).

SECHI, SALVATORE: "Recensione di A. G. Frank, Capitalismo y Sottosviluppo...", *Storie Contemporanea*, I, Roma, 1970, pp. 641-649.

TORRES, JAIME: "Para un concepto de formación social colonial", CESO, Univ. de Chile (mimeo.), 1972, 135 pp. (64-89).

VOLSKI, VÍCTOR: *Social Science*, N° 2, Moscú, 1971.

WEFFORT, F. C. Y CARDOSO, F. H.: "Dos opiniones sobre el problema de la dependencia", *Comercio Exterior*, vol. XXII, N° 4, México, abril 1972, pp. 355-65.

YOSHIDA, HIDEHO: "A. G. Frank's Latin American Studies and their Theoretical Formation", *Ajia Keizal*, vol. XII, N° 11, Tokio, nov. 1971, pp. 90-103 (en japonés).

ZAHAR, RENATE: *Kolonialismus und Entfremdung-Zur Politischen Theorie Franz Fanons*, Europaische Verlag Frankfurt, 1969, y Siglo XXI, México, 1970, 132 pp. (24-27 sp. ed.).

BIBLIOGRAFIA

Alemparte, Julio
1924 *La regulación económica en Chile durante la colonia.* Santiago, Universidad de Chile

APEC
1962 *A economia brasileira e suas perspectivas 1962.* Rio de Janeiro, a Ediçöes APEC

APEC
1963 *A economía brasileira e suas perspectivas, maio 1963*

Arcilla Farías, Eduardo
1957 *El Régimen de la encomienda en Venezuela.* Escuela de Estudios Hispano-Americanos, Sevilla

Baer, Werner
1964 "Regional Inequality and Economic Growth in Brazil." *Economic Development and Cultural Change* (Chicago), XII, No. 3, April

Bagú, Sergio
1949 *Economía de la sociedad colonial: Ensayo de la historia comparada de América Latina.* Buenos Aires, El Ateneo

Baran, Paul A.
1957 *The Political Economy of Growth,* New York Monthly Review Press (Hay edición en esp.)

Baran, Paul A. and Sweezy, Paul M.
1966 *Monopoly Capital.* New York, Monthly Review Press (Hay edición en esp.)

Baraona, Rafael, Ximena Aranda y otros
1960 *Valle del Putaendo: Estudio de estructura agraria.* Santiago, Instituto de Geografía de la Universidad de Chile

Barbosa, Julio
1963 "Pesquisa sôbre o sistema de posse e uso ad tierra, Mocambeiro, M.G." en CIDA, 1963

Boeke, J. H.
1953 *Economics and Economic Policy of Dual Societies.* New York, Institute of Pacific Relations

Boletín Económico para América Latina
"El auge y declinación de la sustitución de importaciones en Brasil",
CEPAL, Naciones Unidas, 1964

Borah, Woodrow
1951 "New Spain's Century of Depression." *Ibero-Americana* (Berkeley),
No. 35

Borde, Jean, and Mario Góngora
1956 *Evolución de la propiedad rural en el Valle del Puangue.* Santiago,
Instituto de Geografía de la Universidad de Chile

Brasil, Jocelín
1963 *O pão, o feijão, e as forças ocultas.* Rio de Janeiro, Civilização
Brasileira

Burgin, Miron
1946 *The Economic Aspects of Argentine Federalism 1820-1852.* Cambridge,
Harvard University Press (Hay edición en esp.)

Cairncross, A. K.
1953 *Home and Foreign Investment, 1880-1913.* Cambridge

Cámara Textil del Norte
1957 "Las Inversiones Extranjeras y el Desarrollo Económico de México"
en *Problemas Agrícolas e Industriales de México.* México, Vol. IX,
No. 1-2

Cardoso, Fernando Henrique
1961 "Tensões sociais no campo e reforma agrária." *Revista Brasileira de
Estudios Políticos,* No. 12, octubre

Céspedes del Castillo, Guillermo
1957 "La sociedad colonial americana en los siglos XVI y XVII". En J.
Vinceno Vives, ed., *Historia económica y social de España y América,*
Barcelona, Editorial Teide, Vol. III.

Chevalier, François
1956 "La formación de los grandes latifundios en México." *Problemas
Agrícolas e Industriales de México,* enero-marzo.

CIDA
1963 Comité Interamericano de Desarrollo Agrícola, estudios inéditos disponibles en el Centro Latinoamericano de Pesquisas en Ciências
Sociais, Rio de Janeiro

Classe Operária
1963 *A Classe Operária,* No. 444

Comercio Exterior
1964 Banco Nacional de Comerciol Exterior, México, S.A.

Comercio Exterior
1965 Banco Nacional de Comercio Exterior, México, S.A.

Comissão Nacional de Política Agrária
1955 *Aspectos Rurais Brasileiros.* Rio de Janeiro, Ministério da Agricultura

Conjuntura Económica
1962 *Conjuntura Económica,* XVI, No. 4, abril

Conjuntura Económica
1964 *Conjuntura Económica,* XVII, No. 2, febrero

Conjuntura Económica
1965 *Conjuntura Económica,* XVIII, No. 2, febrero

Conselho Nacional de Economia
1963   *Exposição geral da situação económica do Brasil 1962*. Rio de Janeiro,
         Conselho Nacional de Economia
Correio da Manhã
1963   *Correio da Manhã*, junio 6
Correio da Manhã
1965   *Correio da Manhã*, enero 31
Costa, José Geraldo da
1963   "Garanhuns." En CIDA 1963 (ver más arriba)
Costa Pinto, L. A.
1948   "A estrutura da sociedade rural brasileira." *Sociologia*, (São Paulo),
         X, No. 2

Dávila, Carlos
1950   *Nosotros, los de las Américas*. Santiago, Editorial del Pacífico
Della Piazza, Paulo
1963   "Santarem." en CIDA 1963
Desenvolvimento & Conjuntura
1957   *Desenvolvimento & Conjuntura*, No. 2, agosto
Desenvolvimiento & Conjuntura
1958   *Desenvolvimiento & Conjuntura*, Nº 7, julio
Desenvolvimiento & Conjuntura
1959   *Desenvolvimiento & Conjuntura*, Nº 4, abril

Ellis Júnior, Alfredo
1937   *A evolução da economia paulista e suas causas*. São Paulo, Com-
         panhia Editôra Nacional
Encina, Francisco
1912   *Nuestra Inferioridad Económica: Sus Causas y Consequencias*. San-
         tiago

Ferrer, Aldo
1963   *La Economía Argentina*. México, Fondo de Cultura Económica
Fõlha de São Paulo
1963   *Fõlha de São Paulo*, mayo 26
Ford, A. G.
1962   *The Gold Standard 1880-1914, Britain and Argentina*. Oxford Cla-
         rendon Press (Hay edición en esp.)
Frank, André Gunder
1962   "México: Las dos caras de una revolución burguesa del siglo XX",
         Política (México) IV, 74, 15 de mayo de 1963; *Monthly Review,
         Selecciones en Castellano* (Buenos Aires) No. 2, 1963
Frank, André Gunder
1963a   "Tipos de Reforma Agraria", *Monthly Review, Selecciones en Caste-
         llano*, (Buenos Aires), No. 1, 1963; Oscar Delgado (comp.) *Reformas
         Agrarias en América Latina*, México, Fondo de Cultura Económica
Frank, André Gunder
1963b   "Las relaciones económicas entre Estados Unidos y América Latina",
         Arauco, (Santiago), No. 51, 1964; *Economía y Agricultura* (Lima),
         No. 1, 1963; *Marcha* (Montevideo), XXIV, 1153, 26 de abril de 1963.

Frank, André Gunder
1964a "El derrocamiento de Goulart", *El Día*, (México), 20 de mayo de 1964

Frank, André Gunder
1964b "Sobre los mecanismos del imperialismo: El caso del Brasil", *Monthly Review, Selecciones en Castellano* (Buenos Aires), No. 14, 1964; *Nuestra Industria Económica* (La Habana), No. 13, 1965; *Economía y Administración* (Maracaibo), III, No. 3, 1964

Frank, André Gunder
1965a "¿Servicios extranjeros o desarrollo nacional?", *Comercio Exterior* (México), XI, No. 2, febrero de 1966

Frank, André Gunder
1965b "Brasil: un año que va desde los gorilas hasta las guerrillas", *El Día* (México), 8 de octubre de 1965

Frank, André Gunder
1965c "¿Con qué modo de producción convierte la gallina maíz en huevos de oro?", *El Gallo Ilustrado*, suplemento de *El Día* (México), No. 175, 31 de octubre de 1965 y No. 179, 28 de noviembre de 1965; *Izquierda Nacional* (Buenos Aires), No. 3, octubre de 1966

Frank, André Gunder
1966a "El desarrollo del subdesarrollo", *Monthly Review, Selecciones en Castellano* (Santiago), No. 36, 1967; *Desarrollo Indoamericano* (Barranquilla), No. 1, 1966; *Pensamiento Crítico* (La Habana), No. 7, 1967

Frank, André Gunder
1966b "La inestabilidad urbana en América Latina", *Cuadernos Americanos* (México), XV, No. 1, enero-febrero de 1966

Frank, André Gunder
1968 "La Raíz del Hambre", *Presente Económico* (México), No. 2, 1965
[La referencia en esta edición se hace a algunas de las versiones en español de los artículos citados, y se omiten referencia a las versiones en inglés que aparecen en la edición original en inglés. Las versiones en inglés de los artículos citados integran los 25 ensayos del autor reunidos en el libro *Latin America: Underdevelopment or Revolution*, New York, Monthly Review Press 1970, de próxima aparición en español bajo el título, *Subdesarrollo Capitalista o Revolución Socialista: ensayos sobre el desarrollo del subdesarrollo y el enemigo inmediato en Latinoamérica*.]

Frantz, Jacob
1963 "Os produtores de algodão." *Semanário*, mayo 30-junio 6

Frondizi, Arturo
1958 *Política y Petróleo*, Buenos Aires

Frondizi, Silvio
1956 *La realidad argentina: Ensayo de interpretación scociológica. La revolución socialista*, Buenos Aires, Praxis, Vol. II

Fuentes, Carlos
1963 "The Argument of Latin America." en *Whiter Latin America?*, New York, Monthly Review Press

Furtado, Celso
1959 *A formação econômica do Brasil. Rio de Janeiro*, Fundo de Cultura (Hay edición en esp.)

Furtado, Celso
1962   *A pré-revolução brasileira.* Rio de Janeiro, Fundo de Cultura (Hay edición en esp.)
Furtado, Celso
1964   *Dialética do desenvolvimento.* Rio de Janeiro, Fundo de Cultura (Hay edición en esp.)

Geiger, Pedro Pinchus, and Myriam Gōmes Coelro Mesquita
1956   *Estudos rurais da baixada fluminense.* Rio de Janeiro, Instiuto Brasileiro de Geografia e Estatística
Gerassi, John
1963   *The Great Fear.* New York, Macmillan Co.
Góngora, Mario
1960   *Origen de los "inquilinos" de Chile central.* Santiago, Editorial Universitaria
González Casanova, Pablo
1965   *La democracia en México.* México, Ediciones Era
Guerra y Sánchez, Ramiro
1964   Azúcar y Población en las Antillas, La Habana
Guilherme, Wanderley
1963   *Introdução ao estudo das contradições sociais no Brasil.* Rio de Janeiro, Instituto Superior de Estudos Brasileiros
Guimarães, Alberto Passos
1963   "População e reforme agrária." *Jornal do Brasil,* mayo 26

Horowitz, Irving Louis
1964   *Revolution in Brazil: Politics and Society in a Developing Nation.* New York, Dutton (Hay edición en esp.)
Huchison, Bertram
1963   "The Migrant Population of Urban Brazil," *América Latina* (Rio de Janeiro), Vol. 6, No. 2

Ianni, Octavio
1961   "A constituição do proletariade agrícola no Brasil." *Revista Brasileira de Estudos Políticos,* No. 12, octubre
IBGE   *Censo agrícola do 1950.* Rio de Janeiro, Instituto Brasileiro de Geografia e Estatística
IBGE   *Censo demográfico do 1950*
Instituto Brasileiro do Café
1962   *Programa de racionalização da cafeicultura brasileira.* São Paulo, IBC
Instituto de Economía
1963   *La economía de Chile en el período 1950-1963.* Santiago, Universidad de Chile
Instituto Nacional Indigenista
1962   *Los centros coordinadores indigenistas.* México, INI
Irazusta, Julio
1963   *Influencia económica británica en el Río de la Plata.* Buenos Aires, EUDEBA

Jobet, Julio César
1955   *Ensayo crítico del desarrollo económico-social de Chile.* Santiago, Editorial Universitaria
Johnson, Dale
1964   "The Structural Dynamics of the Chilean Economy." Mimeographed
Julião, Francisco
1962   "Que são as Ligas Camponesas?" *Cadernos do Povo*, Civilização Brasileiras, Rio de Janeiro (Hay edición en esp.)

Kuusinen, O. W., Y. A. Arbatov, *et al*
S. F.   *Fundamentals of Marxism-Leninism.* Moscow, Foreign Languages Publishing House (Hay edición en esp.)

Lacoste, Yves
1961   *Os países subdesenvolvidos.* São Paulo, Difusão Européia do Livro (Hay edición en esp.)
Lagos, Ricardo
1962   *La concentración del poder econmico en Chile.* Santiago, Editorial del Pacífico
Lambert, Jacques
S. F.   *Os dois Brasis.* Rio de Janeiro, Ministério da Eduçāo e Cultura
Lima, Heitor Ferreira
1961   *Formação industrial do Brasil: Período colonial.* Rio de Janeiro, Fundo de Cultura
Luxemburg, Rosa
1964   *Tre Accumulation of Capital.* New York, Monthly Review Press (Hay edición en esp.)
Lyons, Raymond F. (ed.)
1964   *Problems and Strategies of Educational Planning. Lessons from Latin America.* Paris, International Institute for Educational Planning

Magdoff, Harry
1966   "Economic Aspects of U.S. Imperialism." *Monthly Review*, New York, noviembre, en Harry Magdoff, *The Age of Imperialism*, New York, Monthly Review Press, 1969 (Hay edición en esp.)
Malpica, Carlos
1963   *Guerra a muerte al latifundio.* Lima, Movimiento Izquierdista Revolucionario, Ediciones Voz Rebelde
Manchester, Allan K.
1933   *British Preeminence in Brasil: Its Rise and Fall.* Chapel Hill, University of North Carolina Press
Mandel, Ernest
1962   *Traité d'Economie Marxiste.* París, Rene Julliard, 2 vols. (Hay edición en esp.)
Mariátegui, José Carlos
1934   *Siete ensayos de interpretación de la realidad peruana.* Lima, Editorial Librería Peruana, 2a ed.
Marini, Ruy Mauro
1964   "Brazilian Interdependence and Imperialist Integration." *Monthly Review* (New York), Vol. 17, No. 7, diciembre

Marroquín, Alejandro
1957   La ciudad mercado (Tlaxiaco). México, Universidad Nacional Autónoma de México, Imprenta Universitaria
Marroquín, Alejandro
1956   "Consideraciones sobre el problema económico de la región Tzeltal-Tzotzil." América Indígena (México), XVI, No. 3, June
Marx, Karl
S. F.   El capital. (Hay edición en esp.)
McBride, George M.
1936   Chile: Land and Society. New York, American Geographical Society
McMillan, Claude Jr., Richard F. Gonzalez and Leo G. Erickson
1964   International Enterprise in a Developing Economy. A Study of U. S. Business in Brazil. M.S.U. Business Studies, East Lansing, Michigan State University Press
Medina, Carlos Alberto de
1963   "Jardinópolis e Sertãozinhoe." In CIDA 1963 (see above)
Michaels, David
1966   "Monopoly in tre United States." Monthly Review (New York), Vol. 17, No. 11, abril
Mikesell, Raymond F. (ed.)
1962   U.S. Private and Government Investment Abroad. Eugene, University of Oregon Books
Miranda, José
1947   "La función económica del encomendero en los orígenes del régimen colonial: Nueva España (1525-1531)," en Anales, Instituto Nacional de Antropología e Historia, Vol. 2, México, Secretaría de Educación Pública
Miranda, José
1952   El tributo indígena en la Nueva España durante el siglo XVI. México, Colegio de México
Monbeig, Pierre
1952   Pionniers et planteurs de São Paulo. París, Armand Colin
Myrdal, Gunnar
1957   Economic Theory and Underveloped Regions. London, Duckworth (Hay edición en esp.)

Newsweek
1965   Newsweek, marzo 8
Nolff, Max
1962   "Industria Manufacturera," en Geografía económica de Chile, Vol. 3, Santiago, Corporación de Fomento de la Producción
Normano, J. F.
1931   The Struggle for South America. Boston, Houghton Mifflin
Normano, J. F.
1945   Evolução econômica do Brasil. São Paulo, Companhai Editora Nacional.
Novik Macovos, Nathan, and Jorge Farba Levin
1963   La potencialidad de crecimiento de la economía chilena. Santiago, Universidad de Chile, Facultad de Ciencias Económicas (tesis)

Núñez Leal, Víctor
1946   Coronelismo, enxada, e voto. Río de Janeiro

OCEPLAN
¹964   Las bases técnicas del plan de acción del gobierno popular. Santiago,
        Comando Nacional de la Candidatura Presidencial del Dr. Salvador
        Allende (mimeograf.)
Ots Capdequi, José M.
1946   El régimen de la tierra en la America española durante el período co-
        lonial. Ciudad Trujillo, Editora Montalvo

Paixão, Moacir
1959   "Elementos da questão agrária." Revista Brasiliense, No. 44, julio-
        agosto
Pinto Santa Cruz, Anibal
1962   Chile: Un caso de desarrollo frustrado. Santiago, Editorial Universi-
        taria
Pinto Santa Cruz, Anibal
1964   "Diez años de economía chilena en el período 1950-1963." Panorama
        Económico, Santiago (Chile: Una economía difícil, México, Fondo de
        Cultura Económica, 1965)
Plano Trienal
1962   "Estratificación social y estructura de clase." Revista de 1963-1965.
        Brasilia, Presidència da República
Prado Júnior, Caio
1960   "Contribuição para a análise da questão agrárie no Brasil." Revista
        Brasiliense, No. 28, marzo-abril
Prado Júnior, Caio
1962   História econômica do Brasil. São Paulo, Editôra Brasiliense. (Hay edi-
        ción en esp.)
Prensa Latina
1965   Prensa Latina, marzo 26. México, Agencia Informativa Latinoame-
        ricana

Quintanilla Paulet, Antonio
S. F.   "La reforma agraria y las comunidades de indígenas." En La reforma
        agraria en el Perú, Lima, Comisión para la Reforma Agraria y la Vi-
        vienda

Ramírez Necochea, Hernán
1958   Balmaceda y la contrarevolución de 1891. Santiago, Editorial Univer-
        sitaria
Ramírez Necochea, Hernán
1959   Antecedentes económicos de la independencia de Chile. Santiago Edi-
        torial Universitaria
Ramírez Necochea, Hernán
1960   Historia del imperialismo en Chile. Santiago, Austral
Rangel, Ignacio
1961   Questão agrária brasileira. Rio de Janeiro & Brasília, Presidència da
        República, Conselho do Desenvolvimento (mimeograf.)

Redfield, Robert
1941   *The Folk Culture of Yucatan.* Chicago, University of Chicago Press
Redfield, Robert
1960   *The Little Community and Peasant Society and Culture.* Chicago, University of Chicago Press
Rippy, J. Fred
1959   *British Investments in Latin America 1822-1949.* Minneapolis, University of Minnesota Press

Safarian, A. E.
1966   *Foreign Ownership of Canadian Industry.* Toronto, McGraw-Hill Company of Canada, pp. 235-241
Santos Martínez, Pedro
1961   *Historia económica de Mendoza durante el virreinato, 1776-1810.* Madrid, Universidad Nacional de Cuyo, Instituto González Fernández Oviedo
Schattan, Salomão
1959   "Estructura económica da lavoura paulista." *Revista Brasiliense*, Setiembre-octubre
Schattan, Salomão
1960   "Estructura económica da agricultura paulista." *Revista Brasileira de Estudos Políticos*, No. 12, octubre
Sée, Henri
1961   *Orígenes del capitalismo moderno.* México, Fondo de Cultura Económica
Sepúlveda, Sergio
1959   *El trigo chileno en el mercado mundial.* Santiago Editorial Universitaria
Simonsen, Roberto C.
1939   *Brazil's Industrial Evolution.* São Paulo, Escuela Livre de Sociología e Política
Simonsen, Roberto C.
1962   *Historia económica do Brasil (1500-1820),* São Paulo, Companhia Editôra Nacional
Singer, Paul
1961   "Agricultura e desenvolvimiento económico." *Revista Brasileira de Estudos Políticos*, Octubre
Singer, Paul
1963   "A agricultura na região da Bacia do Paraná-Uruguai." *Revista de Estudos Sócio-Econômicos,* (São Paulo) mayo
Sodré, Nelson Werneck
S. F.   *Formação histórica do Brasil.* São Paulo, Editôra Brasiliense
Stavenhagen, Rodolfo
1962   "Estratificación social y cultural de clase." *Revista de Ciencias Políticas y Sociales* (México), No. 27, enero-marzo
Stavenhagen, Rodolfo
1963   "Clases, colonialismo y aculturación: Ensayo sobre un sistema de relaciones interétnicas en Mesoamérica." *América Latina* (Río de Janeiro), Vol. 6, No. 4, octubre-diciembre

Toynbee, Arnold
   1962   *The Economy of the Western Hemisphere.* London and New York,
            Oxford University Press
Turner, John Kenneth
   1964   *México Bárbaro.* México, Ediciones del Instituto Nacional de la Ju-
            ventud Mexicana

United Nations
   1963   United Nations Economic Commission for Latin America, *The Social
            Development of Latin America in the Postwar Years.* New York-San-
            tiago, E/CN. 12/660/mayo 11
United Nations
   1964a   Conference on World Trade and Development. *Review of the Trends
            in World Trade.* New York (E/CONF. 46/12. Feb. 26, 1964)
United Nations
   1964b   Economic Commission for Latin America. *Estudio Económico de Amé-
            rica Latina, 1963.* New York (C/CN. 12/696/Rev. 1 noviembre)
United Nations
   1964c   Economic Commission fo Latin America. *El Financiamiento Externo
            de América Latina.* New York (E/CN. 12/649/Rev. 1, diciembre)
U.S. News and World Report
   1966   julio 18

Véliz, Claudio
   1963   *"La mesa de tres patas."* Desarrollo (Buenos Aires), Vol. 3, No. 1-2,
            abril-setiembre
Vera Valenzuela, Mario
   1961   *La política económica del cobre en Chile.* Santiago, Universidad de
            Chile
Vinhas, Moisés
   1962   "As classes e camadas do campo no estado de São Paulo." Estudos
            Sociais, No. 13, junio
Vinras de Queiroz, Mauricio
   1962   *Os grupos econômicos no Brasil.* Rio de Janeiro, Universidade do Bra-
            sil, Instituto de Ciências Sociais (mimeograf.)
Vistazo
   1964   Vistazo. Santiago, julio 27
Visión
   1965   *Progreso 64/65—Revista del Desarrollo Latinoamericano.* New York

Wegley. Charles and Marvin Harris
   1955   "A Typology of Latin American Subcultures." *American Anthropo-
            logist,* Vol. 57, No. 3, junio
Williams, Eric
   1944   *Capitalism and Slavery.* Chapel Hill, University of North Carolina
            Press. Russell & Russell, New York, 1964

Wolf, Eric R.
1955   "Types of Latin American Peasantry." *American Anthropologist*, Vol. 57, No. 3, junio
Wolf, Eric R.
1959   *Sons of the Shaking Earth*. Chicago, University of Chicago Press (Hay edición en esp.)

Zavala, Silvio
1943   *New Viewpoints on the Spanish Colonization of America*. Philadelphia, University of Pennsylvania Press (Hay edición en esp.)

impreso en editorial romont, s.a.
presidentes 142 - col. portales
del. benito juárez - 03300 méxico, d.f.
un mil ejemplares y sobrantes
26 de marzo de 1987

MÉXICO EN NUESTRA COLECCIÓN DE SOCIOLOGÍA Y POLÍTICA.

FORMACIÓN Y DESARROLLO DE LA BURGUESÍA EN MÉXICO. SIGLO XIX/ C.F.S. Cardoso y otros

Además de la temática específica a que están abocados —tipos de comportamiento empresarial y sus adaptaciones a circunstancias cambiantes— estos textos presentan elementos importantes acerca de las estructuras y coyunturas globales de México en el siglo XIX. Cabe anotar que la documentación principal utilizada en todos los trabajos comprende fuentes de archivos notariales, complementadas con otras de archivos judiciales y privados, lo cual permite un estudio bastante detallado y de gran valor para quienes se interesan por este tema.

MÉXICO, 1940: INDUSTRIALIZACIÓN Y CRISIS POLÍTICA/ José Ariel Contreras

El presente ensayo abarca un breve pero importante período en la historia de México: el tránsito de una sociedad esencialmente agraria a una con predominio industrial. Las fuerzas sociales que intervinieron en esta transición, su ideología y los diversos programas y métodos de lucha, son objeto de descripción y análisis —la crisis del gobierno de Cárdenas, el conflicto Múgica-Ávila Camacho, la naturaleza del almazanismo— son abordados seria y exhaustivamente.

LA FORMACIÓN DEL CAPITALISMO EN MÉXICO/ Sergio de la Peña
Examen del período de la historia mexicana que va de 1521 a 1910, en el que De la Peña señala los cambios en las relaciones de producción que indicaron los brotes del capitalismo y su desarrollo, hasta convertirse en las relaciones de producción predominantes en México.

CÓMO SOBREVIVEN LOS MARGINADOS/ Larissa A. de Lomnitz
Descripción del sistema que conforman los mecanismos de supervivencia de los marginados como una respuesta evolutiva, vital y vigente a las condiciones extremas de su vida: lo constituyen esas redes sociales de asistencia mutua que representan un sistema económico informal, paralelo a la economía de mercado, caracterizado por el aprovechamiento de los recursos sociales y operado en base al intercambio recíproco entre iguales.

AL NORTE DE MÉXICO: EL CONFLICTO ENTRE "ANGLOS" E "HISPANOS"/ Carey McWilliams
Desde los primeros colonizadores españoles, la historia atraviesa los siglos hasta la época de las grandes migraciones hacia el norte y los comienzos de la actual actividad económica e industrial del suroeste norteamericano. En efecto, Al norte de México es tanto un ensayo sobre la historia social "no escrita" de esa región como de sus pobladores de habla española.